Эдвард Радзинский

Гибель галантного века

· Москва · Вагриус ·
1998

УДК 882—94
ББК 84Р7
Р 15

ISBN 5-7027-0552-1

Последняя из Дома Романовых

ДОМИКИ СТАРОЙ МОСКВЫ

Слава прабабушек томных,
Домики старой Москвы,
Из переулочков скромных
Все исчезаете вы.

Марина Цветаева

Они прячутся в старых, кривых московских переулках. И там, величественные и жалкие, как состарившийся Казанова, греют на солнце свои колонны — облупившиеся белые колонны московских дворцов XVIII века... Зажатые между огромными домами, они выплывают из времени. Миражи. Сны наяву.

Ах, эти дома желтой охры... античный фриз на фронтоне — гирлянды, веночки, летящие гении, за толстыми стенами — прохладная темнота зала... полукруглые печи, чудом сохранившийся расписной потолок... и вековые деревья за оградой.

В дни молодости моей довелось мне жить в таком доме. И в долгие зимние вечера, когда так чудно падает снег и странно светят фонари, я любил сидеть в своем доме... Осторожно ставил я на стол *тот* шандал...

Как он попал ко мне?.. Как уцелел после всех пожаров, войн, революции и отчаянных скитаний несчастной семьи? Когда-нибудь я расскажу и эту историю... когда-нибудь...

Старинный бронзовый шандал со свечой, загороженный маленьким белым экраном в бронзовой рамке, поставлен на столе.

Я погасил электрический свет, засветил свечу — и побежали по потолку, по стенам зала торопливые тени.

И проступило изображение на экране: у горящего камина на фоне высокого окна сидит молодая красавица. Неотрывно глядит она в небольшой серебряный таз, стоящий у ее ног. В тазу по воде плавают крохотные кораблики с зажженными свечами.

Это старинное венецианское гадание. В тот день она решила узнать свою судьбу. О, если бы она ее узнала!

Как я любил разглядывать ее лицо на старинном экране. Томно склонив головку с распущенными волосами, она глядит в серебряную воду. И плавают, плавают свечи на крохотных корабликах. И колеблется неверное пламя.

В эту женщину были влюблены самые блестящие люди века. Ее красоте завидовала Мария-Антуанетта. И мечтательный гетман Огинский, и властительный немецкий государь князь Лимбург были у ее ног. Ей объяснялся в любви самый блестящий донжуан Франции — принц Лозен. И граф Алексей Орлов, самый блестящий донжуан России...

Тогда, в том доме, я собирал по крохам все, что осталось, о ней.

И, читая полуистлевшие письма истлевших ее любовников, я шептал вслед за ними безумные слова: «Ваши глаза — центр мироздания...», «Ваши губы — моя религия...», «Ваши руки подобны плющу нежности...» Уходят наши тела... Но страсть и любовь остаются.

И все чаще стало мерещиться мне...

Исчезал московский домик. Пропадал, тонул в снежной метели.

И видение Санкт-Петербурга: белая петербургская ночь, безжалостный золотой шпиль крепости. И кронштадтский рейд. И силуэты фрегатов в белой ночи.

Самое неправдоподобное в этой истории, что это правда.

Джакомо Казанова

Кто не жил в XVIII веке — тот вообще не жил.

Талейран

НЕСКОЛЬКО ТОЧНЫХ ДАТ

В конце мая 1775 года пришла в Кронштадт из Средиземного моря русская военная эскадра. И хотя люди давно не были дома, никому не было дозволено ступить на берег.

Из именного указа императрицы Екатерины Второй генерал-губернатору Санкт-Петербурга князю Александру Михайловичу Голицыну:

«Князь Александр Михайлович! Контр-адмирал Грейг, прибывший с эскадрой с ливорнского рейда, имеет на корабле своем под караулом *ту женщину*. Контр-адмиралу приказано без именного указа никому ее не отдавать. Моя воля: чтобы вы...»

24 мая 1775 года.

Была ночь, но во дворце генерал-губернатора Санкт-Петербурга князя Голицына не спали. Князь Александр Михайлович, грузный шестидесятилетний старик, сидел в своем кабинете. Перед ним навытяжку стоял молоденький офицерик — капитан Преображенского полка Александр Матвеевич Толстой.

Тучный князь тяжело поднялся с кресел, пошел к дверям. Распахнул двери: в маленькой комнате, у аналоя с крестом и Евангелием ждал священник в полном облачении.

— Прими присягу, Александр Матвеевич, — обратился князь к капитану.

— Клянусь молчать вечно о том, что надлежит мне увидеть и исполнить... — звучал в тишине голос Толстого.

— И людей своих к присяге приведешь. И растолкуй им, что, коли хоть одна душа узнает, — наказание беспощадное... В Кронштадт поплывете ночью... И вернешься с нею в крепость тоже ночью... чтоб ни одна душа...

И князь обнял капитана:

— Ну, храни тебя Бог!

В ночь с 24-го на 25 мая 1775 года.

Яхта с капитаном Толстым и шестью преображенцами с потушенными огнями плыла из Петербурга в Кронштадт. На берегу и на судах, мирно качавшихся на якорях в устье Невы, давно спали.

Глубокой ночью подплыли к Кронштадту. Неслышно скользила яхта по военному рейду.

«Святослав»... «Африка»... «Не тронь меня»... «Европа»... «Саратов»... «Гром»... Стояли на рейде в ночи линейные корабли и фрегаты, залитые призрачным светом.

У шестидесятипушечного адмиральского судна «Три иерарха» яхта замедлила ход.

В каюте капитана Толстого уже ждал контр-адмирал Самуэль Карлович Грейг.

— Весь завтрашний день, капитан, вы и ваши люди проведете в каютах. — Грейг говорил по-французски: он был не так давно на русской службе и плохо владел русским. — Ни с кем из корабельной команды не видеться и не разговаривать... И только когда на корабле отойдут ко сну...

Ночь, 25 мая 1775 года.

На темную палубу вывели нескольких мужчин и двух женщин. Одна из женщин одета в черный плащ с капюшоном, глубоко надвинутым на лицо.

— Настоятельно прошу вас, госпожа, — обратился Грейг по-итальянски к женщине, — не открывать лица и не говорить ни с кем до прибытия в назначенное место. Непослушание только ухудшит ваше положение.

Не дослушав адмирала, женщина молча направилась к борту.

Ее усадили в покойное кресло и спустили вниз — на яхту.

Адмирал почтительно помогал ей.

Дважды прозвенели куранты на Петропавловской крепости, когда яхта пристала к гранитным стенам.

В белой ночи на пристани темнела фигура в плаще и треуголке. Яхту встречал сам хозяин крепости — Андрей Григорьевич Чернышев, генерал-майор и санкт-петербургский обер-комендант.

Женщина в черном плаще молча глядела на гранитные стены и беспощадный золотой шпиль...

Арестованных быстро размещали по казематам Алексеевского равелина. Захлопывались двери камер, лязгали засовы...

И в крепости наступила тишина. Будто ничего и не произошло.

Комендант Чернышев торжественно ввел женщину в просторное помещение, состоявшее из трех светлых и, главное, сухих комнаток, что было большой редкостью в крепости, постоянно затоплявшейся Невой. Сие была его гордость — помещение для особо важных преступников.

Женщина сбросила капюшон — и бешено сверкнули ее раскосые глаза.

— По какой причине осмелились арестовать меня? — яростно выкрикнула она по-итальянски.

26 мая 1775 года, ранним утром, в своем кабинете за бюро с медальоном императрицы князь Александр Михайлович Голицын писал донесение:

«Всемилостивейшая государыня! Известная женщина и свиты ее два поляка и слуги и одна служанка привезены и посажены сего дня в два часа поутру за караулом в приготовленные для них в Алексеевском равелине места под ответ обер-коменданта генерал-майора Андрея Чернышева...»

Прошло два с лишним года.

В ночь на 5 декабря 1777 года в Санкт-Петербурге стояли лютые морозы.

В Петропавловской крепости куранты уже пробили полночь, когда из Алексеевского равелина обер-комендант Чернышев и солдаты вынесли гроб.

Горели факелы. С трудом копали солдаты смерзшуюся землю.

— Копать веселее! — покрикивал комендант.

Все глубже, глубже яма.

Комендант осветил ее факелом, удовлетворенно кивнул.

Солдаты опустили гроб и торопливо забросали мерзлой землей.

На рассвете 5 декабря пошел густой снег. Мело, мело по мерзлой земле.

Из рапорта Санкт-Петербургского обер-коменданта генерал-майора Андрея Чернышева:

«...Означенная женщина волею Божьей умре... А пятого числа в том же Алексеевском равелине той же командой, при ней в карауле состоявшей, была похоронена. По объявлении присяги о строжайшем сохранении сей тайны...»

Снежная метель разыгралась над Петербургом. Все потонуло в этой метели: дворцы, крепость. И могила.

И к утру не осталось никаких следов — только белое поле у Алексеевского равелина.

ДЕЙСТВУЮЩИЕ ЛИЦА: «ОРЛОВ СО ШРАМОМ»

> Я не поручил бы ему ни жены, ни дочери, но я мог бы совершить с ним великие дела...
>
> *Граф Федор Головкин. Портреты и воспоминания*

Прошло ровно тридцать лет.

5 декабря 1807 года.

В Москве, во дворце графа Алексея Григорьевича Орлова в Нескучном, как всегда в воскресенье, ждали песельников да плясунов.

По бесконечной анфиладе дворца движется согнутая фигура — чудовищная огромная гнутая спина в шитом золотом камзоле. Тяжелый стук медленных старческих шагов...

Золотая спина шествует мимо портрета в великолепной раме.

На портрете изображен молодой красавец, увешанный орденами, в Андреевской ленте через плечо, на фоне горящих кораблей. Это сам хозяин дворца граф Алексей Григорьевич Орлов-Чесменский в молодые годы. Герой, победитель турок в морском сражении в Чесменской бухте, где перестал существовать турецкий флот.

Горят, горят корабли на портрете...

Именно тогда, в 1770 году, французский посол докладывал из Петербурга: «Алексей Орлов — глава партии, возведшей на престол Екатерину. Его брат Григорий — любовник императрицы, он очень красивый мужчина, но, по слухам, простодушен и глуп... Алексей Орлов сейчас самое важное лицо в России. Екатерина его почитает, боится и любит. В нем можно видеть подлинного властелина России».

Тяжелый стук медленных старческих шагов по анфиладе дворца...

Но это все в прошлом. Нынче графу за семьдесят — и он мирно доживает свой век в Москве, вот уж который год изумляя первопрестольную безудержным, буйным разгулом...

На масленой граф со свитой — непременный зритель кулачных боев между воспитанниками Славяно-греческой академии и университетскими... С превеликим удовольствием наблюдает Его сиятельство, как с дикими криками, гиканьем сходятся молодые парни в кулачном бою на ледяных горах у кремлевской стены. (Горы заливали на месте нынешнего Александровского сада.)

Когда граф был помоложе, то и сам участвовал...

Ох, как страшились дерущиеся, когда в толпе страшно возникала исполинская фигура! И яростно бросалась в общую потасовку.

«В воскресенье, перед дворцом в Нескучном, граф неизменно устраивает бега своих знаменитых рысаков...»

И мчатся по снежной дороге дивные кони... И пляшут перед дворцом столь любимые Его сиятельством скоморохи да песельники... Потешные драки в снегу между шутами и скоморохами непременно сопровождаются милостивым старческим смехом. «Изволили смеяться...»

Как справедливо сказал о графе поэт: «Дыша всем русским, он до страсти любил отечественные развлечения...»

И сегодня, в солнечный морозный день, в доме графа, как всегда, готовились к веселью — ждали троек со скоморохами и цыганами. И граф тоже готовился...

Все ближе тяжелые шаги по роскошной анфиладе. Испуганные лица лакеев.

Громадная согнутая спина в золотом камзоле повернулась — и на фоне портрета молодого красавца возникло изборожденное морщинами, обрюзгшее лицо старика в парике. Слуга в дверях дрожащими руками аккуратно положил кисточкой пудру на его парик.

И старый граф продолжал свое шествие по анфиладе.

В последнее время у графа Алексея Григорьевича появились большие странности: он стал часто заговариваться и еще развилась в нем необыкновенная тяга к щегольству. Теперь каждое утро граф шел через бесконечную анфиладу, и лакеи кисточками накладывали определенные его сиятельством порции пудры на парик. Ох, не дай им Бог ошибиться! Граф сам исчислил количество комнат, которое ему надлежит пройти, чтобы парик приобрел должный вид.

Движется согнутая фигура... И в дверях каждой следующей комнаты дрожащий лакей украшает пудрой графский парик. И крестится, когда граф проходит мимо...

Старик миновал последнего лакея и очутился в сверкавшей зале: бесчисленные зеркала в холодном зимнем солнце беспощадно повторяли морщинистое лицо графа и страшный шрам на щеке. Современники называли этот шрам «знаком предсмертного отчаяния». И с ужасом уверяли, что получен он был в Ропшинском дворце, где граф задушил свергнутого императора Петра Третьего. Но иные утверждали, что сей шрам попросту заслужен графом в пьяной драке. Так или иначе, но, отличая его от остальных четырех братьев Орловых, Алексея Григорьевича прозвали «Орлов со шрамом».

Усмехаясь, старик оглядывал себя в зеркалах — он доволен.

— Отменно... Не стыдно будет на балу сего дня, — обращается он к крохотному старичку в мундире, с Чесменской медалью.

Тридцать восемь лет назад сержант Изотов закрыл грудью графа от турецкой пули в знаменитом Чесменском бою. И теперь доживает век в его доме, являясь нынче основным собеседником того, кто именовался когда-то «властелином России».

— Когда цыгане с плясунами да песельниками придут — пустить их на бал. *Она* веселье любила, — радостно приказал граф.

— Да какой же нынче бал, Ваше сиятельство? Никакого бала у нас нет, — удивился старый слуга.

— Ан есть, — с торжеством ответил граф. — Пятое число сегодня — ее день... Схоронили ее... В этот день она ко мне на бал каждый год приходит. И сегодня жду... Любила балы. Как же она любила балы! Непременно пожалует.

— Да что ж вы, Ваше сиятельство... Алексей Григорьевич? — прошептал старый сержант.

Граф посмотрел на испуганного старика мутными глазами. На мгновение сознание вернулось к нему.

— Подать мое яблоко, сержант, — приказал он весело.

Старый сержант заулыбался: он любил эту молодецкую шутку. Он достал из кармана заготовленное яблоко. Граф взял яблоко и легко раздавил его двумя пальцами. И счастливо засмеялся.

— Что яблоко! Говорят, вы быка одним ударом прихлопнуть могли, — подобострастно сказал Изотов.

— Да что быка! Я государя императора Петра Федоровича одним ударом... — И бешеные глаза человека со шрамом взглянули на несчастного сержанта. Тот только перекрестился.

И вновь глаза графа помутнели.

— Что же мы тут... гости никак пожаловали? — И граф торопливо пошел к высоким дверям залы.

Он широко распахнул двери и склонился в низком поклоне:

— Матушка государыня к холопу своему... А мы как раз про мужа твоего убиенного... да про «известную женщину» толкуем...

Граф не договорил и вновь склонился в поклоне:

— А вот и консул английский сэр Дик с распрекрасной супругой своей... много способствовал сей англичанин в поимке «известной женщины»... А вот и адмирал Грейг... большие заслуги и у него в этом деле были.

Граф стоял один в пустой зале и бесконечно церемонно раскланивался с пустотой, встречая ушедшую эпоху. А сзади полумертвый от страха Изотов только приговаривал:

— Ваше сиятельство... Ваше сиятельство...

Но граф не слышал. Он видел, как в залу вошла *она*.

Как тогда, на корабле, на ней был длинный черный плащ с капюшоном, надвинутым на лицо...

Граф захрипел и упал навзничь на драгоценный паркет.

К дворцу уже подлетали тройки. С визгом и хохотом соскакивали цыгане, удалые скоморохи да плясуны. Обезумевшие люди графа бестолково носились перед домом, разгоняя приехавших.

Граф умирал. Умирал тяжело, в муках. Речь отказала — он хрипел. И глаза его наполнялись слезами. Он лежал на огромной кровати, под потолком, украшенным плафоном «Триумф Минервы»: аллегория триумфа императрицы Екатерины Второй в войне с турками.

На стене висел парадный портрет императрицы: Екатерина со скипетром и короной.

На столике у кровати лежал золотой медальон в форме сердца, осыпанного бриллиантами. Медальон был раскрыт, и внутри него улыбалась все та же императрица.

Только трое во всей России имели право носить такой медальон. Два фаворита императрицы — Григорий Орлов и Григорий Потемкин. И он... Но сейчас этого никто не помнил, и никого это не интересовало. И старый медальон пылился на столе, и старый человек, окруженный императрицами, умирал в постели.

Иногда он забывался. И в забытьи слышал собственный голос. И видел лицо деда, так напоминающее чье-то лицо.

— Чье лицо? — прошептал он.

И понял: его лицо... лицо старика, умирающего сейчас в постели.

— Не всегда был я старый, внучек, — говорил дед, — молодой был, да отважный, да забиячливый. И за то прозвали меня товарищи Орлом. А Петр Алексеевич только Россией начал править. И мы — стрельцы — великий бунт против него учинили. Велено нам было голову сложить на плахе.

Он видел...

...как поднимался его дед на плаху... как под ноги деду покатилась отрубленная голова казненного стрельца. И, с усмешкой взглянув на усталого палача, уже поджидавшего его с топором, дед, как мячик, откинул ногой отрубленную голову. И, засмеявшись, положил свою — под топор, на плаху.

— Увидел царь — и понравилось ему бесстрашное озорство мое, — слышал он голос деда. — И помиловал он меня. Помни, внучек: до конца имей надежду и смерти не бойся.

— Смерти не бойся, — беззвучно шептали губы старого графа.

Около постели графа сидела Анна, любимая, единственная дочь графа. Ее мать умерла сразу после ее рождения. Сейчас Анне исполнилось двадцать лет.

Анна всматривалась в изуродованное страданием лицо графа. В глазах старика стояли слезы. Он о чем-то просил, что-то хотел сказать. Но она не могла его понять и только умоляюще шептала:

— Что прикажете, папенька?

— Сына просят, — сказал сзади Изотов, — за сыном велят послать.

Старик умоляюще кивнул.

— Пошлите за Александром, — сказала дочь и заплакала.

И опять граф впал в беспамятство. И опять он видел деда своего — старого Орла.

Они стояли перед дедом в ряд, пять красавцев гвардейцев, пять родных братьев.

— Пять братьев вас, пять Орлов... Ты, Гришка, самый красивый, — подмигнул дед Григорию. — Но зато ты, Алешка... — И дед глянул на Алексея. — А ну, покажи нам...

Привели быка. Черный, огромный, бык неподвижно стоял перед братьями. Алексей подошел к быку. Сжал пудовый кулак. И одним страшным, быстрым движением ударил быка меж рогами... Качнулся бык. Рухнул как подкошенный. Крик восторга вырвался у братьев.

— Да, ты самый сильный, — шептал дед, — но ты и самый буйный, осторожки в тебе нет. Но на то, внуки, даден вам брат Иван. — И он ткнул в старшего брата. — Он самый хитрый, и он отца вам вместо. А Владимир да Федор — младшие, всем вам преданы. Одна душа и одна голова... Покуда вместе будете, никому вас не сломить!

Императрица на потолке улыбалась.

— Сломила... — слышал свой голос умирающий граф, — одна ты нас всех сломила.

И он увидел императрицу совсем молодой великой княгиней на том балу.

— Тогда все ночи танцевали, — усмехнулся старик, — Елизавета села на трон после переворота... Был он ночью устроен... И теперь по ночам боялась спать. И Петербург танцевал, танцевал до утра. Бал... бал...

Они стояли в дворцовом зале — Григорий и Алексей, два красавца — высоченные, в блестящих гвардейских мундирах.

— Ох и хороша великая княгиня. Ей-ей, хороша! — шептал Григорий.

Екатерина, танцуя, вдруг обернулась.

— Отметила! — зашептал Григорий и совсем приник к уху брата: — Загадал, коли сейчас еще обернется... Ну, обернись, душа ты моя!

И опять, танцуя, Екатерина мельком взглянула на братьев.

И улыбнулась.

— Моя будет, — прошептал Григорий.

— Да ты в своем уме? — лукаво взглянул на брата Алексей. И восхищенно добавил: — Ох, Гришка! Ну враг! Сущий враг!

Торжественно раскрылись парадные двери. Вошла высокая, полная, немолодая дама в роскошном платье.

— Императрица... Елизавета Петровна... — неслось по зале.

— Модница была... не нашивала одно платье два раза. После смерти остались в ее гардеробе пятнадцать тысяч платьев... — шептал старик.

За императрицей следовал тоже высокий, тоже дородный и тоже немолодой господин: граф Алексей Григорьевич Разумовский — фаворит и, как утверждала молва, тайный муж Елизаветы.

— Вот он, ночной император, — шептал Григорий Орлов брату. — А ведь простым певчим был, грамоты не знал... В хоре его увидела да и влюбилась без памяти. Попал в случай...

За Алексеем Разумовским важно вышагивал господин помоложе, столь же высокий и величественный — граф Кирилла Григорьевич Разумовский, родной брат Алексея, гетман Малороссии.

— А ведь недавно этот гетман свиней пас, — шептал Григорий. — Сам мне рассказывал: когда Алексей фаворитом стал, послал за ним офицера. А Кирилла решил, что его в солдаты хотят упечь... со страху на дерево залез и три дня там просидел. С голодухи только слез. А теперь — вон они! Что *случай* делает! — И добавил лукаво: — А ведь они тоже братья и на нас с тобой похожие — такие же здоровенные... Только мы красивее да умнее.

И опять Екатерина, танцуя, взглянула на братьев...

Потом старик увидел Москву, зиму... Бежали сани. В санях они: Григорий и Алексей — молодые, в распахнутых шубах... Проезжали мимо белых колонн дворца на Покровке...

— Тпру! — закричал Григорий.

И остановились сани.

Вот он дворец графа Алексея Григорьевича Разумовского. В переулке на холме за дворцом виднелась церковь.

— Церковь Воскресения в Барашах, — усмехался Григорий. — Здесь он тайно повенчался с императрицей... А может, и нас с Катериной когда-нибудь повенчают, да не тайно!

Алексей уставился на брата.

— Моя она, — усмехнулся Григорий, — любит меня без памяти... все сделает, как я скажу...

— Ох, Гришка, — любуясь братом, сказал Алексей. — Ей-ей, сущий враг!

Екатерина, прекрасная, молодая, танцует с Григорием. И открытое безумное женское счастье на ее лице...

Умирающий старик глядел на императрицу на потолке и шептал беззвучными губами:

— Ах, эти гордые твои фавориты, они всегда думали, что они выбрали тебя, а это ты их выбирала. Счастливая, ты всегда любила тех, кто был тебе нужен. Нас было пятеро братьев... удальцы-кутилы, любимцы гвардии... И ты взяла Григория и взяла тем нас всех... и всю гвардию. Ты знала: скоро... скоро умрет Елизавета. И тогда муженек, тебя ненавидевший, упечет тебя в монастырь да и женится на полюбовнице. И ты готовилась... Екатерина Великая... Екатерина Предусмотрительная.

Граф застонал. Изотов и Анна перевернули его на другой бок.

Теперь он видел гроб. В гробу лежала императрица Елизавета. Молодая Екатерина стояла на коленях у гроба, и слезы лились по ее лицу...

— Ты всегда умела плакать, когда хотела, — шептал старик императрице на потолке.

Гвардейцы стеной окружали гроб.

— Ишь как убивается, — сказал Иван Орлов.

— А император, муженек ее, в это время бражничает со своими немцами да с полюбовницей горбатой, — усмехался Григорий Орлов в другом конце зала.

— Опять немцы сядут нам на голову, — вздыхал Владимир Орлов, окруженный гвардейцами.

— А ведь матушку Елизавету Петровну отцы наши на трон посадили, — тихо начал Алексей и умолк.

— Дело говорит, — зашептали в зале.

Старик вспоминал. Точнее, это не были воспоминания. Просто когда боль отпускала, он уходил в ту жизнь. И жалкое, беспомощное тело, лежавшее на огромной кровати под балдахином, было не его тело... Его тело жило в той жизни — великолепная, мощная плоть...

— Скоро... скоро оно на бойню пойдет, — беззвучно смеялся старик.

Бал в разгаре — первый бал после траура по умершей императрице. Неряшливый, дрожащий старик в старом серебряном камзоле стоял у колонны.

— Лесток, лейб-медик умершей императрицы, — шептал Иван Орлов Григорию и Алексею, — его только что вернули из ссылки... Двадцать лет пух там от голода. А ведь это он когда-то Елизавету на трон сажал. Попомните, братья, как она его отблагодарила.

И еще один старик — в мундире с золотым шитьем, в орденах и лентах — вошел в сверкающую залу.

— Фельдмаршал Миних, — шептал Иван, — и его из Сибири вернули... Двадцать лет подряд господин фельдмаршал, полуголодный, картошку там себе на пропитание сажал. А ведь какую власть имел. Вот до чего тщеславие доводит.

— Ничего, они вернулись, — захохотал Алексей. — По мне, или все — или плаха.

— О плахе для нас, видать, уже заботятся, — усмехнулся Иван. И кивнул на молодого гвардейца, танцевавшего менуэт. Танцуя, гвардеец нет-нет да и посматривал на братьев. — Адъютант императора Перфильев... Говорят, его к нам приставили, — шептал Иван.

— Ба! Да он же игрок! Уж я-то знаю, как задобрить подобных господ! — смеялся Григорий. — Теперь каждую ночь стану проигрывать ему в карты. И он будет доволен, и император спокоен: ночью мы картами заняты. Ведь по ночам у нас перевороты делаются!.. Но торопитесь, братья, иначе разорюсь!

— Ты прав: время выступать! — сказал Алексей. — Откроют заговор — только наши головы полетят...

Катька Дашкова — сестра родная полюбовницы государя, ее, конечно, помилуют. Никита Панин каждый день иное говорит, один Бог ведает — с нами он иль нет. Кириллу Разумовского его брат Алексей с плахи за уши вытянет. Сама Екатерина вообще будет ни при чем... Только наши головушки...

— Ага, — засмеялся Григорий. — Если мою первой отсекут...

— Ага, — захохотал Алексей. — Уж я, как дед, пну твою дурацкую голову!

В гвардейских казармах шла большая игра. Играли — Перфильев, Григорий Орлов, офицеры-измайловцы, когда вошел Алексей Орлов. Поманил брата. Весело поманил, будто собираясь поведать о чем-то забавном.

— Я сейчас, господа. — Григорий бросил карты, подошел к Алексею, сопровождаемый внимательным взглядом Перфильева.

Будто рассказывая о веселом и все хохоча, Алексей сказал брату:

— Капитан преображенцев Пассек утром арестован императором. Заговор раскрыт...

— Кто сообщил?

— Никто не ведает... Но откуда-то слух, что арестовали его и раскрыт заговор. Теперь эта сумасшедшая девчонка, Дашкова, носится по Петербургу с этим слухом... Она всех нас под топор подведет. Времени нет, надо действовать. Фортуна за нас: император пьянствует в Ораниенбауме... на скрипице играет... Екатерина одна в Петергофе. Осталось одно: привезти ее в Петербург и объявить императрицей.

— Слушает, — кивнул Григорий на Перфильева.

— Вижу... вернешься к столу... продолжишь игру... И напои хорошенько, чтоб бела света не видел... Я отправляюсь сей час в Петергоф — за Екатериной. На рассвете жди меня на пятой версте у Петербурга со свежими лошадьми. Ну?

— С Богом, брат, — и до встречи: во дворце иль на плахе.

— Ух, как я пну тогда, Григорьюшко, дурацкую твою голову!

Григорий возвращается к столу. Перфильев вопросительно глядит на него.

— Презабавное амурное дельце предложил мне брат. Но я, как всегда, предпочел игру, — улыбнулся Григорий.

— А я, как всегда, даму, — захохотал в дверях Алексей. — Пожелайте мне удачи... с дамой. — И он весело подмигнул Перфильеву.

Старик шептал, глядя на Екатерину, парящую на потолке:

— Ах эта ночь... Тогда была белая теплая ночь... 27 июня... и двадцать восемь верст надо было проскакать до Петергофа — я отметил это странное сочетание цифр...

Карета, запряженная шестеркой, мчалась по дороге в Петергоф. На козлах — кучер, в карете за занавесками — Алексей Орлов. Рядом с каретой верхом скакал молодой офицер — капитан-поручик Василий Бибиков.

— Послушай, не торопись, береги лошадей, — сказал из кареты Алексей.

— Я люблю Петергоф, Алеша, — мечтательно отвечал с лошади Бибиков. — Там все: статуи, фонтаны, рощи — служат увеселению чувств...

— Береги, береги лошадей, Бибиков.

— А коли ударят тревогу, когда подъедем? — вдруг спросил Бибиков.

— Тогда — руби, Васька! — засмеялся в карете Орлов. — Мы должны захватить императрицу.

Подъехали к ограде Петергофского дворца. У ограды ни души — ни караульных, ни сторожей.

— Дворец неохраняем... странно, Алеша, — зашептал Бибиков.

— Останься с лошадьми.

И Орлов выпрыгнул из кареты.

Осторожно открыл решетку главного входа. И ступил в парк.

В парке — ни души. Он крался мимо цветника к дворцу «Монплезир». И здесь ни души.

И тогда Орлов начал хохотать. Он шел по пустому парку и хохотал во все горло:

— Какой же ты болван, батенька... Не охраняется. Это она сторожей сняла... она слух пустила, что Пассек арестован за заговор, чтоб всех нас на дело поднять. А сама ни при чем. Сама будто безмятежно спит. Если заговор сорвется — объявит, что мы увезли ее силой. Ай да Катерина! Ох, врагиня!

Он подошел к «Монплезиру» — маленькому дворцу, построенному еще Петром Великим. Обошел дворец, остановился у потайной двери.

Коли я прав, потаенная дверь в ее покои будет открыта...

Толкнул — и дверь легко распахнулась...

Усмехнувшись, он вошел во дворец.

Торопливо взбежал по лестнице. Рядом со спальней Екатерины — ее уборная. И, проходя, он увидел золотое нарядное платье, разложенное на креслах.

— Ну как же... Сегодня из Ораниенбаума император ее навещает... платье приготовили... Вряд ли кого найдете здесь, батюшка император Петр Федорович.

Распахнул дверь в ее покои. Екатерина спала. От стука проснулась, открыла глаза.

— Пора вставать, — жестко сказал Орлов. — Все готово для вашего провозглашения.

— Как?.. Что?! — играя пробуждение, удивилась Екатерина.

— Пассек арестован. Остальное расскажу по дороге, не время медлить.

— Который час? — спросила она деловито.

— Шесть утра. — И добавил: — Ваше императорское величество государыня Екатерина Вторая.

Она сидела на постели — простоволосая, в сорочке...

Он посмотрел на нее. Она усмехнулась. И тогда...

Старик глядел на акварель над кроватью. Под акварелью стояла подпись: «Отъезд из Петергофа 27 июня 1762 года».

— Англичанин Кестнер акварель эту изготовил. И только для нас с тобой... чтобы помнили мы тот день...

Вот я веду тебя к карете... а этот вблизи кареты стоит — камердинер твой... В воротах твоя камер-фрау... а этот, верхом на лошади, — Васька Бибиков... А это — зеваки, рабочий люд... Не узнали они тебя, оттого шапки у них на головах...

Орлов вскочил на козлы рядом с кучером:

— С Богом!

Карета понеслась в Санкт-Петербург.

Тысячи людей — у храма Казанской Божьей Матери.

Гвардейцы теснили толпу. Екатерина в черном платье поднималась по ступеням собора, окруженная братьями Орловыми. За ними — Кирилла Разумовский, Никита Панин, гвардейские офицеры.

Алексей Орлов громовым голосом провозгласил со ступеней:

— Матушка наша самодержица — императрица Екатерина Алексеевна!

Вопли восторга, крики толпы, «ура!» гвардейцев.

И под перезвон колоколов навстречу Екатерине вышло духовенство...

Императрица на потолке улыбалась.

— Как я тебя знаю. Никто так тебя не знал, матушка государыня, — шептал старик.

Карета с закрытыми занавесями, окруженная гвардейцами, подъехала к Ропшинскому дворцу. Впереди на лошади — огромный, тяжелый Алексей Орлов. Из кареты вывели низложенного императора...

— Он дал себя свергнуть легко, как ребенок, которого отсылают спать, — шептал старик.

Петр Федорович входит во дворец. Худенький, жалкий, похожий на мальчика, он совсем потерялся рядом с исполином Орловым. Полуобняв за плечи, Алексей Орлов вводит его в спальню — место заточения.

— Она поручила мне охранять свергнутого императора... Поручила... зная, что Гришка хочет стать ее мужем, — шептал старик. — Но пока был жив этот несчастный выродок, ее законный свергнутый муж, Гришка мужем-то стать не мог... И она все-таки поручила его *нам.* Яснее своей воли не выскажешь!

— Позаботься о нем, Алексей Григорьевич, — говорит Екатерина, — муж он мне все-таки. И не должен он терпеть ограничений ни в чем, кроме свободы. Следи, чтоб не обижали.

— Не изволь беспокоиться, волю твою исполню.

Екатерина, не выдержав его взгляда, отворачивается.

Ропшинский дворец окружен гвардейцами. У входа в спальню бывшего императора — гвардейцы со штыками.

— Я запер его в спальне, и этот недавний самодур и деспот сразу превратился в жалкого забитого мальчика. Злодеи не умеют достойно переносить несчастия и слабы духом.

— Я прошу вас привезти мою собаку, мою обезьянку и скрипицу, — подобострастно заглядывая в глаза Орлову, просит Петр.

— Чего ж не привезти? Я привез... Я быстро стал лучшим другом этого дурачка. Иногда я над ним... шутил.

В спальне Орлов играл в карты со свергнутым императором.

— Алексей Григорьевич, дозвольте немного погулять в саду. Душно мне в спальне, какой день без прогулки...

— А чего ж, погуляй, Ваше императорское величество.

И Орлов подмигнул часовым. Петр резво вскочил со стула, по-мальчишески подбежал к дверям. И тотчас часовые скрестили штыки перед его грудью.

— Не пускают, — почти плача, закричал Петр.

— Пропустить императора! — повелительно приказал Орлов.

И опять подмигнул часовым.

И снова Петр опрометью бросился к дверям. И снова солдаты молча скрестили штыки...

— Не слушают! — кричит император.

— Не слушают, — сокрушается Орлов. — Видать, матушка, жена твоя, не слушать тебя им приказала. Вот ведь какое дело, Ваше императорское величество.

— И очень скоро — шестого июля... *случилось*... — шептал старик.

Упал канделябр... темнота в спальне... яростная возня... и жалкий, слабый крик...

— Горло, горло, — хрипит в темноте Орлов.

— Кончай ублюдка, — пьяно ярится чей-то голос.

И тонкий, задыхающийся вопль. И тишина... только тяжелое дыхание людей в темноте.

Старик плакал — он видел лицо императора, освещенное дрожащим светом свечи, нелепо задранную жалкую ногу в сапоге...

— Прости, Христа ради... Но не расстались мы с тобой, убиенным. Повстречаться пришлось... Это когда государыня умерла. И Павел — сын ее — на престол взошел. Не твой, ее... Потому что сам ты не верил, что он твой сын. И Павел не верил. И оттого сразу, как сел на трон, обществу стал доказывать, что сын он тебе законный, — любовь к отцу стал выказывать...

1796 год.

В Зимнем дворце старик Орлов, в аншефском мундире с шитьем и Андреевской лентой, стоял перед Павлом. Павел глядел на него с яростной улыбкой.

— Решили мы священные останки отца нашего, государя Петра Федоровича, перенести из Александро-Невской лавры туда, где им покоиться надлежит, — в нашу царскую усыпальницу. И захоронить прах отца нашего рядом с супругой его, светлой памяти государыней Екатериной Второй... Торжественная церемония перенесения праха на завтра назначена. И решили мы оказать тебе великую честь — пойдешь за гробом отца нашего. — Павел пронзительно глядел на Орлова. — Впереди гроба должны нести корону императорскую. Ту самую, которую у него отняли... И я все думал, кому сие поручить?.. Да, да, граф, — *ты* понесешь!

— Великая честь, Ваше величество... Но на длительной службе государыне и отечеству здоровье потерял. Ноги не ходят, а путь длинный...

— Неси! — бешено закричал Павел. И протянул корону на золотой парчовой подушечке.

И я понес...

Движется торжественная процессия. С трудом передвигая ревматические ноги, несет корону на золотой подушечке старый граф Алексей Григорьевич.

— Он думал, — шептал старик, — что я со страху... Потому что холоп... А я... как покаяние...

Он задумался и прошептал:

— А может, потому, что холоп?

И старик вновь вернулся в те счастливые времена после переворота.

— Мы все... все тогда могли. И Гришке путь к августейшему браку был открыт.

Императрица на потолке улыбалась.

Избранный кружок императрицы в Зимнем дворце. Никита Панин, Алексей Орлов и Кирилла Разумовский за ломберным столиком играли в карты.

— Мы всем, всем тогда владели! — шептал умирающий старик.

Григорий Орлов, развалясь, сидит на диване. У него сломана нога. Екатерина заботливо подает ему бокал с вином на серебряном подносе.

Григорий выпил, поставил бокал на поднос, с усмешкой оглядел играющих. И вдруг нежно обратился к императрице:

— Как думаешь, матушка, достаточно мне месяца, чтоб с престола тебя сбросить, коли захочу?

Наступила тишина. Екатерина побледнела, молчала.

И тогда Кирилла Разумовский, продолжая игру, сказал как ни в чем не бывало:

— Что ж, наверное, оно и так, Григорий Григорьевич... Только и трех дней не прошло бы, как мы бы тебя вздернули!

Панин засмеялся, улыбнулась и Екатерина — светски, будто ничего не произошло.

Поняла тогда, что сильна уже не одними нами...

И опять он видел торжествующее лицо Григория.

— Наша взяла, Алеша, дотерзал я ее, пойдет за меня замуж. Все как мечтали мы с тобой. Завтра князя Воронцова посылает к старику графу Алексею Разумовскому. Указ подготовлен — объявить его Императорским высочеством. Чтоб тайный брак его с Елизаветой сделать явным. И тем дорогу к нашему с Катериной браку проложить. Она говорит: прецедент нужен... Но Воронцов против, и Панин против, и Кирилла Разумовский... Езжай с Воронцовым, Алеша. Боюсь одного его пускать. Ведь к царству идем, брат...

Воронцов и Алексей Орлов поднялись по мраморным ступеням Аничкова дворца. Вошли в залу.

У горящего камина, спиной к ним, сидел старый граф Алексей Разумовский. Он сидел сгорбившись, смотрел в огонь. На коленях у него лежало раскрытое Евангелие.

— Мы пришли от государыни, — начал Алексей.

— Не трудитесь, молодые люди, я знаю причину вашего прихода, — сказал старик, не оборачиваясь.

Князь Воронцов торжественно развернул лист, украшенный гербами.

— Вот проект указа, объявляющего вас Императорским высочеством... В обмен я должен получить от вас бумаги, удостоверяющие действительность некоего события.

— Государыне известно, что бумаги о совершении тайного брака у вас есть, — жестко перебил Орлов.

Разумовский молча взял проект указа из рук Воронцова. Пробежал глазами. И молча вернул Воронцову.

Все так же, не произнося ни слова, он поднялся с кресел. Подошел к комоду, на котором стоял ларец черного дерева, окованный серебром. Отпер ларец. Из потайного ящичка вынул бумаги, обвитые розовым атласом. Атлас аккуратно уложил обратно в ларец, а бумаги начал читать, не прерывая молчания. Прочитав бумаги, перекрестился. И бросил их в горящий камин.

— Проклятие, — прошептал Алексей.

Разумовский опустился в кресло и наконец произнес:

— Я был верным рабом Ее величества покойной императрицы Елизаветы. Ничем более. И желаю быть покорным слугой императрицы Екатерины. Просите ее, молодые люди, о благосклонности ко мне.

— Угадал твое тайное желание проклятый царедворец, — шептал старик императрице на потолке, — и ты знала, что он угадает...

Лицо Екатерины. Улыбаясь, она обращается к Алексею Орлову:

— Ну что ж, почтенный старец оказался всех нас умнее... Тайного брака не было, и шепот о нем всегда был для меня противен.

— Вот после того я захворал... да чуть было не помер с обиды за брата...

Лицо Екатерины склонилось над Алексеем.

— Сколько в беспамятстве пролежал. — Она улыбалась благодетельной своей улыбкой. — Доктора вылечить не могут, потому что не знают: богатырь ты — и не можешь жить в праздности... Это брат твой по месяцу кутить может, а тебе без дела нельзя — хвораешь без дела... Войну с турками начинаю. Тебе флот поручаю — весь флот в архипелаге под твое начало...

Над кораблями взвивается Андреевский флаг.

— Не ошиблась, — шептал старик, — отменно выбирала людишек... Это я, Алешка Орлов, который моря-то прежде не видел, шлюпкой управлять не умел, загнал турецкий флот в Чесменскую бухту и сжег турецкие корабли...

Вопль «ура!» из тысячи глоток. Грохочут пушки.

Картина на стене, изображавшая Чесменскую баталию (как много изображений знаменитого боя развешано по комнатам дворца!), надвинулась на умиравшего старика...

Исполинская фигура Орлова — на адмиральском судне «Три иерарха». Лицо со шрамом, искаженное бешенством, яростью боя...

А потом на том же корабле он увидел...

Григорий Орлов в фантастическом камзоле, усыпанном бриллиантами, стоял на палубе.

— Гришка?! Ну, красавец! Ну, враг!.. Ты тут зачем?

Они обнялись.

— Матушка послала — мир добыть у турок...

— И ты... ее оставил?! Оставил Петербург? С ума спрыгнул?

— Глупец ты, Алеша... Я — все для нее! Я ей руку на спину положу — и уж обмерла... Баба, одно слово! Знаешь, как она величала меня, посылая?.. «Ангел...» «Посылаю ангела мира к этим страшным бородатым туркам».

И он захохотал.

— Прост ты, Гриша, ох как прост... Неужто не понял, что случилось? Она нас *обоих* из Петербурга отослала!

Но Григорий только смеялся.

А потом он получил пакет из Петербурга...

Григорий читает письмо — в бешенстве комкает бумагу, топчет ногами.

И крик, вопль:

— Лошаде-е-ей!!

И уж карета мчит через всю Россию.

— Гони, гони, — вопит из кареты обезумевший Григорий.

— Куда гнать-то, милок? Во дворце уже другой! — усмехнулся старик.

Улыбающееся благосклонной улыбкой лицо Екатерины.

— Я многим обязана семье Орловых. И осыпала их за то богатством и почестями. И всегда буду им покровительствовать. Но мое решение неизменно. Я терпела одиннадцать лет! И теперь хочу жить, как *мне* вздумается. И вполне независимо...

— Уже появился во дворце другой Гришка — Потемкин. Главный фаворит. Это мы его во дворец ввели когда-то. И за то ненавидел он нас — ох ненавидел! И мы его...

— Что касается вас, Алексей Григорьевич, расположение мое к вам неизменно. Вы по-прежнему являетесь начальствующим над нашим флотом в Средиземном море. И никто по-прежнему не вправе требовать ни в чем у вас отчета. Надеюсь, что пребывание ваше в Италии и впредь будет столь же приятным, — улыбнулась с портрета Екатерина.

— Это был приказ: сидеть в Италии, а в Петербург ни ногой. Боялась нас матушка, — засмеялся старик, — Гришку-брата целый год в Петербург не пускала. Потом пустила. А меня — нет. Двое Орловых — слишком много для одного Санкт-Петербурга! Крепко запомнила...

Лицо Григория:

— Как думаешь, матушка, достаточно мне месяца, чтобы сбросить тебя с престола, коли захочу?..

— И вот *тогда,* в Италии... — прошептал умирающий старик.

Екатерина усмехнулась на портрете.

— Никого... Никого ты не любила... ни Гришку Потемкина, ни Гришку-брата... ни всех бесчисленных твоих любимцев случая... И я тогда никого не любил. И оттого мы так хорошо понимали друг друга... пока *тогда в Италии...*

Старик вновь увидел лицо той женщины.

Она склонилась над постелью...

Его сын наклонился над постелью — Александр Чесменский, незаконный сын.

— Папенька, Александр пришел... — сказала Анна.

— И румянец у него чахоточный, — беззвучно шептал старик, — *ее* румянец.

— Он не узнаёт, — жалко сказала Анна молодому человеку, — побудьте пока в той комнате, Александр.

— Впору причащать, — сказал сзади Изотов.

— За митрополитом Платоном послали, — пролепетала Анна.

— Тогда в Италии... Тогда в Италии... — шептал старик. — Сколько же я не видел тебя? Тридцать три года. Цифра-то особая...

Женщина шла к нему из темноты...

— Он что-то просит, — беспомощно обратилась к Изотову Анна.

— Шандал велят подвинуть, — сказал Изотов, глядя на шевелящиеся губы графа.

Старый сержант поднял бронзовый шандал с экраном, стоявший на бюро.

Перенес к постели. И зажег свечу. На экране проступило изображение *той* женщины. Она сидела у камина и глядела в серебряный таз. В тазу плавали кораблики с зажженными свечами.

Вошел слуга и тихо сказал Анне:

— Митрополит Платон больны-с... Велели сообщить — викария своего пришлют.

— Не захотел!.. Не захотел! — в ужасе шептала Анна.

Старик глядел на экран.

И кораблики в тазу превращались в огромные корабли. Она стояла на палубе, как тогда. В том же плаще с капюшоном, надвинутым на лицо.

Она сбросила капюшон — и страшные, беспощадные, горящие глаза уставились на графа...

Старик захрипел.

26 декабря 1807 года.

Величественный старец сидел за грубой, старинной работы конторкой — митрополит Московский и Коломенский Платон, автор знаменитой «Краткой русской церковной истории». «Этим трудом он достойно завершил XVIII век и благословил век XIX» — так оценил его сочинение великий историк Сергей Михайлович Соловьев.

Митрополит обмакнул перо и записал: «26 декабря 1807 года. Граф Орлов умер. Меня присылали звать... Но мог ли я согласиться по слабости моей?..»

ДЕЙСТВУЮЩИЕ ЛИЦА: ОНА

Был сентябрь 1774 года. В Ливорно на рейде выстроились корабли русской эскадры. Ветер — ветер в парусах кораблей, и белые трепещущие крылья чаек, и трепещущие флаги.

И заполнившая набережную вечная итальянская толпа жестикулирует, хохочет. В разноцветной толпе темнеют широкополые шляпы и черные плащи художников. Похожие на карбонариев, они сидят за мольбертами.

Но вот притихла толпа — все смотрят в море: ждут.

Главнокомандующий русской эскадрой граф Алексей Григорьевич Орлов устраивает небывалое зрелище — «Повторение Чесменского боя».

Дымок на борту адмиральского судна «Три иерарха» — ударила пушка. И загорелся фрегат «Гром», изображавший корабль турок. Крик восторга пронесся в толпе. С набережной было видно, как забегали по палубе «Грома» матросы, пытаясь тушить огонь.

И опять показался дымок на адмиральском корабле, и опять ударила пушка. «Гром» пылал, охваченный пламенем с обоих бортов. Толпа неистовствовала.

Карета, запряженная парой великолепных белых рысаков, въехала на набережную. Слуга распахнул дверцы, украшенные гербами, и в белом камзоле с золотым шитьем восторженной толпе явился сам Главнокомандующий.

Граф почтительно помог выйти из кареты белокурой красавице в пурпурной тунике. Это Кора Олимпика, итальянская поэтесса, увенчанная лаврами Петрарки и Тассо в римском Капитолии, очередная страсть графа. Злые языки утверждают, что сегодняшнее зрелище устроено по прихоти романтической дамы.

Рукоплещущая толпа окружила графа и поэтессу. Простерши руки к морю, белокурая красавица начинает читать стихи Гомера о гибели Трои...

Кровавая туника на фоне моря, горящего фрегата... Божественные звуки эллинской речи... Капризный чувственный рот поэтессы...

Орлов с нетерпением слушал чтение.

Шлюпка уже ждала Главнокомандующего и его подругу, когда рядом с графом возник человек в сером камзоле и широкополой шляпе — сэр Эдуард Монтегю, знаменитый английский путешественник по Арабскому Востоку.

— Позвольте засвидетельствовать самый искренний восторг, граф. Мы видим перед собой картину великого Чесменского боя. И воочию!

— Всего лишь маленький эпизод. — Граф улыбнулся. — В том бою, милорд, был ад кромешный — стоял такой жар от горящих кораблей, что на лицах лопалась кожа.

— В себя не могу прийти! Жечь корабли, чтобы несколько живописцев и одна поэтесса смогли увидеть великое прошлое? Поступок истинного ценителя муз и, конечно, русского барина! У нас, европейцев, кишка тонка!

Желваки заходили на скулах — Орлов нахмурился.

— Ничего, мои матросики сами подожгут, да сами и потушат. В огне учу новобранцев, милорд. Оттого и флот наш победоносен...

И Орлов приготовился покинуть докучливого англичанина, но тот с вечной насмешливой своей улыбкой уже протягивал ему пакет:

— Осмелюсь передать вам это...

Орлов вопросительно взглянул на англичанина.

— К сожалению, граф, мне не велено открыть имя таинственного отправителя. — И добавил лукаво: — Но я проделал путь из Венеции в Ливорно, только чтобы выполнить это поручение... Отсюда вы можете заключить, что отправитель... — И Монтегю улыбнулся.

— Женщина, — засмеялся Орлов.

— И поверьте, прекрасная! Ваши успехи у дам заставляют меня с трепетом передавать вам ее письмо. Но что делать — желание повелительницы... — Он вздохнул, и опять было непонятно, издевается он или говорит всерьез. — Да, граф, страсти движут миром — они заставляют одного трястись по пыльной дороге из Венеции в Ливорно, другого жечь корабли. Засим разрешите откланяться...

— Передайте таинственной даме... — начал было граф.

— Сожалею, но вряд ли ее увижу. Я возвращаюсь в Венецию лишь затем, чтобы на рассвете отправиться на свой возлюбленный Восток. Пора! Засиделся в Италии. Все против, и особенно мать. Как все немолодые холостяки, я до сих пор ее слушаюсь... (Его мать, леди Мэри, была одной из знаменитейших писательниц века.) Прощайте. Мои лучшие пожелания в Петербурге другу моему графу Никите Панину. Мы с ним дружили, когда он был послом в Стокгольме. Мудрейший человек...

Хитрый англичанин, конечно, знал, что Панин принадлежал к дворцовой партии, много сделавшей для падения Орловых. Орлов оценил укол.

— Завидую людям, у которых нежные матери, — сказал граф. — О заботливости матери вашего друга Панина ходили легенды. Каждый вечер она обращалась к Богу с одной молитвой: «Господи, отними все у всех. И отдай моим сыновьям».

Граф раскланялся и пошел к начинавшей терять терпение поэтессе. Он помог ей спуститься в шлюпку.

На адмиральском судне «Три иерарха» графа встретил контр-адмирал Грейг.

Зарядили пушку. Граф скомандовал. И очередной снаряд поразил горящий «Гром».

— Шлюпку на воду — спасать несчастных «турок», — распорядился граф.

— Жаль, что фрегат спасти невозможно, — усмехнулся Грейг.

— Отпишите в Петербург: «Сгорел во время учений».

Объятый огнем «Гром» погружался в море.

Оставив поэтессу на корме читать Гомера, Орлов удалился в каюту.

В каюте он вскрыл объемистое послание.

— Проклятие! Здесь по-французски, — пробормотал граф, вынимая многочисленные листы.

Поразительно! Граф не знал французского. И это при том, что высшее русское общество разговаривало только по-французски. Но граф, выучивший немецкий и итальянский, учить французский отказался. Французский двор был главным врагом России. И в этом нежелании был как бы вызов, патриотизм графа.

Граф перелистал непонятные бумаги. Посмотрел на подпись под посланием. И лицо его изменилось. Он схватил колокольчик и позвонил. Вошел матрос.

— Христенека ко мне. И немедленно!

Граф нетерпеливо мерил шагами каюту, когда вошел Христенек.

Генеральс-адъютант (Главный адъютант) лейтенант Иван Христенек был серб, взятый Орловым на русскую службу. Граф имел право набирать себе людей в Италии и производить их в чины. Особенно много офицеров он набрал среди единоверцев — славян.

— Переведи. — Граф указал на письмо, лежащее на столе.

Христенек взял листы, и на его лице появилось изумление.

— Но это... — начал он еле слышно, — завещание покойной императрицы Елизаветы?..

— Завещание потом, сначала письмо, — в страшном нетерпении приказал Орлов.

— Здесь есть еще «Манифест к русскому флоту Елизаветы Второй Всероссийской»...

— Письмо! — прорычал Орлов.

— «Милостивый государь граф Алексей Григорьевич! — начал переводить письмо Христенек. — Принцесса Елизавета Вторая Всероссийская желает знать, чью сторону примете вы при настоящих обстоятельствах. Духовное завещание матери моей, блаженной памяти императрицы Елизаветы Петровны, составленное в пользу дочери ее, цело и находится в надежных руках...»

Христенек остановился.

— Дальше, — последовал нетерпеливый окрик графа.

— «Я не могла доселе обнародовать свой манифест, потому что находилась в Сибири, где была отравлена ядом. Теперь, когда русский народ готов поддержать законные права наследницы престола, я признала благовременным торжественно объявить, что нам принадлежат все права на похищенный у нас престол. И в непродолжительном времени мы обнародуем духовное завещание блаженной памяти матери нашей императрицы Елизаветы...»

Граф мерил огромными шагами кабинет:

— Послать за Рибасом!

Христенек торопливо распорядился насчет Рибаса. И продолжал чтение:

— «Долг, честь и ваша слава — все обязывает стать в ряды наших приверженцев. При сем нужным считаю присовокупить, что все попытки против нас безуспешны, ибо мы безопасны и находимся на турецкой Его величества эскадре султана, союзника нашего», — читал Христенек.

— Ну это, Ваше сиятельство, она врет... у нас с султаном мир уже решен, и султан сейчас ее к себе не пустит...

Это произнес молодой офицер.

Он как-то неслышно вошел и уже несколько минут незамеченный пребывал в комнате. Поражало его лицо: хищный нос — и добродушная, простоватая, располагающая улыбка.

Это был Иосиф Рибас, испанец, один из интереснейших людей своего времени. Сын кузнеца из Барселоны, он служил в Неаполе, но по каким-то причинам вынужден был оттуда бежать. Был взят Орловым на русскую службу. Осип Михайлович, как теперь именовался Иосиф Рибас, использовался Орловым для самых секретных поручений. Считался одним из хитрейших людей своего времени. Когда Суворов хотел описать хитрость Кутузова, он сказал: «Его даже Рибас не проведет!» Впоследствии стал адмиралом и участвовал в основании Одессы.

— «Время действовать, — продолжал читать письмо Христенек. — Иначе русский народ погибнет. При виде бедствий народа сострадательное сердце наше...»

— Полно читать воровское послание!.. Как подписано?

— «Елизавета Вторая Всероссийская», — прочел Христенек.

Орлов опять принялся ходить по каюте:

— Мне нужны все сведения об этой женщине.

— Ее видел наш майор... Месяца три назад он был проездом в Венеции, — сказал Рибас.

— Как? Значит, о ней давно известно? И мне ничего не сказали? Зачем держу вас на службе?!

— Но я думал... — начал Христенек.

— Что?!

— Я думал, вы знаете, Ваше сиятельство... столько слухов о ней... И в газетах...

— Слухи, газеты — ваша работа. А у меня — флот!

— Виноваты, Ваше сиятельство.

— Она уже ко мне смеет писать!..

И тут Орлов остановился, будто пораженный внезапной мыслью. Наконец он сказал:

— А коли это не она?! Не она писала?

Христенек уставился на графа.

— Ох, хитрецы, — опять зашагал по каюте граф. — Недаром Монтегю с графом Паниным дружбу водит... А если от имени злодейки сие послание мои враги из Петербурга составили? Верность мою государыне проверить решили? А то и хуже: уж не хотят ли попросту опорочить меня перед императрицей?.. Немедля! Немедля узнать, где эта женщина! И придется связаться с нею, чтоб обличить происки врагов моих!

Граф посмотрел на молчащего Рибаса и кратко спросил:

— Где она?

Рибас не удивился — он будто ждал этого вопроса.

— Думаю, в Рагузе. По последним слухам...

— Мне уже не нужны слухи, Осип Михайлович, коли есть человек, который это знает точно.

— Кто этот человек, Ваше сиятельство?

— Его зовут сэр Монтегю. Он сейчас скачет в коляске по дороге в Венецию.

Рибас молча поднялся.

ДЕЙСТВУЮЩИЕ ЛИЦА: РИБАС

Рибас скакал на коне по дороге, ведущей в Венецию. Солнце садилось, спала жара, дул свежий ветер с моря. Маленький городок со старым собором дремал на горе в заходящем солнце. Но Рибасу было не до красот — он гнал, гнал коня по дороге. «Как интересно... — размышлял Рибас. — Он сделал вид, что слышит об этой женщине впервые. А о ней, почитай, полгода пишут во всех газетах, говорят во всех салонах. Конечно, знал... Более того, предполагал, что она к нему обратится. А к кому ж ей еще обратиться? Он самый могущественный и самый опальный. В его распоряжении — флот и немыслимые суммы денег... Он может ради прихоти потопить фрегат... И притом ему запрещено то, что дозволено всякому, — вернуться на родину. Говорят, есть приказ: задержать его на границе, коли он без дозволения императрицы...»

Рибас вгляделся: далеко-далеко по дороге ехала карета. Рибас пришпорил коня.

«Итак, он знал, — продолжал размышлять Рибас. — А следовательно, план имел. Часть первую плана он сегодня высказал: проведать, где она, с ней связаться. Для чего? Он решил-де проверить: не задумали ли его опорочить перед императрицей?.. Ну, если он действительно этого боится, ему как раз опасно с ней встречаться... Нет, на самом деле этот человек никого не боится — ни Бога, ни черта... Уж не взыграло ли ретивое: одну императрицу он на трон уже посадил?.. Ох, Рибас, будь осторожен: ты должен понять всю игру, прежде чем в ней участвовать».

Карета сэра Эдуарда Монтегю мчалась в Венецию. Далеко по дороге показался всадник. Всадник приближался.

— По-моему, нас догоняют, сэр, — сказал лакей с запяток.

— И по-моему, тоже: нас догоняют, — невозмутимо ответили из кареты.

Рибас поравнялся с коляской.

— Остановитесь, милорд! У меня поручение от Его сиятельства графа Орлова!

Монтегю не отвечал и внимательно разглядывал Рибаса из окна кареты. Некоторое время они ехали рядом молча. Рибас тяжело дышал, но продолжал гнать вперед лошадь.

— К сожалению, я не имею возможности остановиться, мой молодой друг, — наконец произнес Монтегю из окна кареты, — ибо спешу в Венецию... Но я готов выслушать вас по пути. — И вечная издевательская улыбка появилась на лице англичанина.

— Граф приказал узнать, милорд, где находится автор послания, которое вы соизволили передать?

— Вы, кажется, в России иностранец, господин... — И он вопросительно посмотрел на всадника.

— Рибас.

— Сейчас много иностранцев, господин Рибас, на русской службе. Им граф может приказывать. А я пока не имею чести...

И Монтегю скомандовал:

— Вперед!

Форейтор ударил по лошадям, карета понеслась по дороге. Рибас тоже пришпорил лошадь, продолжая беседовать с англичанином.

— Мне необходимо, милорд... — Он задыхался. — Я не могу вернуться без сведений.

— Какое интересное положение: вы не можете вернуться без сведений. А я не могу их вам дать. Как же нам быть, милейший?

Рибас улыбнулся.

И выхватил пистолет.

Коляска остановилась.

— Посмотрите назад, — улыбнулся англичанин.

С запяток на Рибаса смотрело дуло пистолета.

Рибас расхохотался:

— Значит, остается проверить, кто выстрелит первым. Если я — умрете вы, если одновременно — умрем мы оба, и лишь в третьем случае умру один я. Так как у меня нет иного выхода, я вынужден буду это проверить. Но у вас-то есть: всего одно слово. И вы спасаете, по крайней мере, одного из нас... Я не шучу, милорд.

После некоторого молчания из коляски ответили:

— Вы далеко пойдете, господин Рибас... Она — в Рагузе.

И коляска покатила по дороге.

После демонстрации Чесменского боя перед восхищенными жителями Ливорно Орлов уехал в Пизу. Ливорно давно ему наскучил, и великолепный граф жил в Пизе в восхитительном палаццо Нерви.

В кабинете граф беседовал с Рибасом.

— На обратном пути я завернул в Ливорно, — докладывал Рибас, — и проверил сообщение англичанина. Дело в том, что в Ливорно находится сейчас наш давний друг — рагузский сенатор Реджина. Сенатор подтвердил: сия женщина действительно сейчас в Рагузе.

Рагуза (ныне Дубровник) — маленькое государство на Адриатическом море, подобное Венеции. «Свободные дети свободной матери Рагузы» торговали по всему свету. Рагуза издавна находилась под протекторатом турок. В 1772 году граф Орлов со своей эскадрой вошел в воды республики и потребовал отказа от турецкого протектората. Боясь турок, сенат не согласился. Орлов заявил, что будет бомбардировать древний город. Испуганный сенат отправил депутацию в Петербург. Екатерина послов не приняла, но бомбардировку отменила...

— В Рагузу, — продолжал Рибас, — ее привел случай. Вместе с польским воеводой князем Радзивиллом она плыла из Венеции в Турцию к султану, с каковым имела намерение соединиться. Но сильные ветра отнесли ее в рагузскую гавань... Нынче по причине нашего мира с Турцией вновь отправиться к султану ей никак невозможно. И она обитает в Рагузе. Хотя рагузский сенат, напуганный вами, Ваше сиятельство, делает все возможное, чтобы она оттуда убралась. Страх сената столь велик, что сенаторы даже отписали в Петербург о появлении сей женщины.

— Вот так! — захохотал Орлов. — Значит, уже и в Петербурге о ней знают. Мы узнаем последние... Зачем держу вас на службе?

— Из Петербурга ответили, что нет никакой надобности обращать внимание на побродяжку...

— Узнаю благодушие графа Панина!

Христенек ввел в залу жизнерадостного толстого господина в мундире майора.

— Тучков второй, — представился майор.

— Значит, видел ее в Венеции? — спросил Орлов.

— Точно так, Ваше сиятельство. Она жила в доме самого французского посла.

— Ну, как же без французов-то обойтись? — усмехнулся Орлов.

— Сей посол оказывал ей знаки внимания, почитай, как царствующей особе. С ней общались сам польский князь Карл Радзивилл и граф Потоцкий. Много с ней понаехало поляков. Все с усищами, саблями гремят. Скоро, говорят, будем с нашей принцессой Всероссийской на Москве, как с царевичем Дмитрием. И другие пакостные слова, повторять не хочу.

— И не надо повторять... ты лучше про дело рассказывай.

— Познакомился я там с двумя поляками: с Черномским и Доманским... Усищи у них...

— Ну, про усищи ты уже говорил.

— Садился я с ними в карты играть...

— Все проиграл? — усмехнулся Орлов.

Майор вздохнул:

— Там был еще француз маркиз де Марин, ох злой до карт мужчина. Он при ней служит. Обобрал он меня дочиста. И вот тут она и вошла... Вошла... за ней гофмаршал идет, потому что она еще и герцогиней будет.

— Подожди, — прервал Христенек, — ты же говорил, что ее кличут принцессой Всероссийской.

— Это по происхождению тайному она вроде бы принцесса Всероссийская, а по жениху — замуж она готовится — она еще и герцогиня. Поляки кричат мне: целуй-де ручку у своей законной повелительницы, а я только плюнул... Тьфу — вот вам и весь мой ответ.

Он замолчал.

— И все? — усмехнулся Орлов.

— И все, Ваше сиятельство. Спасибо ноги унес, а то б зарубили.

— Ну что ж, ответил хорошо. Узнал мало, вот что плохо, — мрачно сказал Орлов. — Ну, и как она... с лица?

— Худого не скажу... Красавица. Волосы темные, глазищи горят... И ни на секунду не присядет, все движется, все бежит...

— Понравилась? — усмехнулся Орлов.

— Только в оба и гляди, а то обольстит, — засмеялся майор, — но худа уж больно, пышности в теле никакой...

После ухода майора Орлов сказал:

— Чую, получим мы еще одного Пугачева в юбке, пока граф Панин благодушествует...

И приказал Христенеку:

— Пиши.

Граф начал диктовать, расхаживая по комнате:

— «Всемилостивейшая государыня! Два наимилостивейших Ваших писания имел счастие получить. С благополучным миром с турками Ваше императорское величество, мать всей России, имею счастье поздравить. Угодно Вашему величеству узнать, как откликнулись министры чужестранные на весть о мире...»

Орлов остановился и сказал Христенеку:

— В своем письме к нам государыня предполагает, как они *должны* откликнуться. Вот это все дословно в наше письмо и перепиши. Ибо, что матушка предполагает, то и правда.

И он продолжил диктовать:

— «На днях, матушка, получил я письмо от неизвестного лица, о чем хочу тебе незамедлительно донести. Сие письмо прилагаю, из коего все ясно видно. Почитай письмо внимательно, матушка, помнится, что и от Пугачева воровские письма очень сходствовали сему письму. Я не знаю, есть ли такая женщина или нет. Но буде есть, я б навязал ей камень на шею, да и в воду... Я ж на оное письмо ничего не ответил, но вот мое мнение: *если вправду окажется, что есть такая суматошная, постараюсь заманить ее на корабли и потом отошлю прямо в Кронштадт.* Повергаю себя к священным стопам Вашим и пребуду навсегда с искренней моей рабской преданностью».

«Как повернул, — с восхищением думал Рибас. — И уже забыты враги, которые хотят его опорочить! Теперь, оказывается, он решил свидеться с нею — только чтоб заманить ее на корабли!.. И все, что он будет делать, чтобы свидеться *с суматошной,* есть лишь служение императрице... Но как же он хочет с нею свидеться!»

На лице Рибаса было искреннее восхищение.

Орлов вдруг пристально посмотрел на Рибаса и сказал:

— Ох, Рибас, хитрый испанец, боюсь, повесят тебя когда-нибудь!

— Сильного повесят, слабого убьют, а хитрого сделают предводителем. Это у нас пословица, Ваше сиятельство, — улыбнулся Рибас.

— Итак, Осип Михайлович, — прервал его граф, — ты отправляешься в Рагузу. И все... все о ней разузнаешь. Откуда она родом?.. Кто с ней в заговоре?.. С кем в отечестве нашем связана?.. Но главное — кто она? Ты понял? Я все должен знать... На глаза ей не попадайся! И будь осторожен.

— Я всегда осторожен, Ваше сиятельство, когда имею дело с женщиной. Ибо женщина есть сосуд греха. Мой отец всегда говорил: «Женишься — бей жену». А я, дурак, спрашивал: «За что ж ее бить, коли я ничего плохого о ней не знаю?» — «Ничего, — отвечал отец, — *она* знает!»

ДЕЙСТВУЮЩИЕ ЛИЦА: ЕКАТЕРИНА. РАБОЧИЙ ДЕНЬ ИМПЕРАТРИЦЫ

Грязный сумрак петербургского утра в ноябре 1774 года.

В Зимнем дворце, в личных покоях императрицы, в огромной постели спит немолодая женщина, Ангальт-Цербстская принцесса Софья Августа Фредерика, известная под именем русской императрицы Екатерины Второй.

Сейчас ей сорок пять лет. Она родилась в Штеттине, где ее отец, один из бесчисленных немецких принцев, был командиром полка на прусской службе. В четырнадцать лет она была привезена в Россию и выдана замуж за голштинского принца Петра Ульриха, объявленного императрицей Елизаветой наследником русского престола Петром Федоровичем. Софья Фредерика также приняла православие и стала именоваться благоверной Екатериной Алексеевной.

Двенадцать лет назад женщина, спящая сейчас в постели, устроила дворцовый переворот. И стала править Россией под именем Екатерины Второй.

Дворцовый звонарь пробил шесть раз в колокол.

Екатерина встает с постели.

День императрицы начинался всегда в одно и то же время — в шесть утра.

Екатерина подходит к корзине рядом с кроватью: на розовых подушечках с кружевами спит собачье семейство — две крохотные английские левретки.

Четыре года назад Екатерина первой в России согласилась привить себе оспу. И тем подать пример подданным. Это был *поступок,* ибо последствия его были недостаточно известны. Но просвещенная императрица обязана была так поступить. И она рискнула — к восторгу своих друзей, французских философов. В память этого события английский доктор, прививший оспу, подарил ей собачек.

Екатерина будит собачек, кормит их печеньем из серебряной вазочки. Левретки сонно едят...

Пожилая некрасивая женщина входит в спальню. Это знаменитая Марья Саввишна Перекусихина — первая камер-фрау ее величества, наперсница и хранительница всех тайн. Она первой узнавала о падении одного фаворита и появлении другого... Она — глаза и уши императрицы во дворце.

— Ну, где же эта Катерина Ивановна? — раздраженно спрашивает Марью Саввишну Екатерина. — Мы ждем ее уже десять минут.

— И что это ты с утра разворчалась, матушка? — строго отвечает Марья Саввишна.

Екатерина покорно улыбается, с нежностью смотрит на Марью Саввишну — той дозволяется так разговаривать с императрицей, с ней Екатерина с удовольствием чувствует себя вновь маленькой девочкой.

«Никого у меня нет ближе этой простой, полуграмотной женщины. Я знаю: она любит меня. В наш век, когда мужчины так похожи на женщин и готовы продать себя за карьеру при дворе, — сколько знатных куртизанов сваталось к Марье Саввишне! Она всем отказала. Не захотела меня бросить... Когда я болею, она ухаживает за мной. А когда она болеет, я не отхожу от нее. Недавно мы заболели обе. Но она лежала в беспамятстве. И я в горячке плелась до ее постели... И выходила! Ибо коли она помрет — у меня никого!»

С золоченым тазом и золоченой чашей для умывания входит заспанная калмычка Катерина Ивановна.

Екатерина сердито вырывает у нее из рук чашку и начинает мыться.

— Заспалась я, матушка, что ж поделаешь, — вздыхает молодая калмычка.

— Ничего, ничего! Выйдешь замуж, вспомнишь меня. Муж на меня походить не будет, он тебе покажет, что значит запаздывать, — говорит Екатерина, торопливо умываясь.

Собачки бегают под ногами.

Эта сцена повторится и завтра, и послезавтра. Но калмычку Екатерина не гонит, Екатерина терпелива и вежлива со слугами. Она не забывает, что еще недавно хотела отменить крепостное право. Но не отменила.

— Будьте добры, Катерина Ивановна, пусть не позабудут принести табакерку и положить в нее табаку моего любимого...

Шесть часов двадцать минут утра на больших малахитовых часах... Екатерина перешла в рабочий кабинет.

Быстро выпивает чашечку кофе с сухарями и кормит собак. Собачки сладострастно поедают сухари и сливки.

— А теперь идите с Богом...

Уходят калмычка и камер-фрау. Екатерина выпускает собак погулять. Запирает дверь. Садится к столу.

Теперь время ее личной работы. В эти три часа, до девяти утра, она обычно пишет письма своим любимым адресатам — Вольтеру, Руссо и барону Гримму. Или делает наброски для мемуаров... Или пишет пьесы. Говорят, у ее пьес есть тайный соавтор — писатель Новиков, последователь Вольтера, просветитель. Пройдет время, и императрица посадит своего соавтора в тюрьму. Ибо к тому времени произойдет французская революция, и взгляды просвещенной императрицы переменятся. А писатель Новиков не сумеет переменить своих взглядов. Неповоротливый литератор!

Напевая мелодию французской песенки, Екатерина начинает писать свои письма.

Она в отличном настроении. Ужас последних лет — позади.

«Какие это были годы: Франция толкнула Турцию на войну... Я одерживала победу за победой, но Версаль заставлял султана продолжать кровопролитие... Польша бунтовала... Недавно меня просили предсказать, что станет со странами Европы через тысячу лет. Против слова «Польша» я написала лишь одно слово: «Бунтует»... Шляхта! Они не захотели королем друга нашего Понятовского — начали бунт. И чего добились? Пруссия и австрийский двор предложили мне поделить польские земли, пока шляхта убивает друг дружку в междоусобии. И пришлось... Иначе раздел случился бы без меня. А тут и подоспел Пугачев: полдержавы было охвачено бунтом. Благодарение Богу — со всем совладали. Победный мир с турками заключен. И разбойник схвачен и ждет казни. А год назад качались на виселицах дворяне — и ждали прихода кровавых мужиков в Москву».

Екатерина отложила перо, взяла листок бумаги со стола — письмо от нового фаворита Григория Потемкина.

Читает с нежной улыбкой. И по привычке делает пометы на любовном письме, как на государственной бумаге.

«Дозволь, голубушка, сказать то, о чем думаю», — читает Екатерина.

«Дозволяю», — пишет на полях.

«Не дивись, что беспокоюсь в деле любви нашей...»

«Будь спокоен», — пишет Екатерина на письме.

«Сверх бессчетных благодеяний ко мне поместила ты меня у себя в сердце. И хочу я быть тут один».

«Есть и будешь», — пишет Екатерина.

«Потому, что тебя никто так не любил...»

«Вижу и верю».

«Помни: я дело рук твоих и желаю, чтобы покой мой был тобой устроен. Аминь».

«Дай успокоиться чувствам, дабы они сами могли действовать, — пишет на любовном послании свое резюме Екатерина, — они нежны и, поверь, отыщут лучшую дорогу. Аминь».

Она вздохнула:

— Я извожу так много перьев, что слуги очень сердятся, потому что я все время прошу новые: я обожаю писать...

Она открывает табакерку с портретом Петра Великого и с наслаждением нюхает табак. Теперь пора приняться за главное. Сегодня она приступает к важнейшему труду — начинает свои мемуары. Она будет писать их всю жизнь на клочках бумаги, чтобы потом соединить вместе. Но так и не соединит. Эти мемуары она пишет для Павла — сына ее и свергнутого ею императора. В них — ее оправдание.

Она расхаживает по комнате:

— С чего начать? Начать с эпиграфа: «Счастье не так слепо, как обыкновенно думают люди. Чаще всего счастье бывает результатом личных качеств, характера и поведения. Чтобы лучше это доказать, я возьму два разительных примера: я и супруг мой, Петр Третий и Екатерина Вторая... Я вышла замуж, когда мне было четырнадцать лет, а ему было шестнадцать, но он был очень ребячлив...»

Девочка идет навстречу мальчику в золотом камзоле, она смотрит на него испуганными глазами. А он вдруг показывает ей язык и хохочет.

Девочка и мальчик открывают бал. Они танцуют менуэт...

А потом его увозили...

Огромная фигура Орлова на лошади. Карета с опущенными шторами, окруженная гвардейцами... До сих пор это снится ей по ночам.

Екатерина расхаживает по кабинету.

«Я не хотела его смерти, как не хотела раздела несчастной Польши, но... Ты должен понять, мой сын: когда я восприняла престол, флот был в упущении, армия в расстройстве, 17 миллионов государственного долга и 200 тысяч крестьян находились в открытом бунте. Но главное бедствие было — шатание в умах. Ибо на русской земле находились целых три государя... Я люблю эту страну, я обожаю ее язык. Я преклоняюсь перед физическими чертами русских — их статью, их лицами. Я считаю русскую армию лучшей в мире. Я всем сердцем приняла религию этой страны. Я ходила пешком на богомолье в Ростов. Я ненавижу в себе все немецкое. Даже своему единственному брату я запретила навещать меня в России. Я сказала: «В России и так много немцев». И сказала чистосердечно, потому что давно не чувствую себя немкой. Но я по-прежнему оставалась немкой, захватившей трон... пока эти два императора существовали. Два лакомых кусочка для всякого рода авантюристов».

По камере разгуливает тщедушный молодой человек. Входит тюремщик с едой. Молодой человек глядит на еду и лает.

«Один император — Иоанн Антонович, свергнутый в младенчестве императрицей Елизаветой, уже двадцать лет сидел в Шлиссельбурге. А другой свергнутый император — мой муж Петр Федорович...»

— Не изволь беспокоиться, матушка. Волю твою исполним, — усмехается Алексей Орлов.

Дворец в Ропше. В спальне Алексей Орлов играет в карты с императором. Вокруг сидят гвардейские офицеры.

«Я знала, что в Ропше собралось много гвардейцев: князь Барятинский, Потемкин, Энгельгардт, актер Волков. Но я не знала, зачем они там. И до сих пор не знаю, что там произошло. Просто 6 июля прискакал князь Барятинский...»

Барятинский вбегает в кабинет императрицы.

Бухнулся в ноги, ползая по полу, пьяно, со слезами кричит:

— Беда, государыня!

«Он был совсем пьян!..»

Барятинский, ползая по полу, выкрикивает, обливаясь пьяными слезами:

— Не виновны, матушка... Нервен он был... Игра у нас была... Нервен он был... Лакея грыз... Потом на

Алешку Орлова набросился... Все отписал тебе Алешка как есть... Все отписал... Смилуйся, матушка!

И Барятинский сует Екатерине скомканную бумагу.

Екатерина подошла к столу и вынула из шкатулки мятый пожелтевший листок.

«Сохраняю эту нечистую бумагу с кривыми каракулями, всю дышащую безумством и бешенством. Надеюсь, когда ты прочтешь ее, мой сын, она станет оправданием твоей матери...»

В который раз она перечитывает страшный листок:

«Матушка, милосердная государыня! Как мне изъяснить и описать, что случилось... Поверь верному своему рабу. Но как перед Богом скажу истину. Матушка! Готов идти на смерть! Но сам не знаю, как эта беда случилась. Погибли мы, когда ты не помилуешь. Матушка, его нет на свете. Но никто сего не думал. Да и как нам задумать — поднять руки на государя! Но свершилась беда: он заспорил за столом с князем Федором Барятинским. Не успели мы разнять, а его уж не стало. Сами не помнили, что делали. Все до единого виноваты. Достойны казни. Прости или прикажи скорее кончить. Свет не мил. Прогневали тебя и погубили души свои навек...»

— Я не могла их наказать, они были тогда сильны, — она почти кричит. — Я не могла их наказать!..

Она стоит в черном платье, окруженная сенаторами...

«Я была в непритворном соболезновании и слезах о столь скорой смерти императора, ибо всегда имела непамятозлобивое сердце. Никита Иванович Панин и Сенат просили меня не предаваться горю и не присутствовать на погребении, чтобы не подорвать здоровье, столь нужное тогда отечеству. И мне пришлось повиноваться приказу Сената. К сожалению, сразу после погребения начались неосновательные толки. Каковые родили потом злодея Пугачева, объявившего себя усопшим императором...»

И вновь Екатерина положила перо. Расхаживает по кабинету.

«Помни, сын мой: правителю нужна решительность... Чтобы свершать, что должно... и что порой так не хочешь свершать. Решительность — вот главное качество счастливого человека. Нерешительны только несчастные и слабоумные...»

Тщедушный молодой человек ходит кругами по камере. Ходит яростно, как зверь в клетке...

«И со вторым императором как-то само разрешилось... Я поехала навестить его в Шлиссельбург, чтобы облегчить участь несчастного...»

В камере — Екатерина, тюремщик поручик Чекин и тот самый тщедушный молодой человек.

С печалью глядит Екатерина благодетельным своим взглядом на молодого человека.

— Встать перед императором! — вдруг кричит ей молодой человек.

Екатерина будто не слышит и продолжает грустно смотреть на него.

— Ты права. У меня только тело Иоанна, назначенного императором Всероссийским. А душа у меня святого Георгия. Потому вас, мерзейших тварей, видеть не желаю.

И вдруг истошно закричал:

— В монастырь иди! Пока не поздно, разбойница!

Императрица беседует с графом Никитой Ивановичем Паниным.

Граф Никита Иванович Панин, глава Коллегии иностранных дел, — один из ближайших сподвижников Екатерины в первые годы ее царствования.

— Поручик Чекин доносит, что арестант совсем безумен, — печально говорит Панин.

— Принц Гамлет тоже объявил себя безумным, — усмехается Екатерина. — И ему верили.

— А телом он крепок, — вдруг, без видимой связи с предыдущим, говорит Панин, — только животом страдает, когда обжирается. Ох, надо в оба глазеть, вдруг кто освободить попытается! Особливо опасно, если Ваше величество из Петербурга изволит уехать. Тогда легко охотники могут найтись. Хотя на сей случай инструкция есть: немедля порешить арестанта... Ох, боюсь, чего бы не случилось, *когда Ваше величество из столицы куда уедет...*

И опять Екатерина прошла по кабинету.

«А потом я уехала в прибалтийский край. И там узнала, что некий злодей, поручик Мирович, пытался освободить несчастного Иоанна. И была исполнена инструкция...»

Камера. На полу лежит Иоанн — тщедушное безжизненное тело. Над ним стоит долговязый Чекин. Вздохнув, за ноги оттаскивает труп в угол камеры.

Панин докладывает императрице:

— Сенаторы не верят, что Мирович действовал один... хотят ребра у него пощупать, пытать предполагают, чтобы сообщников узнать.

Екатерина отвела глаза от умоляющего взгляда Панина.

«Я приказала отговорить сенаторов. И Мировича казнили без пытки. Я так и не знаю, подстроил ли Панин заговор Мировича, чтобы непрошеной помощью избавить меня от несчастного Иоанна. Или через Мировича пытался возвести на престол этого слабоумного, чтобы осуществить свою бессмысленную мечту — создать в России западную конституционную монархию... Или действительно не имел к сему заговору никакого отношения... Я предпочла не знать правду. Слишком мало у меня таких людей, как граф Панин...»

Усмехающееся лицо Панина...

«Он первым стал в оппозицию к Орловым. Первым понял, как я ими тягощусь. Жаль, что он до сих пор бредит западной монархией. Он слишком долго был посланником в Швеции. Но я всегда помню: граф Панин — блестящий человек...»

Екатерина пишет.

«Ни Петр Третий, ни Елизавета не подготовили мне министров для новых задач, стоявших перед страной. Они обходились надутыми посредственностями. Я призвала к управлению целую когорту блестящих людей. И я дала им возможность совершать великие дела, ибо знаю: не только люди делают дела, но и *дела* делают людей...»

«Но ох уж эти «блестящие люди»! Все эти Панины, Орловы... У них всегда есть свои цели. И ради них они борются друг с другом, а я должна скакать меж ними курцгалопом и следить, чтобы каждый новый «блестящий» имел достаточно сильного соперника. Но для укрепления державы куда нужнее люди просто трудолюбивые. *Исполнительные...* И эти люди — теперь моя опора. А из блестящих мне с головой хватает нынче Григория Александровича Потемкина».

Часы на камине бьют девять: дама и кавалер на часах танцуют менуэт.

Время работы для себя закончено. Наступило время для государства. Она возвращается в спальню.

Екатерина в белом широком капоте и в белом тюлевом чепце. Входит секретарь со множеством бумаг.

Определяется содержание дня. Выслушиваются важнейшие доклады.

Екатерина надевает очки.

— Вам еще не нужен сей снаряд? — спрашивает она с усмешкой секретаря. — А мы на долговременной службе отечеству притупили зрение...

В спальню входят сановники, обер-полицмейстер.

Екатерина подписывает бесконечные бумаги, когда появляется человек средних лет, приятный, спокойный, предупредительный. Это Александр Алексеевич Вяземский. Он из новых, исполнительных бюрократов. Генерал-прокурор. Душа ретроградной партии, ненавистник реформ и враг всякого иностранного влияния. Он таков, ибо этого хочет императрица, чтобы иметь противовес графу Панину, любителю реформ и стороннику иностранного влияния. Екатерина любит равновесие.

Просмотрите план дня, Александр Алексеевич...

Часы на камине пробили двенадцать. В официальной уборной Екатерина завершает туалет. Она одета в простое широкое «молдавское» платье. Старый парикмахер Козлов заканчивает прическу императрицы. За ушами букли, волосы забраны кверху, чтобы открыть широкий лоб. И никаких драгоценностей. Сейчас Екатерина — правительница.

Втыкают последние шпильки в ее прическу. Одновременно она продолжает решать государственные дела. В уборной толпятся сановники.

Входит граф Панин.

— Уж не стряслось ли что-нибудь, Никита Иванович? Вы сегодня поднялись непривычно рано, — насмешливо говорит императрица.

— Пришло письмо, Ваше величество, от графа Алексея Григорьевича из Италии.

— Разбор иностранной почты назначен на два часа — не будем ломать наш распорядок.

Панин молча кланяется.

«На днях я шутила: угадывала, кто от чего помрет. Про Панина я сказала: «Этот помрет от одной из двух причин — коли ему надо будет или поспешить, или рано встать. И тем не менее сегодня он встал. Да, в чем-то сильно провинился его вечный враг Орлов... Он просто помирает от нетерпения нам рассказать... Ничего, потерпишь, голубчик!»

Часы на камине пробили час — дама и кавалер танцуют свой менуэт.

Время обеда. Обедает она «просто и скромно, в узком кругу».

За огромным роскошным столом собралось два десятка вельмож. Среди них Панин, Вяземский, Голицын, Кирилла Разумовский.

Место справа от императрицы пустует. Это место фаворита. Нынешний фаворит Потемкин — в Москве.

«Раньше за этим столом сидели блестящие люди, теперь — исполнительные. Только, пожалуй, граф Панин сохраняет детскую страсть высказывать собственное мнение. Вещь полезная для державы в дни трудностей и излишняя в дни благоденствия. И нынче я держу его только для одного — участия в придворных интригах. Ибо пока они борются и ненавидят друг друга, я сильна... Итак, он готовит что-то против Орлова. А мы покажем, как ценим графа, — и тем немного раззадорим его. Эти блестящие люди так легко становятся детьми, когда воюют друг с другом...»

За столом идет беседа о государственных делах.

— Я отписала в письме к графу Орлову, — говорит Екатерина, — кто и как, по нашему суждению, воспринимает наш мир с турками. Англичане рады, конечно, они наши союзники. Ну, а прочие разные виды имеют... Французы в большом прискорбии — яд, ими испускаемый, действия не дал. Да и Фридриху прусскому не удастся более прибирать чужих земель, как было, пока мы с турками воевали... И теперь я с нетерпением жду ответного послания графа. Я так ценю его меткие суждения... — Все это она говорит, поглядывая на Панина. — Кстати, Никита Иванович, вы, кажется, сказали...

— Именно так, Ваше величество. Мы получили важное письмо от графа, — с непроницаемым лицом отвечает Панин. — И сегодня я буду иметь честь доложить вам о том...

На часах — два часа дня.

В рабочем кабинете императрицы — граф Панин, князь Вяземский. Князь Вяземский, как всегда, молчит. Разговаривают Екатерина и Панин.

Теперь с двух до четырех она будет разбирать дипломатическую почту: донесения русских дипломатов, секретных агентов, письма европейских государей. К четырем, когда заканчивается рабочий день, Екатерина будет трудиться уже десять часов.

Панин мягко кладет перед ней пакет.

— Письмо графа Орлова из Ливорно.

— Будьте добры, где мой снаряд?

Секретарь подает очки.

— Ну, и что же пишет граф? — надевая очки, со своей вечно ласковой улыбкой спрашивает она Панина.

— В начале письма граф обстоятельно рассказывает, как откликнулись европейские государи на наш мир с Турцией. И, надо сказать, совершенно повторяет справедливые высказывания Вашего величества, — без выражения произносит Панин.

— Мы с графом редко расходимся во мнениях, — улыбается Екатерина.

— Ну, а в дальнейшем...

Панин замолкает, потому что Екатерина начинает читать.

Лицо ее багровеет, она вскакивает со стула и начинает быстро шагать по кабинету.

«Я называю вулкан Этну своим кузеном, ибо очень вспыльчива. Но я умею подавить это в себе. В эти минуты я никогда не подписываю никаких приказов. Я попросту хожу и грубо ругаюсь...»

Екатерина мечется по кабинету, залпом пьет воду из стакана.

— Ах, каналья... Ах, бестия... Грязная каналья!.. Нам нет покоя... Только разделались с одним вором... Теперь нам создают другого Пугачева! И когда же это кончится?!

— Государыня, — мягко начинает Панин. — В свое время я докладывал о предложении сената рагузского выслать самозванку. Но вы в милосердии своем просили не замечать эту побродяжку, хотя я был тогда иного мнения.

— Тогда мы могли и не заметить эту авантюреру... — Екатерина уже взяла себя в руки и говорит как обычно, доброжелательно и спокойно. — Тогда о побродяжке писали только иностранные газеты, которых, слава Богу, у нас в России не получают. Разве что в Коллегии иностранных дел. Но теперь эта каналья, всклепавшая на себя чужое имя, дерзнула обращаться к российскому флоту. Я не хочу, чтобы, к радости врагов наших, у нас за границей объявился новый Пугачев!

— И вот здесь, Ваше величество, — Панин торжествующе помедлил, — мне кажутся особенно сомнительными меры, которые по сему поводу предлагает граф

Алексей Григорьевич. Особенно тревожит меня план графа войти в сношение с авантюрерой.

Екатерина разгуливает по кабинету.

«Ах, мои «блестящие люди»! Как же вы все ненавидите друг друга! Если бы я вас слушала, я должна была бы казнить каждого из вас... И все ж таки в точку попал на этот раз — сама тревожусь!.. Видать, не выдержало ретивое у Алексея Григорьевича. Да, он всегда имеет две тетивы на одном луке!»

Панин, чуть усмехаясь, выжидающе глядит на императрицу.

«Не дождешься, не в обычае моем выдавать одних слуг другим...»

Екатерина милостиво улыбнулась:

— Граф Алексей Григорьевич служит нам как умеет, и рвение его похвально. Но я согласна с вами: надо предложить графу совсем иные меры. Рагузская республика достаточно от нас страху имеет. И посему отпишите графу: *не входя в сношения с сей женщиной, немедля потребовать у сената ее выдачи. И если на то не последует согласия, бомбардировать город. И, захватив известную женщину, посадить ее на корабль и отправить в Кронштадт...*

Екатерина осталась в кабинете с князем Вяземским. В течение всей беседы с Паниным князь пребывал в совершенном молчании.

— И что ты думаешь о деле, Александр Алексеевич?

— Думаю, кому следствие поручить, когда захватим сию женщину, — после долгого молчания ответил Вяземский.

— Не слишком ли далеко вперед глядишь? — усмехнулась Екатерина. И добавила, помолчав: — И ты действительно веришь графу Алексею Григорьевичу?

— Уму его верю, матушка государыня. Граф Орлов свою выгоду всегда поймет. Может, не сразу, но поймет. Привезет он тебе авантюреру!

СЕКРЕТНЫЙ АГЕНТ В XVIII ВЕКЕ

Ночные ласточки Интриги —
Плащи! — Крылатые герои
Великосветских авантюр.
Плащ, щеголяющий дырою,
Плащ игрока и прощелыги,
Плащ-Проходимец, плащ-Амур.

Плащ, шаловливый, как руно,
Плащ, преклоняющий колено,
Плащ, уверяющий: — Темно!
Гудки дозора. — Рокот Сены. —
Плащ Казановы, плащ Лозэна,
Антуанетты домино!

Марина Цветаева

Рагуза. Великолепный дом стоит у самого моря.

В саду Рибас разговаривал с хозяином.

— То есть как бежала? — изумляется Рибас.

— А вот так — бежала! — в отчаянии восклицает хозяин. — Вчера ночью все они были: гофмаршалы, бароны, маркизы, принцесса... Утром просыпаюсь — никого! Ни баронов, ни маркизов, ни денег за дом и за карету. Я разорен, я разорен!

— Успокойтесь, любезнейший... И постарайтесь рассказать по порядку.

— Все началось с того, что из Венеции приехал к ней проклятый маркиз де Марин... — начал несчастный хозяин.

— Маркиз де Марин? — переспросил Рибас.

Венеция.

Через неделю, ночью, в некоем доме, стоявшем весьма далеко от Большого канала, шла крупная игра.

За столом сидел человек в маске, напротив него — Рибас. Кучка золота около Рибаса быстро таяла. Человек в маске выигрывал и при этом все время болтал, обращаясь к французским офицерам, наблюдавшим за крупной игрой:

— Мой друг герцог Лозен как-то назначил свидание одной даме. Дама сказала: «Ну что ж, я готова увидеть вас сразу после утренней мессы». — «Как? Разве еще служат мессы по утрам?» — удивился Лозен. Оказалось, он никогда не вставал раньше двух часов пополудни и оттого двери собора видел всегда закрытыми. Вы проиграли еще пятьдесят золотых, мосье!

— Извольте получить. — Рибас отсчитал и простодушно добавил: — Кажется, я догадался, кто была эта дама...

Игра продолжалась.

— Она только что явилась тогда в Париже, — вздохнул человек в маске. — Как она была хороша! Гетман Огинский — он был тоже у ее ног — сказал: «К стыду Европы, только Азия могла родить подобное совершенство». Тогда мы все думали, что она из Персии...

— Послушайте, безумец, вы можете говорить только об этой женщине, — сказал один из офицеров.

— И вот в Париже герцог Лозен, гетман Огинский и ваш покорный слуга начинают ухаживать за таинственной принцессой. И всем нам всячески мешает некий барон Эмбс. И тогда Лозен и я выкрадываем ночью из дома несчастного барона и везем в карете прочь из Парижа. При первой смене лошадей барон высовывается из окна и вопит, что его похитили. Лозен объясняет, что это опасный сумасшедший. И мы везем его дальше, пока он не клянется впредь не мешать нам... — И человек в маске обратился к Рибасу: — С вас еще десять червонцев...

Рибас небрежно подвинул к нему деньги. Теперь на столе возле Рибаса осталось несколько жалких монет.

— Вот вы восхищаетесь Лозеном... — вдруг сказал Рибас.

Герцог Лозен — донжуан XVIII века. Через двадцать лет, во время французской революции, он окончит жизнь на гильотине...

— А я знавал человека, который здорово надул самого Лозена, — продолжал Рибас. — Это был некто Рибас — большой пройдоха, проживавший в Неаполе. Надо сказать, что Лозен влюбился тогда в неаполитанскую кокотку дьявольской красоты. Пригласил ее к себе. Дама пришла. Лозен — весь страсть — протягивает ей кошелек. Дама закатывает ему пощечину: «За кого вы меня принимаете, сударь!» И кошелек летит в окно! Лозен падает на колени, в ход идут его знаменитые бриллианты... Излишне говорить, что весь фокус придумал друг сердца дамы, Рибас, который стоял под окном и ловил кошелек...

Все захохотали, и человек в маске куда более внимательно взглянул на рассказчика.

— Ох, сколько историй про этого Рибаса! В Неаполе вообще никто не мог понять, что действительно сделал Рибас и что ему приписывают. У него было восемь дуэлей, и все на разном оружии. Он убивал на шпагах, пистолетах, саблях — любил разнообразие. Кажется, после девятой дуэли ему пришлось бежать... — Рибас бросил карты. — Я проиграл все!

Человек в маске придвинул к себе остальные золотые.

И тогда Рибас прибавил:

— Не могу расстаться с вами, не поведав вам маленький секрет в благодарность за игру.

Человек в маске как-то нехотя отошел с Рибасом.

— Я люблю Венецию еще за то, что все благородные люди носят здесь маски. Это очень удобно, особенно если ты решился на опасную любовную интрижку... или сплутовать в карты.

— Что вам надобно, сударь?

— Сообщить, что вы можете снять маску, маркиз де Марин! И еще: вы плохо играете, — зашептал Рибас. — Даже когда вы отвлекаете своими рассказами, все равно видно, как вы передергиваете...

— Послушайте, милостивый государь...

— Рибас — так меня зовут, — и сейчас я дам вам пощечину, маркиз. Это во-первых. Объявлю, что вы шулер, это во-вторых. После чего я вас убью на дуэли. Согласитесь, даже одно из трех...

— Что вы от меня хотите?

— Полезный вопрос. Вы почувствовали, что я от вас что-то хочу. Я хочу, маркиз, чтобы вы с нами побеседовали о женщине, о которой вы столь легкомысленно повествовали сегодня. Но это напускное. Мне известно, что вы бросили ради нее имение, Париж. И ездите за ней по всему свету. Итак, вопрос: куда она уехала из Рагузы?

— В Турцию.

— Дорогой маркиз, после того как турки заключили мир с Россией... Это несерьезный ответ. Повторяю: куда она уехала?

— Она села на корабль с двумя поляками — Доманским и Черномским и неделю назад отплыла в неизвестном направлении.

— Вы шулер и обманщик не только в игре, Ваша светлость. Вы помогли ей бежать от долгов из Рагузы. Вы наняли ей корабль. В последний раз, маркиз... — Рибас поднял руку.

— Она в Неаполе.

— Браво, но это был всего лишь пробный вопрос, чтобы проверить, готовы ли вы со мной сотрудничать. Я узнал об этом без вас! Итак, сейчас вы подробно расскажете мне все, что о ней знаете. И не дай вам Бог сблефовать.

— Сейчас?!

— Мы живем в торопливый век, маркиз. Я жду.

— Будьте вы прокляты!

— Это обычное начало в разговоре с Рибасом. Итак, впервые вы встретили ее в Париже...

ДВА РАССКАЗА ОБ ОДНОЙ ЖЕНЩИНЕ

Версальский дворец — летняя резиденция французских королей. Ночь. В Бальной роще Версаля зажжены канделябры. Бьют фонтаны... И в этой бальной зале под звездным небом в мерцающем свете сотен свечей в летнюю ночь 1772 года — танцевали.

Фантастические колокола-кринолины, обнаженные плечи, таинственные черные мушки на смелых декольте дам, немыслимые каблуки, парики и камзолы...

Они движутся в манерном менуэте, величественно и медленно, как корабли.

Проплывают высокие, как башни, прически дам.

...Прическа в виде сражающихся солдат — дама желает показать, что преисполнена мужества.

Прическа в виде мельницы и фермы с крошечными коровами, пастухами и пастушками — эта дама — мечтательница.

Прическа в виде дуэли: два миниатюрных кавалера на голове дамы поражают друг друга шпагами — дама кокетливо выставляет напоказ свои успехи.

Парикмахер и портной были героями времени. И самые знаменитые художники придумывали парижские туалеты. «Если даме пришла мысль появиться в ассамблее, с этого момента пятьдесят художников не смеют ни спать, ни есть, ни пить», — писал Монтескье.

Величавая пышность расцвета галантного века: ярко-красные, темно-голубые, затканные холодным золотом камзолы и платья соседствуют с новомодными: светло-голубыми, матово-зелеными, нежно-телесными, будто потерявшими силу цветами — любимыми цветами парижской моды накануне революции.

В это время в моду вошел «блошиный» цвет. Было создано полдюжины его оттенков. Они наименовались: «цвета блохи», «цвета блошиной головки», «цвета блошиного брюшка», «цвета блошиных ног» и т.д. А мадемуазель Бертен, модистка Марии Антуанетты, ввела в моду цвет «блохи в период родильной горячки».

Так они развлекались за два десятилетия до гильотины.

В этой безумной толпе выделяется молодая красавица в нежно-голубом платье и прическе с кроваво-красными перьями.

Перья! Недавно их ввела в моду сама Мария Антуанетта. Шокирующе простая прическа нового поколения.

И еще одна пара. Молоденькая красавица в изумрудных перьях танцует менуэт с очаровательным юношей: Мария Антуанетта и герцог Лозен... Через двадцать лет оба они умрут под ножом гильотины, как и большинство тех, кто здесь танцует.

Но сейчас они танцуют...

Мария Антуанетта что-то шепчет Лозену, кивая на красавицу с кроваво-красными перьями.

— Весь Париж говорил тогда о ней, — вздохнул маркиз де Марин. — Меня познакомил с ней сам герцог Лозен...

Красавица с кроваво-красными перьями стоит на фоне Версальского парка... Белый мрамор статуй... Горят бронзовые канделябры... И звездное небо 1772 года...

Лозен, склонившись в изящном поклоне, целует у нее руку.

— Я хочу представить вам, принцесса, моего друга: маркиз де Марин.

И вот уже маркиз склоняется в поклоне.

— Ее высочество Али Эмете, принцесса Володимирская...

Отойдя в сторону с Лозеном, де Марин спрашивает:

— Какой странный титул у этой красавицы!

— Милый друг, — отвечает, смеясь, Лозен, — сейчас Париж полон странных титулов. Множество несуществующих герцогов, набобов, принцесс. Париж — это Вавилон...

Сверкающие глаза принцессы глядят на де Марина...

Я почувствовал, что погиб! На следующий день я начал узнавать, кто она. Я бросился к тем, кто знал все обо всех — к парижским банкирам.

Господин Масе, полненький субъект в модном тускло-зеленом камзоле, беседует с де Марином:

— В Париже все выдают себя за других. Всеобщая ложь — в этом весь наш век. И это плохо кончится. Но клянусь: она принцесса. Только очень знатная дама может быть такой мотовкой. Сколько ни дашь — все исчезает. Нет, я с удовольствием ссужаю ей деньги и, уверен, не прогадаю. Она обещает наградить меня орденом Азиатского креста. Ордена — моя страсть.

Господин Понсе, желчный господин в мятом, вытертом камзоле, сердито объяснил де Марину:

— Все, что она болтает, — сказки для детей. Я не дам ей ни ливра. Точнее, дам, но немного. Она в моде в Париже. А я не имею права отставать, если другие глупцы дают... Да, я уж навел о ней справки. Она приехала в Париж из Лондона. Потратила там такую уйму денег, что просто потрясла бедных англичан. Английские банкиры тоже навели справки. Я выяснил, что особа, весьма на нее похожая, года два назад объявлялась в Генте, где совершенно свела с ума молодого купца. Он бросил жену и детей и со всем своим состоянием бежал вместе с этой особой. По описаниям, он очень похож на некоего барона Эмбса, который живет в ее доме и которого она представляет «интендантом своего маленького двора». Клянусь, он такой же барон, как она принцесса Володимирская...

— И на следующий же день я был в ее доме!

Бал в доме Али Эмете: негры в белых чалмах неподвижно стоят у дверей бальной залы.

Принцесса сухо и строго обращается к де Марину:

— Ступайте за мной, маркиз.

В будуаре она начинает гневную речь:

— И вы осмеливаетесь говорить, что влюблены, что потеряли голову?! О, вы, французы, умеете терять голову, не теряя! Ваши страсти дают вам наслаждение, избавляя от страдания. Бедные, вы не знаете, что истинная страсть начинается со страдания. Вы, ежедневно атакующий меня письмами о любви, спешите к банкирам — собираете обо мне нелепые сведения! Да, вы умеете летать, оставаясь на земле!

Де Марин упал к ногам принцессы.

— Милый друг, — сказала она вдруг, смягчившись, — в следующий раз, если захотите узнать что-нибудь обо мне, дозволяю обращаться прямо ко мне. Мне двадцать один год, за это время я испытала много несчастий, но они не сделали меня менее искренней...

— Она говорила и в это верила. Она всегда верила тому, что выдумывала... И она всегда была разная. У нее были не только разные имена, но, клянусь, и разные лица!

Лицо принцессы — прекрасная голова на высокой лебединой шее...

— Вот ее волосы кажутся совсем черными, и глаза становятся как уголь — и она персиянка... Но вот ты видишь, что на самом деле ее волосы темно-русые, а лицо — с нежным румянцем и веснушками. И она славянка, клянусь! А вот она повернулась в профиль, и этот хищный нос с горбинкой, и этот овал... она уже итальянка, дьявольщина!

— Встаньте, маркиз, — принцесса усадила де Марина рядом с собой, — я умею ценить даже то немногое, что способны дать мне люди.

— Слезы, клянусь, были на моих глазах. И в этот миг, если бы она повелела, я убил бы себя... Проклятие!

— Возможно ли, Ваша светлость, вы прощаете меня?

Она протягивает руку — и смиренно, в низком поклоне он целует ее руку.

— В знак нашей дружбы я сама расскажу вам свою историю... Я редко ее рассказываю... Здесь, в Париже, в безопасности, она кажется мне невероятной. Но за двадцать один год жизни я уже выучила: правда всегда неправдоподобнее лжи. И ложь всегда стремится походить на правду.

Вошел бледный молодой человек.

— Я хочу, чтобы вы стали друзьями. Это барон Эмбс, — представила юношу принцесса, — интендант моего маленького двора. До того как стать моим интендантом, он прославился храбростью в славном литовском войске. И даже получил чин капитана.

— Как мне стало стыдно за все россказни про «голландского купца». Только потом я узнал, что патент на звание капитана был выдан юному барону в Париже... Тысяча чертей!.. По просьбе принцессы литовским гетманом Огинским!

— А теперь оставьте нас, барон, — сказала принцесса. И молодой человек так же молча, как явился, исчез в дверях. — Бедный мальчик, — вздохнула принцесса, — он ревнив, потому что молод. Он еще не знает, что любовь должна прощать все... — Она помолчала. — Итак, вы хотите узнать мою историю, — начала принцесса. — Моя мать... Впрочем, пока это не важно...

— Как она умела дразнить этой неопределенностью!

— Я воспитывалась в Киле — столице Голштинии. От воспитателей моих я и узнала, что происхожу из древнего рода князей Володимирских. Что мои родовые поместья по каким-то причинам конфискованы. Но в дальнейшем должны быть мне возвращены. Потом, в силу тайных обстоятельств моего происхождения — о них сейчас не время говорить, — я была схвачена и увезена в Сибирь. И даже отравлена там. — Ее глаза вспыхнули, она будто видела свое прошлое. — Но Господь защитил меня: моя нянька бежала со мной через границу в Багдад. Там мы нашли приют у купца Гамета, которому ведомо было мое истинное происхождение. У него в доме я познакомилась с Али — персидским князем. Это один из богатейших людей на свете... Он умолял меня разрешить ему считаться моим дядей и покровителем, пока я не получу предназначенные мне от рождения княжества Володимирское и Азовское. Он и дал мне свое имя — Али Эмете. Потом в его стране начались волнения. Он увез меня в Лондон. Но в Лондон за ним приехал гонец: обстоятельства звали его домой. Он оставил мне огромные деньги, чтобы я тратила их и ни о чем не думала. Чтобы я могла жить согласно своему истинному происхождению. И я их тратила и трачу до сих пор. Очень скоро он должен вернуться и заплатить мои действительно огромные долги, о которых вы изволили справиться. Вот все, что я пока могу рассказать.

— Я вас люблю, — опустив голову, тихо сказал де Марин.

— Нет, друг мой. Вам это только кажется. Любить — это значит верить. Как Христос завещал: «Кто любит меня, тот верит мне». Учитесь верить... верить всему, что я скажу. — Она приблизила свое лицо к лицу несчастного маркиза и прошептала: — И вот когда я пойму, что вы научились... — И, остановившись, добавила: — А пока я назначаю вас вместе с Эмбсом интендантом моего двора.

Она предложила мне, блестящему вельможе самого блестящего двора мира, стать мальчиком на побегушках у неизвестной женщины с неизвестным прошлым! И я... я бросил замки на Луаре, бросил все, что имел. Я подписал ее векселя на чудовищные суммы. И следовал за ней повсюду!

Принцесса и де Марин вернулись в залу.

— Его сиятельство великий гетман литовский Михаил Огинский, — объявил слуга.

В залу вошел Михаил Огинский.

И тотчас, совершенно забыв о несчастном маркизе, принцесса устремилась к гетману. Огинский церемонно поклонился.

Они открывают бал. Они танцуют полонез.

Михаил Огинский — один из самых блестящих людей века. Композитор, живописец, впоследствии он занесет свое имя на карту Польши — создаст канал, который соединит Балтику и Черное море.

— Господа, сейчас князь осчастливит нас, — объявляет принцесса.

И гетман садится к роялю.

Огинские — древний славный род, потомки Рюриковичей. Предки Михаила Огинского — великие князья Черниговские. В XVII веке они оставляют Русь и переходят на службу к великим литовским князьям. Когда умер польский король Август и началась борьба за престол, Огинский считал себя самым подходящим кандидатом.

Но Екатерина хотела другого. Когда-то, в дни молодости, она страстно любила польского шляхтича Станислава Понятовского. Екатерина всегда верила своим фаворитам. Она возвела Понятовского на польский трон. Знатнейшие польские роды отказались признать нового короля. Потоцкие, Радзивиллы, Браницкие создали Конфедерацию и объявили гражданскую войну. Екатерина ввела в Польшу армию и наголову разбила конфедератов.

Огинский долго колебался, но в сентябре 1771 года, всего за полгода до описываемого дня, взялся за оружие. Однако художник не всегда хороший воин. При Столовицах он был наголову разбит внезапной атакой. Во время сей ночной атаки незадачливый полководец мирно почивал со своей тогдашней возлюбленной. И только сопротивление горстки храбрецов спасло его от плена. Его казна, любовница, гетманская печать — все было захвачено. Несчастный Огинский бежал за границу. Екатерине не изменил юмор, и она прислала Огинскому в знак соболезнования флакончик нашатырного спирта для приведения в чувство, ибо все его имущество в Польше было конфисковано. И вчерашнему богачу пришлось отправиться туда, где поддерживали конфедератов, — во Францию, к врагам России... Здесь, в Париже, он узнал, что, пока шла гражданская война между польской шляхтой, прусский король, австрийская императрица и Екатерина разделили земли Речи Посполитой. Так в Париже оказалось множество польских эмигрантов.

— И все они обитали в ее салоне, эти шляхтичи! Эти надутые, нищие поляки. Огинский, естественно, начал меланхолический роман с принцессой. Он был вечно болен, и они посылали друг другу бесконечные письма. Самое унизительное — она заставляла меня доставлять ему их. И вот тогда-то у меня и состоялся разговор...

Огинский и де Марин беседуют в кабинете гетмана.

— Для нас, французов, Россия, Персия — это так далеко, дальше Луны! Но вы-то бывали в России?

— И не раз, маркиз.

— И это Володимирское княжество, которым владеет принцесса, и эти Азовские земли... Они существуют?

— Никакого Володимирского княжества нет. Было какое-то великое Владимирское княжество, но это было очень давно, в Древней Руси, когда предки владели Черниговскими землями.

— Значит, все это ложь?

— О нет, я уверен, это просто иносказание. Те, кто воспитывали ее, боялись открыть правду. Это было бы слишком опасно для нее. И, намекая на ее высокое и древнее происхождение, они объявили ей, что она Володимирская принцесса, то есть наследница древних русских правителей. Что касается Азова — это тоже иносказание, что ей принадлежат по рождению и все азиатские русские земли.

— Это объяснение поэта.

— Поэты, мой друг, — пророки.

— Так кто же она, по-вашему?

— Я подозреваю, что она дочь... я даже не смею произнести имя ее матери... Во всяком случае, в Польше ходило много слухов, что императрица Елизавета имела дочь от тайного брака с русским вельможей Алексеем Разумовским... Недаром Али воспитана в Киле — столице Голштинии. Ведь именно там, в Киле, жила в то время любимая сестра императрицы Елизаветы Анна. Она была замужем за голштинским принцем. Нет, все это не может быть случайным!

— ...Теперь я понял, что тянуло ее к этому поляку! И чем они сводили ее с ума...

Май 1773 года. Париж.

Ночь. Де Марин мирно спит. Распахивается дверь. В мужском костюме входит принцесса, расталкивает спящего маркиза:

— Мы уезжаем! Немедленно!

— Куда? Почему?! — пытается понять спросонок бедный маркиз.

— Завтра нас должны арестовать за долги. Точнее, вас, мой друг, и бедного барона Эмбса. Вы подписали мои векселя, а ваши друзья Понсе и Масе... Да, да, они подали в суд, проклятые банкиры!

Вошел молодой человек в дорожном плаще.

— Знакомьтесь: граф Валькур де Рошфор, гофмаршал двора князя Лимбурга.

Де Рошфор — одна из знатнейших дворянских фамилий Франции. Граф разорился и состоял на службе у немецкого князя герцога Лимбургского.

— Кстати, — добавила она небрежно, — граф Рошфор скоро станет моим мужем. Он сделал мне предложение. К сожалению, я не вправе сразу дать ему ответ... я должна связаться со своим попечителем — персидским князем Али.

Рошфор будто не слушал, как зачарованный пожирал ее глазами.

Вошел Эмбс, тоже в дорожном плаще, с баулом в руках.

— Пистолеты? — спросила принцесса.

— У нее над кроватью всегда висела пара заряженных пистолетов, и еще пять пистолетов хранились в бауле. И там же, по слухам, лежали ее драгоценные бумаги.

Эмбс молча вынимает из баула пару пистолетов и протягивает принцессе. Она засунула их за пояс.

— Итак, господа, мы покидаем прекрасную Францию!

— ...Через две недели мы жили во Франкфурте и, конечно, в самой дорогой гостинице. Она сняла целый этаж. Счастливый Рошфор уехал объявить своему господину, герцогу Лимбургу, о готовящемся браке. И обещал вернуться через несколько дней.

Вся честная компания: Эмбс, де Марин и принцесса — сидит вокруг стола, уставленного едой и вином. Распахивается дверь, и появляется взбешенный хозяин гостиницы. За ним толпятся слуги.

— Всё прочь со стола этих господ! — приказывает хозяин слугам. — Всё! И вино тоже! Больше я вас не кормлю, господа. Извольте сначала заплатить! Я поселил вас потому, что такой уважаемый господин, граф Рошфор, мне сказал... Но вы живете здесь уже целую неделю — и ни гроша!

Слуги торопливо убирают со стола еду. Потеряв дар речи, де Марин и Эмбс глядят, как уносят их тарелки. Но принцесса сохраняет самообладание. Преспокойно отвесив пощечину слуге, который попытался забрать ее бокал, она не торопясь допила свое вино. Поставила бокал на стол и ровным голосом обратилась к хозяину:

— По-моему, вы сошли с ума, милейший. Вам будет за все заплачено. На днях я написала письма русским посланникам при Версальском и Прусском дворах, чтобы они незамедлительно выслали мне...

— Слыхали, слыхали... — перебил хозяин, — и про посланников... все уши забиты этими рассказами. А что оказывается на самом-то деле? Сегодня приезжают честные господа из Парижа...

И он распахнул дверь. В дверях стояли ухмыляющиеся Понсе и Масе.

— Всё сказки рассказываете про сокровища персидского дяди? — усмехнулся Понсе. — Думали, не найдем вас? Найти вас просто. Спроси, где больше всего тратят денег...

— И вы с ней, маркиз? — засмеялся в свою очередь

Масе. — Вот уж никак не думал, что окажетесь таким же болваном, каким оказался я.

— Тысяча чертей! — Де Марин вскочил в бешенстве.

Но принцесса повелительным жестом усадила его на стул.

— Мой друг, — обратилась она ласково к Эмбсу, — окажите любезность, принесите мой баул...

Барон Эмбс молча встал и ушел в другую комнату.

А она продолжала все так же совершенно спокойно:

— Итак, на днях я действительно должна получить некоторое известие из Персии.

Оба банкира расхохотались.

— Кроме того, — продолжала она, будто не замечая этого веселья, — завтра здесь появится мой жених — граф де Рошфор, который сначала заплатит по векселям, а уж потом я попрошу его снабдить увесистыми пощечинами господ, нарушивших мой покой.

Заявление отрезвило хозяина гостиницы, и он скрылся за спинами банкиров. Но Масе и Понсе только хохотали.

В это время вернулся Эмбс и молча протянул баул принцессе.

— Впрочем, до его приезда я, пожалуй, сама постараюсь умерить ваше веселье, господа.

И она выхватила из баула пару пистолетов и направила их на банкиров.

— Ну что ж, — сказал Понсе, отступая к дверям. — Мы подождем до завтра. Но только до завтра.

— Ваши векселя уже находятся в магистрате, так что готовьтесь завтра проследовать в тюрьму, — сказал Масе.

Принцесса нажала курок. Раздался выстрел. Оба банкира и хозяин моментально исчезли за дверью. Принцесса выстрелила трижды в стену, и пули легли точно — одна в одну.

Унесенные тарелки вновь вернулись на стол, и прерванный обед продолжался.

— Послушайте, Алин...

— Я прозвал ее Алин. И она любила это имя...

— Послушайте, Алин, но... вы знаете, и я знаю, и эти господа знают: у Рошфора нет денег. Он весь в долгах. Я даже думаю, что он сильно рассчитывает на сокровища вашего дяди...

— Мой друг, вы не мудры. Мой персидский дядя любил рассказывать мне одну историю... — Она с аппетитом набросилась на еду.

— Она была худа, точнее, томно изящна, но у нее всегда был зверский аппетит.

— Один шах приказал своему визирю: «Сделай так, чтобы моя любимая собака заговорила!» — «Обязательно сделаю, но только завтра». — «Ты сошел с ума!» — сказала жена визирю. «Почему? Никто не знает, что случится завтра: или я умру, или шах умрет, или собака сдохнет...»

И она расхохоталась.

— И вот тогда мне показалось, что она не раз бывала в подобных переделках и что ей отнюдь не двадцать один год! Самое смешное, что назавтра действительно все уладилось...

Та же зала в гостинице, и та же компания сидит уже за пустым столом.

Распахивается дверь — и граф де Рошфор торжественно объявляет:

— Его высочество князь Филипп Фердинанд Лимбург-Штирум.

Вошел немолодой господин, в большом парике, в ослепительном, но, увы, старомодном золотом камзоле со множеством орденов.

Князь Филипп Фердинанд Лимбург-Штирум — «князь Священной Римской империи, владелец Лимбурга и Штирума, совладелец графства Оберштейн, князь Фризии и Вагрии, наследник графства Пинненберг и т.д.». Так писался его титул в официальных бумагах. Но все эти пышные названия скрывали крохотные отрезки земель, разбросанные по Германии. Тем не менее земли были. И как владетельный князь Римской империи, он имел право держать свой двор, послов, свое маленькое войско, чеканил монету и многочисленные ордена, каковыми, как и остальные князья, щедро торговал.

Принцесса поднимается со стула и величаво протягивает руку для поцелуя. Лимбург с низким поклоном целует руку. Он о чем-то спрашивает ее, она что-то отвечает... Ее огромные глаза устремлены на князя.

Она страстно жестикулирует, рассказывая, и вот уже Лимбург вытирает нахлынувшие слезы.

— Бедный Рошфор! Она рассказала князю всю грустную историю своей жизни. И про персидские сокровища тоже. Она знала, эта тема очень заинтересует князя, вечно нуждавшегося в деньгах...

Теперь уже князь темпераментно что-то повествует принцессе. И она глядит на него своими завораживающими глазами. Они будто впились друг в друга.

Рошфор не выдержал. Он осмелился сам подойти к увлеченным собеседникам.

— Я решил назначить, Алин, наше бракосочетание...

Она с удивлением смотрела на Рошфора:

— Я сказала, граф: я жду ответа из Персии и уже тревожусь за этот ответ. Что делать, мой друг, я невольница своего происхождения...

— Бедный, бедный Рошфор... Князь все заплатил по нашим счетам. Масе получил орден и был счастлив. Понсе — деньги и тоже был счастлив...

Во дворе гостиницы стояли два экипажа.

Князь галантно помогает принцессе, и они усаживаются в карету князя. Рошфор хотел было последовать за невестой, но князь жестом указал ему на другой экипаж, где уже сидели Эмбс и де Марин.

— Пожалуйте в нашу теплую компанию, — засмеялся де Марин.

Хозяин гостиницы, Понсе и Масе подобострастно провожают князя. Они стоят во дворе и приветливо машут отъезжающим. И тогда в окне кареты князя показалось лицо принцессы.

Она нежно обратилась к Рошфору:

— Надеюсь, вы не забыли о моей просьбе, граф?

Рошфор выходит из кареты, подходит к хозяину гостиницы. И тот, уже понимая, в чем дело, послушно подставляет физиономию. Граф молча отвешивает ему пощечину.

— Продолжайте, граф, — раздается голос принцессы из кареты.

Понсе и Масе покорно подставляют свои щеки.

— Все как я обещала, господа! И запомните: я всегда плачу по своим счетам!

Сопровождаемые низкими поклонами хозяина и банкиров, оба экипажа трогаются...

— Он увез ее в свой замок в Нейсесе.

Маркиз усмехнулся: рассказ был окончен.

— И неужели все это время вы не пытались выяснить, кто она на самом деле? — спросил Рибас.

— Дорогой друг, вы не любили! Это все, что я могу вам ответить. Впрочем, князь Лимбург, который любил, вынужден был заниматься тем, что вас так интересует. Он собрал сведения о ее прошлом.

— И что же он выяснил?

— Естественно, это осталось его тайной.

— И все-таки кто она, по-вашему?

— Повелительница, сударь. Она захотела, и маркиз де Марин превратился в фальшивомонетчика, в шулера... Мне все время нужны деньги... только с деньгами я могу показаться к ней. Я ненавижу ее, когда ее нет. Но она велит — и я скачу в Рагузу помогать ей бежать от долгов. Она — мое проклятие...

И если вы пришли ее убить — постарайтесь это сделать поскорее...

Придя в гостиницу, Рибас тотчас начал писать донесение графу Орлову. Закончив письмо, он повалился на кровать и заснул мертвецким сном.

Когда взошло солнце, Рибас уже был на ногах. Он растолкал спящего слугу.

— Письмо доставишь графу Алексею Григорьевичу. Отдашь только в собственные руки. Я буду ждать тебя в замке Нейсес в имении князя Лимбурга.

Он протянул слуге несколько золотых:

— На дорогу!

— И это все, сударь?! А ночлег? А постоялые дворы?

— В твоем возрасте люди не тратят деньги на постоялые дворы. Зачем ночевать на постоялых дворах, когда есть вдовы, — отечески объяснил Рибас слуге. — В путь!

Замок Нейсес, 1774 год, октябрь.

В парадной зале у камина сидели князь Лимбург и Рибас. Князь Лимбург держал в руках рекомендательное письмо: «Подателю сего господину де Рибасу вы можете доверять, как мне самому. Маркиз де Марин».

Лимбург усмехнулся:

— Это очень печальная рекомендация, ибо я редко встречал большего негодяя, чем маркиз... Итак, кто вы, милостивый государь?

— Меня зовут Рибас. Иосиф де Рибас, испанец.

— Вы живете здесь два дня и осмелились собирать сведения об... известной особе.

— Совершенно верно, Ваше сиятельство.

— Зачем вам нужны эти сведения?

— Исключительно чтобы привлечь к себе ваше милостивое внимание. Это был единственный способ попасть пред очи Вашей светлости. — И добавил: — Я испанский дворянин, но я нахожусь на русской службе.

— Значит, все это правда? — в сильном волнении вскричал князь. — У нее есть своя партия в России?!

— У нее нет своей партии в России, просто очень могущественные люди хотят узнать обстоятельства жизни этой женщины. Я целую неделю открыто собирал о ней сведения, но всего лишь два дня назад олухи, которых вы называете своими слугами, это заметили. Итак, меня прислали к вам с вопросом: желало бы Ваше сиятельство, чтобы эта женщина вернулась из своих рискованных путешествий обратно в ваш замок?

— Я желаю лишь одного: забыть ее! Я хочу, чтобы все минуло, — яростно начал князь и добавил без паузы: — А как это сделать?!

— Меня прислали к вам очень могущественные люди, князь. Итак, они предлагают обмен: Ваше высочество расскажет все, что знает о ней. А мы постараемся ее вернуть...

— Доказательства?

— Никаких, кроме логики: мы заинтересованы в том, чтобы она прекратила «опасные свои приключения». И вы тоже, Ваше высочество. Наши интересы совпадают.

Князь задумался.

— Вы почему-то мне внушаете доверие, господин...

— Рибас.

— Я принимаю предложение. Да и нет другого выхода. Вы действительно моя последняя надежда.

— И я в этом совершенно уверен, князь, — сказал почтительно Рибас, глядя на князя чистыми добрыми глазами.

— Хорошо! Но Бог покарает вас, если вы солгали.

Князь помолчал, а потом торжественно начал — ему доставляло неизъяснимое, почти больное удовольствие рассказывать о ней.

— Весной прошлого года я привез ее из Франкфурта в замок Нейсес, и началась самая прекрасная пора моей жизни. Мне уже было за сорок...

«Сорок пять, если быть точным», — усмехнувшись, подумал Рибас.

— Я часто увлекался, но, поверьте, я все забыл!

Замок Нейсес.

У камина в той же комнате, где сейчас сидят Рибас и Лимбург, сидела принцесса, играла на лютне и с томной нежностью глядела на князя.

— Мой Телемак, — шепчет принцесса.

— Моя Калипсо, — отвечает князь.

Калипсо, по греческой мифологии, — нимфа, державшая семь лет в плену Одиссея, а прекрасный Телемак — сын Одиссея.

«Милый разговор, — опять усмехнулся про себя Рибас, — если учесть, что Телемак был двадцатилетний юноша. Этот болван не понял, как она издевалась над ним».

— Мой Телемак... — с нарастающей нежностью повторяла принцесса.

— Моя Калипсо...

— Мой Телемак, мне немного надоел этот граф Рошфор. Он все время преследует меня моим обещанием выйти за него замуж...

— Этого было достаточно. О небо! Я отправил в тюрьму несчастного Рошфора, единственного преданного мне человека. Нет, я не был к нему жесток, поверьте... Ему приносили лучшую еду и его любимое бургундское. И каждый день я давал ему возможность бежать.

В тюрьме в камере мирно беседовали Лимбург и Рошфор.

— Почему вы не бежите, граф?

— Я жду, Ваше высочество.

— Чего?

— Того, что скоро случится.

— Что случится? О чем вы болтаете?

— То, что случилось со мной... с де Марином... Со всеми, кто был знаком с этой женщиной.

— Я лишаю тебя бургундского, — кричит князь, но Рошфор только хохочет.

— В тот день я повез ее в замок Оберштейн. Я был совладельцем этого графства...

Лимбург и принцесса верхом подъезжают к замку в Оберштейне.

— Ах, мой Телемак... Как прекрасно жить здесь! Вдали от всякой суеты.

— Моя Калипсо... — восторженно шепчет Лимбург.

— Я слышала от своей няньки, что в моих княжествах много таких замков. Скоро, ох как скоро ты прочтешь в газетах о возвращении мне моих земель. И тогда я покину тебя, мой Телемак, и уеду в далекую заснеженную страну.

— Ты уедешь?

— Но прежде чем уеду, я мечтаю, чтобы вы выкупили этот замок. Я уже придумала, как его перестроить.

Она соскочила с лошади и хлыстом уверенно начала чертить на земле контуры замка.

— Когда меня, увы, с тобой не будет, ты будешь смотреть на замок и вспоминать свою странную Калипсо...

— Она замечательно рисовала, понимала в архитектуре и играла на многих инструментах.

— ...Мне дали прекрасное образование, у меня были самые дорогие учителя.

— И тогда впервые с какой-то злой меланхолией она начала рассказывать о своем детстве.

— Я дитя любви очень знатной особы, которая поручила некой женщине воспитать меня. Ни в чем я не имела отказа. Но... вдруг перестали приходить деньги на мое содержание. Оказалось, моя мать умерла. И вот тогда эта женщина продала меня богатому старику. — Она засмеялась. — О, как я обирала его! Я притворялась больной, он вызывал врача и аптекаря, и они прописывали мне самые дорогие лекарства. Старик безумно любил меня и платил, а потом эти деньги мы делили с аптекарем и врачом.

— И вас не мучила совесть? — в ужасе вскричал князь.

— Куртизанки как солдаты: им платят за то, что они причиняют зло.

— О небо! И вы могли... без любви...

— Видишь ли, мой друг, капризничать — это для нас то же, что матросу бояться морской болезни. Пусть испанцы скупы, пусть итальянцы плохие любовники — легко загораются и так же быстро гаснут, но я не должна была никому отказывать, даже евреям.

Она взглянула на страдающее лицо Лимбурга и расхохоталась:

— Мой Телемак, ты плохо образован. То, что я сейчас говорила, я прочла в книге моего любимого Аретино, он был великий венецианец. — И добавила насмешливо: — Жаль, что он умер триста лет назад. Говорят, он был превосходный любовник и в пятьдесят шесть лет хвастался, что прибегает к услугам женщин не менее сорока раз в месяц.

— И все-таки в ее рассказе я почувствовал какую-то страшную правду. Нет, я никогда не мог понять, когда она выдумывала, когда говорила правду, хотя чаще всего это было и то и другое вместе...

— ...Ах, мой Телемак, постарайтесь стать хоть чуточку мудрее. К сожалению, в нашей жизни наступает возраст, когда надо хотя бы производить впечатление умного, если не хочешь быть смешным. — Она расхохоталась. — Поверить, что наследница володимирских князей была дешевой куртизанкой! Ох, мой Телемак!

— Но зачем вы все это говорили?

— Со злости. Мне стало обидно, мой друг, что вы так легко восприняли известие о моем возвращении в Россию.

— Если вы уедете, Алин, — глухо сказал Лимбург, — я уйду в монастырь.

— Вот это другое дело... И все-таки я уеду, я обязана выйти замуж: род великих князей не должен прекратиться... Пора пришла. Я получила письмо из России!

— И вот тогда я сказал ей то, ради чего она все это говорила.

— ...Я свободен. И... я прошу вашей руки, Ваше высочество. Вы молчите?

— Я представила, какой ропот поднимется среди всех этих тупых немецких государей. «Ах, владетельный князь женился на русской принцессе, а у нее ни земель, ни бумаг о происхождении». О, вы, немцы, бумажный народ, мой друг.

— Я отрекусь от титула, но я женюсь. Я не могу без вас.

— И я не могу... Но я никогда не посмею причинить вам боль. — Она плакала. — Я люблю вас... — Она рыдала, а потом сказала сквозь слезы: — Мне пришло сейчас в голову... соберите, мой друг, все деньги... все, все... и выкупите этот Оберштейн. А потом... объявите, что это я дала деньги... что они присланы мне из Персии. И тогда... ваши владетельные родственники хоть немного поверят...

— Великолепная мысль! Они умрут от зависти!

— Тем более что мне действительно скоро пришлют деньги из Персии...

— И я не только выкуплю Оберштейн, — в восторге вскричал Лимбург. — Я подарю его вам, чтобы у вас, моя Калипсо, были земли! Чтобы вы как равная могли вступить в брак с владетельным немецким князем!

— Я написал всем немецким князьям о своей помолвке, о том, что княжна, наследница русских князей, фантастически богата и выкупила графство Оберштейн. Я не заметил, как я, ревностный католик, ни разу в жизни не солгавший, через месяц жизни с нею стал отъявленным лгуном!

В тюрьме князь Лимбург и Рошфор беседуют за богато сервированным столом.

— Она получила из Персии дядюшкины деньги и купила себе графство Оберштейн.

— Она? Получила деньги? — Рошфор умирает от хохота.

— Я опять лишаю вас бургундского, граф!

— Я заложил земли в Штируме и во Фризии — и она выкупила графство Оберштейн. Я стал готовиться к помолвке и одновременно все же поручил своим людям... да, да... выяснить все о моей невесте!

Замок Оберштейн.

У камина сидит принцесса и, склонив прелестную головку, гадает.

В тазу плавают кораблики с зажженными свечами. Это старинное венецианское гадание. Камеристка Франциска фон Мештеде, стоя на коленях, зачарованно смотрит в таз на горящие свечки.

На камине водружена картина, которую только что закончила рисовать принцесса. На ней все та же сцена: принцесса, сидящая у камина, кораблики с зажженными свечами и камеристка...

Неслышно вошел Лимбург. В восхищении смотрит князь на эту мирную идиллию.

— Подарите мне эту картину, Алин...

Она обернулась в бешенстве.

— И вы смеете как ни в чем не бывало приходить ко мне? После того как вы, предназначенный мне Богом... утешение за всю мою жизнь... смели хладнокровно проверять мое прошлое?

— Но я... — начинает Лимбург.

— Смели обсуждать с мерзавцами ростовщиками, когда и где я познакомилась с бароном Эмбсом, когда и где...

— Откуда она могла узнать? До сих пор не понимаю... Кроме меня и моего банкира, никто не знал. Но она... она всегда знала все. Она была сущий дьявол!

В комнату входит барон Эмбс.

— Барон, я просила вас принести...

Эмбс с поклоном протягивает свой патент.

— И пусть вам будет стыдно, князь! — Она швырнула патент Лимбургу. — Это патент на звание капитана. Барон прославился военными подвигами, а не выяснениями несчастных обстоятельств жизни несчастной женщины.

— И все-таки я ей не верил. Точнее, верил... и не верил. Мои люди много раз подпаивали этого подозрительного барона. Но ни слова от него не добились. Он пил и молчал.

— Я прошу простить меня... — сказал несчастный Лимбург, возвращая патент. — В последний раз.

— Я слишком хорошо вас знаю. Этот последний раз будет длиться вечно. Ступайте... я хочу дочитать письмо. — И она демонстративно взяла со столика письмо и погрузилась в чтение.

— Я не смел спросить ее, что это за письмо, но умирал от любопытства.

— Это письмо от гетмана Огинского из Парижа, — сказала она, усмехаясь и глядя на князя.

— Рошфор рассказывал мне о ее связи с гетманом. Призрак этого сиятельного любовника никогда не давал мне покоя. Проклятие!

Через несколько дней — в замке Оберштейн.

Лимбург ставит перед принцессой бронзовый шандал с экраном. Торжественно зажигает свечу — и на экране видна картина: она гадает, и кораблики с зажженными свечами плавают в серебряном тазу.

Но она не оценила подарка.

— Какая прелесть, — говорит она равнодушно. И добавляет: — Я хочу, чтобы вы пожили немного в Нейсесе, а я поживу пока одна здесь, в Оберштейне. Я хочу, чтобы вы проверили, Телемак, действительно ли хотите взять меня в жены.

— И очень скоро я узнал от своих слуг в Оберштейне, что ее навещает там некий незнакомец. Он приезжал к ней обычно ночью из городка Мосбах. В донесениях моих слуг он именовался «мосбахским незнакомцем».

В тюрьме Лимбург и Рошфор сидели за бутылкой вина.

— Это невыносимо, граф, — жаловался Лимбург, — я уже не имею права жить с нею. Когда я начинаю объясняться в любви, она заявляет: «Ах, мой друг, вы любимы... И очень стыдно в ваши лета быть столь ревнивым, мой Телемак». Она выгнала из Оберштейна всех. Даже этого странного барона Эмбса она отправила в Париж вместе с де Марином — торговать моими орденами. И они продают их бог знает кому... А в Оберштейне все стонут от ее самоуправства!

Рошфор хохочет.

— Но самое гнусное: каждую ночь к ней приезжает некто... мои люди слышали польскую речь.

Рошфор покатывается со смеху.

— Это Огинский! Клянусь, это проклятый гетман! Ну, хорошо, хорошо, я признаю, вы были во всем правы, граф, — вздохнул Лимбург. — И вот письмо, которое она получила... да-да... я был в замке, я обыскал... я унизился и до этого. — Он протянул письмо Рошфору: — Читайте!

Под письмом стояла дата — 12 ноября 1773 года. Письмо было написано по-французски, без подписи.

Рошфор читал письмо:

«Горю желанием, Ваше высочество, принести Вам знаки своего уважения, однако есть причины, мешающие мне открыто это осуществить. Одетый по-польски, боюсь привлечь внимание слишком многих любопытных. Поэтому для встречи предлагаю постороннее место, чтобы укрыться от взоров ненужных наблюдателей. Для этого я нанял дом в Мосбахе. Если Ваше высочество признает это приемлемым, Вас проводит туда преданный мне человек».

Лимбург в бешенстве шептал:

— Огинский! Проклятый поляк!

— Странно, — сказал Рошфор. — Я был знаком с гетманом в Париже, он слишком осторожен для подобных приключений.

Стояла глубокая ночь.

У стены замка Оберштейн привязаны две лошади. Открылась потайная дверь в стене — в темноте появилась принцесса в сопровождении незнакомца. На принцессе черный плащ, она в мужской одежде. Незнакомец, молодой человек, тоже в черном плаще и в треуголке.

Молодой человек отвязал лошадей — принцесса легко вскочила в седло. И они поскакали в лунной ночи по лесной дороге...

Лимбург и Рошфор, верхом, прячась в тени деревьев, наблюдают всю сцену.

Рошфор тихо смеется:

— Мы будем в Мосбахе раньше, я знаю кратчайший путь.

— Я разоблачу бесстыдную лгунью! — в бешенстве шепчет Лимбург.

Они скачут по дороге — в ночь, в которой скрылись принцесса и незнакомец.

Большой дом на окраине Мосбаха. Спит городок. Темные дома освещены луной.

Стук копыт. К дому подъезжают принцесса и молодой незнакомец.

В тени деревьев их уже поджидают Рошфор и Лимбург на лошадях.

— Открывайте ворота, — кричит по-польски незнакомец.

Из ворот выходит мужчина в расшитом польском кунтуше, в широкой шляпе, скрывающей лицо.

— Огинский! — шепчет Лимбург.

Мужчина в польском кунтуше низко кланяется принцессе, помогает ей сойти с коня. И, встав на колено, целует руку.

— Ни с места, господа! — не выдерживает Лимбург и выскакивает на лошади из тьмы.

Молодой незнакомец тотчас выхватил шпагу, но Рошфор, появившись с другой стороны дома, выбил шпагу у него из рук.

— Боже мой, — вскричала принцесса, обращаясь к Лимбургу, — вы сошли с ума!

— Я вызываю вас, гетман! — бессмысленно кричит Лимбург человеку в кунтуше.

Лунный свет падает на его лицо.

— Я был прав, это не гетман, — устало усмехается Рошфор.

— Простите, князь Карл, — почтительно обращается принцесса к человеку в кунтуше, — но вас приняли за другого... Позвольте вас познакомить с моим женихом и просить прощения за то, что это знакомство происходит при столь странных обстоятельствах. — И она торжественно представляет: — Его высочество князь Карл Радзивилл, виленский воевода... Его высочество князь Филипп Фердинанд Лимбург...

Мужчина в кунтуше и князь Лимбург почтительно, церемонно раскланиваются.

Карл Радзивилл, князь Священной Римской империи, виленский воевода, любимец шляхты, «пане коханку», «родовитейший из родовитейших», как его называли в Польше.

— Теперь ваша очередь, князь Карл, — обратилась принцесса к Радзивиллу, — представить меня моему жениху.

— О чем ты говоришь, Алин, — изумленно начал Лимбург.

— Алин умерла... И забудьте это имя, мой друг. — Она повелительно взглянула на Радзивилла.

И тогда князь Радзивилл объявил:

— Ее императорское высочество Елизавета Всероссийская, единственная законная наследница престола России...

В доме Радзивилла в Мосбахе: огромная зала, увешанная оружием, тонула в полутьме. Радзивилл стоял в центре залы.

После избрания польским королем Станислава Понятовского князь Радзивилл не признал «безродного шляхтича» и скитался за границей. Но вдруг неожиданно покорно бил челом в Петербурге, обязался служить Понятовскому и во всех поступках считаться с желаниями Екатерины. Получив прощение, «как собственное дитя императрицы», князь Радзивилл вновь зажил королем в своем замке в Несвиже. Он лупил несчастных шляхтичей и потом устраивал для них же пьяные оргии, заливая вином свой позор. «Король — король в Кракове, а я — в Несвиже», — повторял воевода. Но вскоре так же легко, как примирился с Понятовским, он его и предал. Во главе вооруженных отрядов он появился под знаменами конфедератов. Будучи много раз разбит, бежал за границу и там объявил себя непримиримым врагом Екатерины и Понятовского. Он путешествовал по Европе, склоняя к войне с Екатериной мелких немецких государей и Французский двор. Представитель Радзивилла — некто Доманский — участвовал во всех съездах конфедератов.

К 1773 году Радзивилл сделался для шляхты символом борьбы. И тогда его имения в Польше были конфискованы. Один из богатейших людей Европы начал жить, продавая фамильные драгоценности. «Нельзя запятнать славу предков, — повторял Радзивилл среди обрушившихся на него ударов судьбы. — Я приму охотней звание вечного скитальца, чем примирюсь с врагами Речи Посполитой». За месяц до описываемых событий король Польши Понятовский объявил амнистию всем эмигрантам, которые сложат оружие и вернутся в Польшу. Многие тотчас начали переговоры с королем, подготавливая свое отречение от борьбы. Но «пане коханку» остался стоек. Именно в эти дни и состоялась его встреча с принцессой.

Множество слуг толпилось в полутемной зале, подобострастно кланяясь принцессе.

По знаку Радзивилла слуги исчезли. В зале остались молодой незнакомец, Радзивилл, принцесса, Лимбург и Рошфор.

— Сколько раз я мечтала, — горестно шептала принцесса Лимбургу, — объявить вам все это сама... Сколько раз я проклинала судьбу и происки врагов, заставлявшие меня скрывать от вас... от мужа, данного мне Богом, свое имя. И вот, когда я готовилась торжественно открыть вам тайну моей жизни... вы, как всегда, все испортили глупой ревностью...

Меж тем Радзивилл торжественно начал:

— Исторический день наступил, господа. В этом доме происходит первое свидание несчастного скитальца с будущей российской государыней.

Он низко поклонился принцессе.

Принцесса была неузнаваема: ее лицо, ее жесты — сама величественность.

— Мне остается, господа, открыть вам: мое истинное имя Елизавета. Елизавета — дочь Елизаветы... Я рождена от брака русской императрицы Елизаветы с казацким гетманом Разумовским. Это был тайный брак, но брак законный. О чем существуют соответствующие бумаги...

Она взглянула на молодого незнакомца, и тот утвердительно кивнул.

— Подвергаясь тысяче опасностей, я была вынуждена жить под именем принцессы Володимирской. Но пора пришла. По моему приказу брат мой Разумовский, скрывшийся под именем Пугачева, успешно поднял восстание в России. Урал и Сибирь в наших руках! Чтобы быть понятным простому народу, брат мой по повелению моему принял имя Петра Третьего.

— Боже мой, не так давно я сам впервые читал ей в газетах об этом Пугачеве... Клянусь, я помню до сих пор, как загорелись ее глаза...

— Настало время, — продолжала принцесса, — заявить миру о моих правах. — И она торжественно положила на огромный стол бумаги. — Это копия духовного завещания матери моей Елизаветы... Когда-то мать моя передала его моим воспитателям. Чтобы потом, когда придет моя пора царствовать, ни у кого не возникло сомнений в моих правах. Знакомьтесь, господа... Подлинный текст сохраняется в надежном месте и вскоре будет предъявлен миру.

— Я впился в бумаги... Нет, это не был почерк Алин, и, клянусь, это не был ее стиль. Бумаги были составлены замечательно. Там были такие подробности, которых она знать не могла, клянусь небом! И никто другой не мог! Нет, это было подлинное завещание! Но откуда оно у нее?!

И вновь молодой человек неслышно выступил вперед, забрал бумаги из рук Лимбурга. И отступил в темноту зала.

— Кроме того, мать оставила мне завещания деда моего Петра Великого и бабки моей Екатерины Первой. И вскоре все это также сделается достоянием публики. Итак, здесь, сегодня я объявляю начало борьбы за свои права. В Швеции нас готовится поддержать король Густав, мечтающий отомстить за поражение при Полтаве. В Турции мир, на который рассчитывает Екатерина, не будет заключен. В Париже нас горячо поддерживает Версальский двор. Весь Урал в руках нашего брата. В этом общем восстании против похитительницы престола немецкой принцессы Екатерины я отвожу особую роль Польше...

Радзивилл поклонился.

— Мы, Елизавета Вторая Всероссийская, торжественно клянемся, господа, восстановить Польшу в ее границах. Мы клянемся свергнуть с польского престола безродного раба Екатерины Понятовского и поддержать избрание польским королем единственно достойного...

Она взглянула на Радзивилла, и Радзивилл опять гордо поклонился.

— Наши действия начнутся с совместной поездки с князем Карлом в Константинополь к султану. Мы принудим султана к прекращению всяческих мирных переговоров с узурпаторшей. Оттуда, из Константинополя, я обращусь к русскому войску и флоту — свергнуть узурпаторшу-немку и передать престол законной наследнице — последней из дома Романовых. — Глаза ее горели. — Я напишу главе русской эскадры графу Алексею Орлову. Партия Орловых недавно пала в России, и, нет сомнения, граф возьмет мою сторону!

— Как все причудливо соединялось в этой очаровательной головке! Это я ей рассказывал про низвержение Орловых и про Разумовского. Несколько лет назад казацкий гетман проезжал через мои владения. И все вокруг говорили о тайном браке его брата Алексея с императрицей Елизаветой. Но она, видимо, перепутала имена братьев, назвавшись дочерью казацкого гетмана. Так я подумал тогда...

— Итак, господа, на днях князь Радзивилл отправляется в Венецию. И будет готовить экспедицию и корабли для нашей поездки к султану. Чтобы не давать повода к излишним слухам, мы отправимся в Венецию порознь.

— В Константинополь, Ваше высочество! — закричал Радзивилл. — И если верность отечеству потребует от меня терпеть нужду до конца моих дней — буду терпеть, но мать-родину не предам!

— К сожалению, остается еще один важный вопрос: экспедиция потребует много денег... я знаю ограниченные ныне средства князя Карла...

— Все отдам, все, что есть! И будем верить, что мы получим помощь от Бога, как получаем от людей одни притеснения! — выкрикнул Радзивилл.

Принцесса взглянула на Лимбурга.

— Я готов во всем помочь своей будущей супруге, — начал Лимбург. И добавил: — Ее высочеству Елизавете Всероссийской.

— У меня уже есть план, господа, — продолжала принцесса. — Копии находящихся у меня завещаний русских царей должны быть немедленно показаны французским банкирам. Одновременно в газетах надо опубликовать подробный список крепостей, взятых моим братом Пугачевым. После чего немедля следует выпустить в Париже заем от моего имени как единственной законной наследницы Русской империи. Дадут, дадут деньги проклятые банкиры!

— Браво! — закричал Радзивилл.

— Скоро начнет светать. Пора расставаться, чтобы не возбуждать излишних слухов, — сказала принцесса. — Мой офицер проводит вас обратно в Оберштейн, господа...

Молодой незнакомец вышел из темноты и поклонился.

— Позвольте вам представить... — обратилась принцесса к Лимбургу. — Это Михаил Доманский...

Михаил Доманский. Польский шляхтич. В пятнадцать лет был пристроен дядей во дворец князя Радзивилла. Там, среди пиров, охот и диких оргий, вырос этот человек. Был избран депутатом сейма, принял сторону Конфедерации, участвовал в восстании против избрания королем Понятовского. После поражения бежал в Германию. И здесь вновь встретил своего прежнего господина Карла Радзивилла. Радзивилл целиком попал под влияние двадцатишестилетнего Доманского. Теперь на всех съездах конфедератов от имени Радзивилла выступал Михаил Доманский...

Кавалькада едет в лунной ночи. Подъехав к замку Оберштейн, Доманский прощается со всеми и исчезает во тьме.

Рассвет.

В замке Оберштейн, в гостиной у догорающего камина сидели Лимбург и принцесса.

— Как вы догадываетесь, мой друг, — насмешливо начинает принцесса, — с нашим браком придется повременить. Покуда я не сяду на русский трон. Надеюсь, тогда вашим родственникам не понадобятся бумаги? И вам не придется более собирать обо мне сведения по закоулкам Европы...

— Невероятно! — вздохнул Лимбург. — Вы готовы отвергнуть таинство брака ради призрачной мечты?

Она гневно взглянула на него. Он помолчал, но потом добавил:

— Алин, мы одни. Поклянитесь мне... Более ничего не надо. Этой клятвы будет достаточно... Все, что я слышал сегодня, правда?

Она усмехнулась и торжественно сказала:

— Клянусь, что императрица Елизавета имела дочь от тайного брака, увезенную из России и воспитанную за границей!

— И кто же она, Алин? — не выдержал Лимбург.

Она посмотрела на него бешеными глазами:

— Я, Ваша светлость! И запомните навсегда: Алин умерла. Есть принцесса Елизавета.

И вдруг потянулась к нему, поцеловала. Потом оттолкнула и сказала:

— А сейчас вы вернетесь в Нейсес.

— Но...

— И не спорьте, Телемак: вы должны выполнить важное дело... Благодаря вашей глупой ревности в тайну оказался посвящен посторонний. Он знает о готовящейся экспедиции, этот желчный и злой человек. Я говорю о Рошфоре.

— Что вы еще хотите?

— Вы уже догадались. Я не могу рисковать делом всей своей жизни. Вы вернетесь в Нейсес и снова посадите, — она усмехнулась, — «верного Рошфора» в государственную тюрьму. И горе ему, если он выйдет оттуда, пока не свершится экспедиция к султану. Я не хочу мертвецов.

И она вновь страстно поцеловала князя, и князь, как всегда, обмяк.

Лимбург и Рошфор отъезжают от ворот замка Оберштейн.

— Поглядите, Ваше высочество...

И Рошфор, смеясь, показывает на темные силуэты у стены замка. Лимбург молча глядит на лошадь, привязанную у потайной двери в стене.

— Не узнали, Ваше высочество? Это лошадь того самого поляка Доманского, который должен быть далеко отсюда...

— Послушайте, граф, — в бессильном бешенстве говорит Лимбург. — Ваша вечная подозрительность уже завела нас... вернее, вас в пропасть. Я не знаю даже, как сказать вам, но я должен вас...

— ...Арестовать! — говорит Рошфор, умирая от смеха.

— Но я не мог забыть эту лошадь... И в те недолгие часы, когда она допускала меня в Оберштейн, я всегда чувствовал присутствие этого человека. Появлялись кем-то написанные проекты ее писем турецкому султану, шведскому королю, гетману Огинскому. Теперь она переписывалась со всей Европой...

Замок Оберштейн. Принцесса, как тигрица, разгуливает по зале, когда входит Лимбург. Она швыряет ему в лицо скомканное письмо и кричит:

— Этот мерзавец! Этот хитрый подлый трус!

— К кому относится все это на сей раз?

— Гетман Огинский! И он смел называться моим другом! Я послала ему письмо в Париж, я предложила ему принять участие в моей экспедиции в Турцию с князем Радзивиллом... И что мне ответил этот жалкий изменник!..

Из письма Михаила Огинского принцессе 10 апреля 1773 года:

«Расположение мое к вам по-прежнему глубоко ношу в своем сердце... И поверьте, мой язык никогда не выдаст доверенной мне тайны. Но ваши предложения возбудили во мне воспоминания о временах оракулов, которые никогда не говорили определенно ни «нет», ни «да»...»

— Этот негодяй делает вид, что не понял!

«И все-таки я желаю вам успеха, хотя не понимаю, какая дорога ведет к нему. Нет, нет, друг мой, лучше мне не быть вместе с вами в вашем начинании, ибо стоит мне только пожелать что-нибудь хорошее, как оно тотчас не исполняется...»

Она скомкала письмо, швырнула его на пол.

— Оказалось, этот трус уже ведет переговоры с Понятовским и Екатериной! Он решил вернуться в Польшу, он хочет получить отнятое имение — тридцать серебреников!

Наконец успокоилась, подняла скомканное письмо с пола, расправила:

— Это письмо я сохраню в своем архиве. Когда я сяду на трон, конфискую все земли этого предателя... Но зато другие дела хороши. Франция нас поддерживает, Радзивилл в конце недели выезжает в Венецию.

— Ах, дорогая, — вздохнул Лимбург, — мы перестали говорить с вами о чем-нибудь, кроме этой затеи.

— Вы смеете называть «затеей» святое предназначение?

Лимбург усмехнулся:

— Ну что ж, поговорим о нем. Мне кажется, вы смешно путаете имя своего отца. Казацкий гетман Кирилла Разумовский никогда не был тайным мужем императрицы Елизаветы. Мужем вашей матери был другой

Разумовский — Алексей, родной брат казачьего гетмана. Вам следует знать точное имя своего отца, дорогая, — насмешливо закончил князь.

— Мой милый Телемак, — в гневе ответила она. — Я знаю имя своего отца. Просто мне сейчас нужны деньги от банкиров. А они слышали: в России восстали казаки. И если мой отец — казацкий гетман, следовательно, это люди моего отца захватили пол-России. Дочери такого человека можно дать деньги!

— Я до сих пор не знаю — придумала ли она немедля это объяснение или так оно и было. Ее головка готова была изобрести в любой миг миллион историй. Как она была изворотлива!.. Когда я намекал ей на этого проклятого поляка, она спокойно объявляла, что нарочно возбуждает мою ревность, ибо чувствует: я к ней охладеваю. И заливалась настоящими слезами, клянусь! 13 мая 1773 года я провожал ее в Венецию...

Коляска князя Лимбурга подъезжала к дому на окраине Мосбаха. В карете принцесса и Лимбург.

— Не грусти, мой милый, сегодня тринадцатое. Я люблю начинать в этот день. Мне всегда везло в этот ведьмин день...

Около дома уже ждет карета, запряженная четверкой лошадей. У кареты прогуливается Доманский в дорожном плаще. Принцесса весело обнимает Лимбурга.

— Мы расстаемся ненадолго, в России перевороты совершаются быстро.

Она целует его и выпрыгивает из коляски. Доманский помогает ей пересесть в карету.

И поскакали лошади. Она высовывается из окна кареты и кричит князю:

— До скорой встречи в Петербурге!

— Больше я ее не видел... Но когда она приехала в Венецию, я послал к ней своего нового гофмаршала, барона Кнорра. И он писал мне обо всем, что с ней случалось... Началось в Венеции все восхитительно: и поляки, и французы были от нее без ума...

Венеция.

Пестрая толпа заполнила набережную вдоль Большого канала. Все взоры — на палаццо на Большом канале, дворец французского посла. Над палаццо поднят королевский флаг. Из дворца под восторженные крики толпы выходит принцесса, окруженная польскими и французскими офицерами. Расшитые мундиры, перья на шляпах.

Все общество рассаживается в черные с золотом гондолы. Гондолы плывут по каналу, провожаемые криками толпы.

Откупорили шампанское. Принцесса поднимается в гондоле и, сверкая раскосыми огромными глазами, начинает свой вечный рассказ. Обрывки рассказа долетают до жадного слуха толпы на набережной.

— ...Заточили в Сибирь... отравили... но Господь...

— Да здравствует принцесса Всероссийская! — кричат в гондоле.

— ...И тогда, по завещанию матери... дядя мой Петр Третий... до моего совершеннолетия...

— Виват, освободительница! Чудо, ниспосланное провидением Речи Посполитой!

— ...И я не дам немке узурпировать трон! Я, внучка Петра Великого, истинно последняя из дома Романовых... Я верю, господа, вы поможете женщине!

— Да здравствует Елизавета Прекрасная! — В воздух летят обнаженные шпаги французов и поляков.

— А дальше... начались странные вещи... Радзивилл никак не мог отплыть с ней в Турцию. И только в июле я получил известие...

Венеция, 16 июля 1774 года.

На рейде — корабль.

Принцесса, Радзивилл, Доманский и пестрая свита на лодках подплывают к кораблю...

Барон Эмбс вносит в каюту драгоценный баул принцессы с архивом и пистолетами...

Принцесса стоит на палубе, морской ветер развевает ее красный плащ.

— В Константинополь, — шепчет принцесса. — Сбылось!

Корабль в открытом море. На палубе — принцесса и Радзивилл. Медленно корабль начинает разворачиваться. Появляется капитан — высокий алжирец.

— Ветер, — говорит капитан, — слишком сильный ветер... Мы должны возвращаться в Венецию.

— Как возвращаться?! — задохнулась принцесса.

— Очень сильный ветер, — вздыхает капитан. — Ох, какой сильный ветер!..

И он усмехается. Хитрющий черноволосый алжирец.

— И опять они праздно жили в Венеции. Она была в ярости. Она бунтовала. И наконец Радзивилл нашел другого алжирского капитана.

Та же пестрая толпа поднимается на корабль, и тот же молчаливый барон Эмбс проносит в каюту загадочный баул.

И опять корабль в открытом море. Все дальше уходит Венеция: колонна Святого Марка, Дворец дожей — все исчезает в голубом мареве.

— Свершилось! — шепчет принцесса.

Они плывут. Ветер, морской ветер. Принцесса с наслаждением подставляет лицо ветру, когда на палубе появляется капитан.

— Ничего не поделаешь, — вздыхает капитан, обращаясь к принцессе и Радзивиллу, — ветер...

Корабль ложится на обратный курс.

— Я умоляю вас, — обращается принцесса к капитану, — мы должны...

Непроницаемое лицо молчаливого Радзивилла.

— Ветер, — вздыхает капитан. — Я не могу рисковать кораблем.

— Я сделаю вас адмиралом! — кричит принцесса. — Я награждаю вас орденом! Барон! — Она обращается к Эмбсу. — Принесите мой орден Азиатского креста!

— Ветер, — вздыхает алжирец, — мы направляемся в Рагузу.

— Она была одновременно и хитра и наивна. Даже я из писем моего гофмаршала уже понял, что произошло: Турция заключила мир с Россией. И Радзивилл испугался поехать в Турцию. Теперь султан мог попросту выдать его России. Ясновельможный пан не мог ехать. Но он не мог и не ехать. Слишком многих он оповестил о своей великой затее... И он выдумал все эти ветры. Но Алин по-прежнему участвовала в игре.

Письмо принцессы князю Лимбургу. 10 августа 1773 года:

«Все чепуха, что сообщают в газетах. Там, как всегда, одни враки. Мой брат Пугачев набирает силу. В Турции влиятельная партия убедила султана разорвать договор и возобновить войну с Россией. Я уже написала два письма султану и со дня на день жду от него ответа. Я написала также письмо графу Орлову и манифест к русскому флоту в Ливорно. Я уверена: вся эскадра и сам граф возьмут мою сторону».

— После мира с Россией Франция сразу отвернулась и от Турции, и от польских дел. Я получил запрос от французского двора, где в весьма холодном тоне просили сообщить сведения о женщине, именующей себя моей невестой. А ведь еще вчера... О люди! Французский консул в Рагузе попросил ее очистить консульство, Радзивилл не отправил султану ни одного из ее писем. В газетах кто-то напечатал пошлые сплетни о ней и самые непристойные истории. И все закончилось дикой сценой...

Рагуза.

Барон Эмбс выходит из дома. Двое французских офицеров, прогуливавшихся на улице, громким смехом встречают появление барона.

— Давно не виделись, барон!

Барон молчит, будто не слышит обращенных к нему слов.

— А где же ваша хозяйка? Ничего, что я называю эту продувную бестию вашей хозяйкой? — продолжает офицер под смех товарища.

Барон по-прежнему молча пытается уйти, но француз преграждает ему дорогу.

— Нет, я охотно назвал бы ее вашей любовницей, но боюсь обидеть других господ, справедливо претендующих на титул ее любовника. Например, недавно я прочел в газетах, что этот отважный поляк, господин Доманский, каждую ночь карабкается по отвесной стене вот этого дома в ее спальню.

Барон, все так же не произнеся ни слова, дает ему пощечину.

— Ах, как я этого ждал! — смеясь, обращается офицер к барону. — Мне давно не терпится проверить: соответствует ли умение драться на шпагах чину капитана литовского войска, который вы так гордо носите?.. Или вы такой же капитан и барон, как ваша хозяйка — русская принцесса? Защищайтесь!

И француз выхватил шпагу, Эмбс — свою. Француз играючи прижал Эмбса к стене, когда у дома остановилась карета Радзивилла...

— Господа, остановитесь, что вы делаете, господа! — Принцесса выскочила из кареты.

— Итак, принцесса, ваш друг — не капитан, — смеясь, сказал француз, продолжая теснить барона к стене. — Он совершенно не владеет шпагой. И это я докажу на счет «три». «Раз, два, три!» — И француз заколол несчастного барона.

— Он так и умер, не проронив ни слова.

Принцесса, плача, опускается у тела барона.

Радзивилл вышел из кареты. С непроницаемым лицом, молча он наблюдает сцену.

— Вы... вы... вы... все это сделали! — кричит принцесса Радзивиллу. — Вы держите меня в этой проклятой Рагузе. Но берегитесь!

— Вы несколько забылись, Ваше высочество, — сухо говорит Радзивилл. — Вам следует оплакивать вашего верного слугу, а не кричать, как торговка.

Наступил вечер. В замке Нейсес Лимбург и Рибас заканчивали долгий разговор.

— После этого она слегла в постель. Сильно кашляла... врачи боялись, что дело дойдет до чахотки. Я написал ей письмо в Рагузу, но она не ответила. А потом отослала из Рагузы и моего гофмаршала. Единственное, что меня успокаивает: эти проклятые поляки отвязались от нее. Теперь она им не нужна. Но меня мучает другое: она осталась в Рагузе без денег. А она совершенно не может жить без денег. Без воздуха, без воды — может, а вот без денег...

— Ее нет в Рагузе, — усмехнулся Рибас.

— А где она? — испуганно закричал князь.

— Она села на корабль того самого алжирского капитана, который не смог доставить ее в Турцию. На этот раз он довез ее в Неаполь. Но сегодня ее уже нет и в Неаполе.

— Где она? Где? — умоляюще повторял Лимбург.

— В Риме. Там сейчас самое пекло — выборы нового папы. И, естественно, она там, ибо вновь полна жажды деятельности ваша неутомимая невеста. Кстати, вам не кажется странным, что она, у которой действительно не было денег, легко нанимает вдруг корабль? И, несмотря на смертельную ссору с Радзивиллом, на этот корабль с ней садятся два поляка из его ближайшего окружения? Михаил Доманский... Да, да, я знаю, вы думаете, что он... Но с ней поехал и другой сподвижник Радзивилла и тоже важный деятель Конфедерации — некто Черномский. Значит?.. Может быть, ссора с Радзивиллом над трупом несчастного барона была лишь представлением? И поляки совсем не вышли из игры? Просто в силу новых обстоятельств князь Радзивилл решил показать, что вышел... На случай если решит помириться с русской императрицей и вернуть себе земли? Так что прежний союз сохраняется. Только тайно. И ваша подруга продолжает свою опасную игру. Очень опасную... — Помедлив, он добавил: — Конечно, если у нее нет доказательств, что она действительно...

— А если есть?

Рибас молчал.

— Значит, тогда ее поддержат в России? — заволновался князь.

— Я ничего такого не сказал, — усмехнулся Рибас. — Просто могущественные люди, которые меня к вам прислали, интересуются вашим мнением на этот счет.

Лимбург только вздохнул.

— Каждый день все представало мне в ином свете... Когда она клялась мне — я готов был поверить... Но очень скоро мой посол при австрийском дворе сообщил о некой женщине. Ей было восемнадцать лет, когда она появилась в Бордо и стала выдавать себя за незаконную дочь австрийского императора. Самое удивительное — все банкиры ссужали ей деньги. По требованию императрицы Марии-Терезии ее выдали австрийцам, и те посадили ее в тюрьму. Это было в 1769 году. Через полгода она соблазнила начальника тюрьмы, и он помог ей бежать. Это случилось как раз в 1770 году, то есть когда Алин впервые появилась в Генте, где действительно соблазнила голландского купца, умершего под именем Эмбса... Самое удивительное — я все это знаю, но тем не менее ей верю... Потому что порой среди безумных, нелепых выдумок, которыми были полны ее рассказы, в них начинала проглядывать какая-то таинственная правда. Например, она сказала мне, что до десяти лет воспитывалась при русском дворе. Я говорил с прусскими дипломатами, жившими в то время в Петербурге, и все они утверждали, что при дворе воспитывалась девочка, которую представляли «близкой родственницей императрицы Елизаветы» и которая вдруг исчезла, когда ей исполнилось десять лет. Эту девочку поручили воспитывать Иоганне Шмидт, любимой наперснице императрицы. Имя этой Шмидт в последнее время очень часто мелькало в рассказах Алин вместе с другими удивительными подробностями жизни императрицы Елизаветы... Нет, я не знаю, кто она... Я все время думаю... и не знаю. Но одно знаю: я хочу, чтобы она вернулась, несмотря ни на что!

— Я сделаю все, Ваше высочество, чтобы она вернулась в Оберштейн, — с чувством сказал Рибас.

— Я был рад нашей беседе. Увы, граф Рошфор меня покинул. А мне так нужно с кем-то о ней говорить. Я не могу о ней не говорить!

Лимбург встал, подошел к бюро, взял лист бумаги и торопливо начал писать.

Из последнего письма князя Лимбурга, отправленного им своей невесте:

«Из-за вас я отказался от множества выгодных партий и теперь до конца дней намереваюсь жить в одиночестве. Вы не только совершенно расстроили мое состояние — вы навлекли на меня презрение всей Европы. Ваши бесконечные похождения сделали меня посмешищем в глазах моих родственников. Но вы знаете мою вечную присказку: «Нельзя ненавидеть того, кого любишь». Коли вы готовы отказаться от своего прошлого и если впредь не станете поминать никогда о Пугачеве, Персии и прочих такого же рода глупостях, знайте, что вас всегда ждут в Оберштейне».

Князь запечатал письмо, подумал и, вздохнув, надписал: «Ее высочеству принцессе Елизавете». И протянул письмо Рибасу:

— Вы передадите ей.

ДВОЙНЫЕ ИГРЫ В ГАЛАНТНОМ ВЕКЕ

У него всегда на луке — две тетивы.

Французская поговорка

Дворец графа Орлова в Пизе.

Парк перед дворцом: белые статуи античных богов сквозь листву и открывающаяся отсюда, из палаццо, панорама средневекового городка — как декорация к «Ромео и Джульетте».

В парке за мраморным столиком сидел Орлов и читал донесение Рибаса. Поодаль стоял слуга Рибаса.

Орлов закончил читать письмо, прошелся по аллее. Потом сказал:

— Обожди пока в доме, милейший.

Слуга исчез в доме, и тотчас в парке появился Христенек.

— Перо и бумагу, — приказал граф.

Христенек принес перо и бумагу, разложил все на маленьком столике и приготовился привычно писать под диктовку графа.

— Скажи, милейший, что нужно сделать, коли ты не хочешь выполнить приказ?

— Объяснить начальнику, в чем он не прав.

— Ты на русской службе, — усмехнулся граф, — так что запомни: у нас муж и начальник всегда прав. Самые нелепые приказы в России не отменяются, они просто не выполняются. Дескать, как же, исполню, батюшка, со всем старанием, а исполняешь, — он засмеялся, — что сам хотел... Поди с богом, я сам напишу письмо.

Орлов сидел за мраморным столиком и писал.

Из письма графа Алексея Орлова императрице Екатерине 1774 года, декабря 23 дня, из Пизы:

«...И стану стараться со всевозможным попечением волю Вашего императорского величества исполнять. И все силы употреблю, чтобы оную женщину самому достать обманом, буде в Рагузе она находится. И коли первое не удастся, тогда употреблю силу, как Ваше императорское величество изволили мне предписать...»

— Вот так-то, матушка, сначала, как я сказал, будет, а уж потом только, как ты повелела. Рабы твои, да не холопы.

Он продолжал писать:

«...для чего от меня послан был в Рагузу человек для разведывания об оной женщине, и тому уж более двух месяцев никакого известия об нем не имею. И я сумневаюсь: либо умер он или где-нибудь задержан и не может о себе известия дать. А человек был надежный и доказан был многими опытами в своей верности».

Он еще посидел за столиком, опять усмехнулся и приписал:

«А если слабое мое здоровье дозволит мне на кораблях уехать, то я не упущу — и сам в Рагузу отправлюсь, чтобы таковую злодейку всячески достать...»

— Здесь до бешенства дойдет... воду пить будет.

Он писал:

«Свойства же оной женщины описываю: что очень она заносчивого и вздорного нрава и во все дела с превеликою охотою мешается. И всех собой хочет устращать, объявляя при том, что со всеми европейскими державами в переписке. Повергая себя к священным стопам Вашим, со всеглубочайшею моею рабской преданностью Вашего императорского величества всеподданнейший раб граф Алексей Орлов».

Позвонил в колокольчик, вошел Христенек.

— Письмо немедля отправить в Санкт-Петербург с нарочным Миллером. Ну а сам готовься.

— В Рим, — заулыбался Христенек.

— Со слугой Рибасовым поедешь, в гостиной он тебя дожидается. Рибаса в Риме сменишь. Глаза он там уж, чай, всем намозолил... Инструкции получишь утром. *Знакомство* готовить будешь.

Христенек вопросительно уставился на графа.

— Знакомство графа Алексея Григорьевича со злодейкой.

И, усмехнувшись, граф Алексей Григорьевич протянул Христенеку письмо для императрицы.

Граф остался один, походил по аллее и вновь взялся за перо.

Второе письмо из Пизы графа Орлова императрице Екатерине, датированное 5 января 1774 года:

«Всемилостивейшая государыня. По запечатании всех моих донесений Вашему императорскому величеству получил я внезапно известие от посланного мною для разведывания офицера, что известная женщина больше не находится в Рагузе. И многие обстоятельства уверили посланца моего, что оная вернулась в Венецию с князем Радзивиллом, и он, ни много не мешкая, поехал за ними вслед, но по приезде в Венецию нашел только одного Радзивилла, а она туда не приезжала. О Радзивилле, кстати, новое говорят. Будто он хочет возвращаться в свое отечество и замириться с польским королем».

— Это бальзам тебе на раны после того письма: смирился пред тобою проклятый поляк. После хлыста пряник-то полезен. Баба...

И Орлов продолжал писать:

«А об известной женщине офицер разведал, что поехала она в Неаполь. А на другой день я получил из Неаполя письмо от аглицкого министра Гамильтона, что оная женщина в Риме, где себя принцессою называет. Оное письмо в оригинале на рассмотрение Вашего императорского величества посылаю. А от меня нарочный послан в Рим — штата моего генеральс-адъютант Христенек, чтобы стараться познакомиться с нею и чтоб он ей обещал при том, что она во всем положиться на меня может. И буде уговорить ее приехать сюда ко мне. Министру аглицкому Гамильтону и посланнику в Ливорно кавалеру Дику приказал писать к верным людям, которых они в Риме множество знают, чтоб те люди советовали известной женщине приехать ко мне сюда, что-де она от меня всякой помощи может надеяться...»

Рим.

Недалеко от Марсова поля на узкой римской улочке стояли два дома — один против другого. У одного из этих домов ждала карета с опущенными занавесками. Из дома к карете вышли два молодых человека — оба в польских кунтушах, с длинными саблями, бренчащими по булыжной мостовой.

В доме напротив у окна Христенек и Рибас наблюдали за происходящим.

— Высокий, молодой — это ее любовник Михаил Доманский, человек Радзивилла, — объяснял Рибас Христенеку. — Постарше, тучный — Черномский, человек графа Потоцкого. Где он только не интриговал — и в Турции был, и в Версале. Так что вся мятежная Конфедерация сейчас у кареты стоит.

Доманский и Черномский, бренча саблями, прогуливаются у кареты. Собирается толпа зевак.

— Ох, хитры, — шепчет Рибас, — вишь, занавески у кареты опущены... на окнах дома — тоже. Вроде тайну соблюдают, а сами усищами да саблями народ пугают. Это чтоб слух о ней полз. Весь город уже говорит: русская принцесса!

Из дома вышла принцесса в кроваво-красном плаще. Толпа во все глаза разглядывала принцессу.

— Хороша, — шепчет Христенек.

Принцесса, как бы спохватившись, торопливо набрасывает капюшон на лицо, садится в карету. За ней садятся Доманский и Черномский. Карета трогается...

— Теперь наша очередь!

По грязной мраморной лестнице черного хода Христенек и Рибас спустились вниз. За домом их тоже ждала карета...

Две кареты едут по Риму. Карета принцессы сворачивает к собору Святого Петра.

— В Ватикан едет... Все кардиналы сейчас там находятся. Из дворца не могут выйти, пока папу не изберут. Как под арестом сидят. Своя она в мутной водице, — шепчет Рибас.

Карета принцессы остановилась у собора Святого Петра. Карета Рибаса останавливается поодаль.

— Письмо у нее к польскому кардиналу Альбани, — продолжал объяснять Рибас Христенеку, — по слухам, он будет избран папой. Но видеться она с ним не может. Из папского дворца нельзя ему выйти.

Джиованни Альбани — кардинал-протектор Польского королевства, декан Священной римской коллегии. В 1774 году по Риму действительно ходили слухи, что он будет избран папой.

К карете принцессы подошел человек в сутане.

— Секретарь кардинала аббат Рокотани. Через него она ведет все переговоры с кардиналом, запертым во дворце, — продолжал объяснять Христенеку Рибас.

Доманский и Черномский выходят из кареты принцессы, почтительно помогают ей ступить на землю.

Принцесса в низко опущенном на лицо капюшоне идет рядом с аббатом. Они о чем-то беседуют. За ними следует сонный молодой итальянец.

— Это слуга аббата Рокотани, — поясняет Рибас. — Каждый месяц будешь выдавать ему три цехина.

Христенек расхохотался.

В доме на Марсовом поле Христенек и Рибас вновь заняли место у окна: следят за улицей — ждут возвращения принцессы.

— Содержание дома стоит пятьдесят цехинов, — продолжал вводить Христенека в курс дела Рибас, — кареты — тридцать пять цехинов, слуг — пятьдесят цехинов. Короче, она вся в долгах... И кардинал Альбани ее последняя надежда. Все ее бриллианты, все ее лучшие платья в ломбарде. И при том каждый вечер пиры и приемы. Никогда не видел такой мотовки. Я позаботился, чтоб ей предъявили векселя.

— А не сбежит ли попросту из Рима? — спросил Христенек.

— Вы ее поняли. Она действительно сбежала в свое время вот так из Парижа и из Рагузы. Но я уже рассказал кредиторам. Поглядите на ту сторону улицы...

По мостовой в плаще и в широкополой шляпе слонялся человек. Взад и вперед.

— Его нанял банк Беллони, которому она должна фантастическую сумму. Он следит за ее домом. Другой человек нанят банком Морелли. И ездит за ней по городу. Да она и сама сейчас не сбежит. У нее надежда продолжать игру. Она письма написала прусскому королю и султану. Главный расчет — этот Альбани. Ему пятьдесят четыре, и она очень рассчитывает на свои чары. Но ей нужна встреча! А Альбани заперт в конклаве. Ей же не терпится! Она вообще не умеет ждать. Недавно она решила переодеться в мужское платье и проникнуть в конклав. С трудом ее отговорил ее любовник Доманский.

— Откуда вы все знаете, сударь?

— Три цехина его камердинеру, — вздохнул Рибас.

— Сударь, я все больше радуюсь, что судьба свела меня с вами, — засмеялся Христенек.

Из дома принцессы вышли двое в сутанах. И, крадучись, быстро пошли прочь по улице.

— А вот и отцы иезуиты. Орден упразднен бывшим папой. Но она уже пообещала им помощь папы будущего. Сейчас вокруг нее множество этих коварных созданий. Орден распущен, но еще как силен! Поживете в Риме — почувствуете.

— Ну баба! — восторженно сказал Христенек.

В дверь троекратно постучали. Рибас отворил. На пороге стоял тот самый молодой сонный итальянец — слуга Рокотани. Он тихо и долго что-то говорил Рибасу по-итальянски. Рибас слушал, а потом со вздохом передал итальянцу деньги.

— Деньги, деньги... Только русский граф может такое выдержать, — проворчал Рибас, вернувшись к окну. И пояснил Христенеку: — Она пригласила аббата Рокотани сегодня на ужин. Будет просить деньги — это ее последняя надежда.

Рибас взглянул на часы.

— Пожалуй, и мне пришло время в адово пекло заглянуть.

Рибас надел шляпу.

— Ох-хо-хо... — зевнул Христенек.

— Сосни с дороги, — ласково сказал Рибас, — чую, скоро тебе выходить на сцену с графским предложением.

Рибас стоял у великолепной мраморной лестницы. По лестнице к Рибасу величественно сходил Доманский.

— Чем могу служить? — вежливо спросил поляк.

— Я хотел бы видеть, синьор, Ее высочество принцессу Елизавету Всероссийскую.

— Синьор ошибся. Этот дом принадлежит польской графине Зелинской.

Рибас поклонился и сказал:

— И все же я мечтал бы увидеть, синьор, Ее императорское высочество принцессу Елизавету Всероссийскую, путешествующую под именем графини Зелинской. — И добавил: — Я привез письмо от ее жениха Его высочества князя Филиппа Фердинанда Лимбурга. И могу передать только в собственные руки.

— Боже мой! Письмо от Филиппа, — раздался за спиной Рибаса женский голос.

И маленькая дверь в стене распахнулась. Принцесса, в красной амазонке, с распущенными волосами, стояла в дверях.

«Слушала за дверью...» — усмехнулся Рибас.

Они сидели в узкой маленькой комнате на втором этаже. Доманский молча стоял у дверей, а принцесса и Рибас беседовали у окна. Иногда Рибас поглядывал на окно дома напротив, где за шторой прятался Христенек.

— В добром здравии мой супруг? — щебетала принцесса. — Ах, милый моему сердцу Оберштейн, я так тоскую...

Она открыла письмо, быстро пробежала его и передала Доманскому:

— В мой архив.

Доманский ушел с письмом. Беседа продолжалась.

— Я напишу князю и отправлю послание со своим человеком. Когда вы возвращаетесь туда?

— Завтра утром, Ваше высочество.

— Замечательно! Вы можете сегодня отужинать у меня. Я жду к себе аббата Рокотани — секретаря Его высокопреосвященства польского кардинала Альбани.

«Это чтоб я сообщил Лимбургу, как хороши ее дела...»

Она посмотрела на часы и сказала:

— Прошу вас обождать. Я должна непременно сегодня отписать в Неаполь моему новому другу — английскому посланнику лорду Гамильтону.

И она исчезла за дверью. Рибас остался один.

Постепенно маленькая комнатка стала наполняться людьми — появились слуги, оба поляка, камеристка принцессы. Все столпились в маленькой комнате, когда слуга объявил:

— Аббат Франциск Рокотани.

Рокотани вошел в комнату.

«Ишь, выбрала комнату узкую — чтоб слуг казалось поболее. Ох и хитра».

— Принцесса ждет вас, святой отец, — сказал Доманский и распахнул занавес в конце маленькой комнаты.

Аббату и Рибасу представилась огромная зала, залитая ослепительным светом. Все свечи были зажжены, горели люстры, сверкали зеркала.

Принцесса в красной амазонке сидела у стола, как бы погруженная в сочинение письма.

— Ах, святой отец, — и она устремилась к аббату, — я только что с прогулки и вот уже сижу за письмом. Мой большой друг — английский посол в Неаполе лорд Гамильтон — попечительствует обо мне. И сам предлагает мне некоторый кредит. И вот я пишу печальное письмо с отказом... Ибо невозможно брать деньги у министра двора, который находится в союзе с врагом моим Екатериной... — Она внимательно посмотрела на аббата. — Хотя деньги мне очень нужны на святое дело освобождения родины.

Но лицо аббата было невозмутимо. Он ничего не ответил. И принцесса переменила тему:

— Надеюсь, святой отец, вас не шокирует мой костюм. Я, как моя мать, русская императрица Елизавета, обожаю носить мужское платье.

«Женские в ломбарде заложены...» — усмехнулся про себя Рибас.

— Помню, в детстве, — продолжала принцесса, — на маскарады мать часто надевала мужской костюм. У нее были прекрасные длинные ноги. Она была великодушна, хотя немного вспыльчива. Когда княгиня мадам Лопухина осмелилась вдеть в волосы розу, которая была в тот день в прическе моей матери, мать била ее по физиономии... О нравы! — И мельком взглянула на Рибаса и, будто спохватившись, представила аббату: — Это посланец моего жениха князя Лимбурга.

«Молодец баба, ничего не упускает, теперь и я в дело пошел...»

— Князь часто пишет мне письма. Ах, эта разлука — печаль моей жизни. Я ценю любовь князя, но обязанность перед троном предков не позволяет мне вернуться к частной жизни. Передайте Его преосвященству кардиналу: обстановка в России действительно осложнилась. Недавно там погиб мой посланец, человек больших военных талантов. Я имею в виду господина Пугачева... Тем не менее партия моя в России сильна. И прежде всего это братья Орловы...

Тут она внимательно посмотрела на Рибаса. Он выдержал взгляд — ни один мускул не дрогнул на лице испанца.

«А ведь точно: ведьма...»

— Кардинал Альбани очень интересуется ими, — сказал аббат.

— Это благородные люди. Григорий Орлов, например, был против раздела несчастной Польши. И пусть они не самые образованные, пусть своевольны и подчас дики, но личная их преданность мне многое искупает. Влияние их при дворе продолжается.

«Откуда она все знает?..»

— А если учесть, что весь русский флот в Ливорно находится под началом графа Алексея... — Она многозначительно улыбнулась. И продолжала: — В Персии мне обещано шестьдесят тысяч войска. Я решила направиться отсюда к султану. Скорее всего, я поеду через Польшу. Я знаю привязанность кардинала к королю Станиславу Понятовскому. Я также давно поддерживаю короля, хотя друзья мои, как вам известно, связали себя с Конфедерацией. Но мне удалось уговорить Карла Радзивилла помириться с королем.

«Ох и баба! Сама придумала? Или ее устами все-таки говорит сам Радзивилл и его партия?..»

— А что вы скажете о Радзивилле? — спросил аббат.

— Ах, святой отец. — Она тонко улыбнулась. — Для приобретения значения в истории недостаточно происхождения и богатства, нужно еще и немного политического чутья. И я счастлива, что мне удалось примирить такого скандального и упрямого человека с польским королем. Моя цель — единая и могучая Польша в прежних границах. Но есть еще и другая цель, — она сказала это торжественно, — передайте Его высокопреосвященству: я решила склонить мой народ к признанию римской церкви. Клянусь страданиями народов моих, я приведу их души в лоно католичества.

Наступило молчание.

— Иногда вы мне кажетесь болтушкой двадцати лет. Но через мгновение я вижу перед собой зрелую женщину, мудрую и осведомленную.

— Но прежде чем мы перейдем к столу, я хочу вас попросить сообщить Его высокопреосвященству, что мне решительно не хочется брать деньги у англичанина.

Она вопросительно, почти с мольбой глядела на аббата. Но аббат только опустил глаза и промолчал.

•

«Браво! Это конец!..»

— К столу, господа, — сказала глухо принцесса.

Она была в ярости.

В этот момент в залу вошел худой старик в черном камзоле.

— Разрешите представить, господа: врач Ее высочества господин Салицети, — объявил молчаливый Доманский.

Рибас понял, что пришла и его пора вступить в разговор.

— Счастлив познакомиться, господин Салицети. Мой патрон князь Лимбург заклинал меня найти вас и разведать о здоровье Ее высочества.

— Если считать, что постоянное отсутствие сна, работа после полуночи за письменным столом, а потом кошмары во сне, частые горячки, упадок сил, кашель и боли в груди должны свидетельствовать о здоровье этой молодой красавицы, то она здорова. Передайте ее супругу...

— Послушайте! — закричала в бешенстве принцесса. — Я вам плачу не за то, чтобы к ужасным сплетням обо мне прибавлять новые!

И она бессильно разрыдалась. Вся ее неудача была в этих слезах. Но в следующее мгновение она уже взяла себя в руки и, засмеявшись, сказала светски:

— Уж эти доктора! К столу, господа.

Аббат и Рибас возвращались в карете аббата.

— Очаровательное лицо... Восхитительная фигура... и этот румянец! — восторженно восклицал аббат.

— Это лихорадочный румянец. Я думаю, у княжны чахотка, — сухо сказал Рибас.

— Не знаю, не знаю, — продолжал шутливо аббат. — С ней надо держать ухо востро. Вот-вот закружит голову.

— А вам не кажется, святой отец, что все это представление было затеяно, чтобы попросту занять деньги у кардинала? Я слышал, княжна в больших долгах, и думаю, что никакого щедрого англичанина не существует.

— Ах, мой друг, она так прекрасна, что я с удовольствием исполнил бы ее желание. Но, к сожалению, кардинал совсем не щедр. К тому же он слишком трезво мыслит. И все, что я доложу ему об этой встрече, покажется ему фантастичным и небезопасным, могущим быть источником больших несчастий и для нас, и для этой женщины.

— По-моему, она сама это чувствует, — сказал Рибас. — Когда она зарыдала, мне показалось, что я уже присутствую при конце третьего акта.

Всю эту сцену аббат описал в своем докладе кардиналу Альбани от 18 декабря 1774 года.

Была уже ночь. В доме на Марсовом поле у окна по-прежнему сидел Христенек, когда дверь отворилась и вошел Рибас.

— Итак, моя миссия окончена, — усмехнулся Рибас. — Ваш выход на сцену!

Он уселся в кресло, налил себе вина из бутылки. Христенек хранил молчание.

— Кардинал не дал ей денег, и завтра на ее карету нападут кредиторы.

Христенек внимательно слушал.

— Это организовал по моей просьбе некто Дик, — продолжал Рибас, — английский консул в Ливорно.

У него связи с банкирским домом Беллони. И он им это присоветовал. Нападение произойдет у ее дома, когда она будет возвращаться с утренней мессы. Вы должны...

— Я все понял, сударь. Это действительно лучший способ выйти на сцену. Не перестаю вами восхищаться, — сказал Христенек.

Был рассвет, когда Рибас вышел из дома. У дома его уже ждал слуга с двумя лошадьми. Рибас вскочил в седло. И они отправились в обратный путь в Пизу.

Днем Христенек занял свое место у окна. Около дома принцессы он увидел кучку людей в широкополых шляпах. Они ждали. Наконец раздался стук копыт и шум подъезжающего экипажа.

Христенек взял шпагу...

Карета принцессы подъехала к дому. Один из кредиторов схватил под уздцы лошадь, остальные окружили экипаж. Занавески раздвинулись, и в окне показалась головка принцессы.

— В чем дело, господа?

— Вы должны заплатить долги, Ваше высочество или как вас там называть. Директор почт запретил подавать вам лошадей, пока вы не заплатите.

— Послушайте, синьор, — спокойно сказала принцесса, — вам все будет уплачено. На днях я должна получить большие деньги...

— Это нас очень радует, — ответили в толпе. — Но вы должны заплатить нам сейчас маленькие деньги, иначе вас не выпустим.

Из дома к карете уже бежали Доманский и Черномский с обнаженными шпагами. Но нападавшие выхватили свои шпаги, и вокруг кареты завязалось сражение...

Христенек со шпагой бросился в толпу сражавшихся, когда занавески кареты вновь раздвинулись и два револьвера уставились на нападавших.

— Шпаги в ножны, — спокойно сказала принцесса. — Иначе я пристрелю вас, банкир Беллони. — Она направила оба дула на высокого человека в маске. — Да, да... даже под маской я узнаю вас по препротивному голосу! Я не шучу... Обычно считают до трех, у меня привычка считать до двух, далее мне становится скучно.

Она разрядила пистолет.

— Не надо! — в ужасе закричал человек в маске.

— Я пробила вашу шляпу ровно на дюйм выше головы. Это последнее мое предупреждение.

— Уберите шпаги, — проворчал человек в маске. — Но учтите, вы считаете до двух, и я тоже... На третий день вы, а также господа Доманский и Черномский, подписавшие ваши векселя, будете препровождены в тюрьму. И не пытайтесь бежать: Рим не Париж, за каждым вашим шагом будут следить.

Беллони и его люди уходили по узкой римской улице. Иногда они оборачивались и грозили кулаками...

У кареты остались Доманский, Черномский и Христенек. Лейтенант вложил шпагу в ножны и учтиво поклонился принцессе.

— Кто вы, прекрасный юноша? — усмехаясь, спросила принцесса из окна кареты.

— Я посланный, Ваше высочество.

Лицо принцессы тотчас стало недоверчивым.

— От кого, сударь?

— От того, кому вы писали. От командующего Российским флотом Его сиятельства графа Алексея Григорьевича Орлова.

— Вы русский? — хмуро спросила принцесса.

— Я славянин из Рагузы, но состою на русской службе. Мне пришлось оставить службу, чтобы прибыть сюда, не вызывая подозрений.

Принцесса обратилась к Доманскому.

— Пригласите господина... — Она вопросительно посмотрела на лейтенанта.

— Лейтенант Христенек. Иван Христенек.

— ...синьора лейтенанта зайти к нам в ближайшие дни.

Она вышла из кареты.

— Послезавтра в час дня Ее высочество будет ждать вас, — сказал Доманский Христенеку.

— Через день ровно в час дня я стоял у дома принцессы...

Христенек постучал в дверь. Открыл слуга.

— Как доложить?

— Иван Христенек, бывший лейтенант Российского флота.

— Не велено принимать, — сказал слуга.

— Ты в своем уме, братец? Мне назначено.

— Принимать не велено.

В прихожей появился Доманский.

— Ее императорское высочество... — начал Доманский и уставился на Христенека, будто желая понять, какое впечатление произвел на него титул. Лицо лейтенанта выразило почтение. — Ее императорское высочество не принимает по случаю нездоровья.

— Когда разрешите наведаться?

— Зайдите послезавтра в час дня, — откровенно издеваясь, сказал Доманский.

В своем доме Христенек принимал английского банкира Дженнингса.

— Вы предложите ей две тысячи червонцев от имени графа и уплату всех ее долгов банкирским домам Беллони и Морелли.

— Я хочу предупредить... — начал Дженнингс. — Для нормального человека это огромная сумма, на нее можно жить всю жизнь. Но она все просадит за неделю.

— Господин Дженнингс, вам все будет уплачено.

— Я знаю, но мне попросту жалко денег. Свои они или чужие, но это деньги. Я предупреждаю: эта женщина их проглотит и не почувствует.

— Итак, вы предложите ей от имени графа две... нет, три тысячи червонцев. И я жду вас с нетерпением, мистер Дженнингс.

Поздним вечером банкир Дженнингс вернулся в дом Христенека.

— Вы не поверите... — сказал банкир, опускаясь в кресло.

— Не взяла?! — в восхищении спросил Христенек.

— Сначала схватила... думала, что это от меня, что я поверил наконец в ее сказки. Но когда узнала про графа, сказала, что весьма благодарна, но в деньгах не нуждается, ибо ждет большую сумму из Персии со дня на день. Ну, дальше пошли султаны, принцы, короли...

— Вы должны предупредить всех римских банкиров, — начал Христенек.

— Можете не беспокоиться, никто в Риме не ссудит ей ни гроша. Так что можете спокойно ждать. Послезавтра к ней придет полиция и уведет поляков. Это она бы еще пережила. Но жить, не швыряя деньгами... Нет, это совершенно для нее невозможно. Так что ждите спокойно: я уверен — все случится завтра утром.

— На следующее утро я был у дома принцессы...

Христенек стоит у дома принцессы. Он хотел было постучать, но дверь дома открылась, и оттуда выпорхнула принцесса.

— А я как раз собираюсь на прогулку, — сказала она, сияя улыбкой. — Как здесь тепло в декабре! А у нас на родине сейчас, должно быть, морозы. В Петербурге в декабре такие холода...

— Я никогда не бывал в Петербурге. Граф взял меня на службу в Ливорно.

— Ничего, побываете. У вас еще все впереди, мой юный друг! Помню, в детстве: идет снег, топится печь... А в Сибири морозы — железо трещит и лопается! Я так скучаю по своей стране. Однако что ж мы стоим? Не соблаговолите, лейтенант, сопровождать меня на прогулку?

Принцесса и Христенек верхом едут по Риму.

— Наш банкир Дженнингс в совершеннейшем удивлении. Признаюсь, и я удивлен не менее. Граф считал, что, заплатив долги Вашего высочества, он тем самым изъявит свою готовность...

Принцесса молчала.

— ...изъявит свою готовность содействовать тому делу, о коем вы ему писали. Но вы не только не приняли услуг банкира... я до сих пор не могу передать вам письмо графа. Я просто не знаю, как сообщить обо всем этом Его сиятельству.

— Письмо при вас, лейтенант? — спросила принцесса.

— Да. Граф написал его по-немецки, он не силен во французском, но я могу вам перевести.

— Благодаря образованию, полученному щедротами моей августейшей матери, я понимаю и по-немецки, — улыбнулась принцесса.

Она взяла письмо, торопливо разорвала конверт. По ее судорожным движениям было ясно, как давно ей не терпится его прочесть. Не слезая с лошади, она пробежала письмо глазами. Потом взглянула на лейтенанта.

— Вам известно, о чем пишет граф?

— Да, Ваше высочество.

— Итак, граф зовет меня к себе в Пизу. — Некоторое время она молча ехала на лошади. — Ну что ж, личное знакомство с графом и было моим желанием, — начала она медленно и вновь защебетала: — Ах, мой друг, это восхитительное письмо! И не сердитесь: я не принимала вас отнюдь не оттого, что подозревала в коварстве. Будучи сама по природе открытой, мне невозможно подозревать неискренность в других. Просто болезнь иногда повергает меня в состояние тягчайшей меланхолии. И тогда я начинаю спрашивать себя: если граф искренен со мной, зачем он подослал ко мне этого человека?

И глаза принцессы впились в Христенека.

— Какого человека, — изумился лейтенант.

— Того самого... синьора Рибаса, каковой мне привез письмо от мужа моего... Но послал его граф.

Христенек продолжал находиться в изумлении.

— Граф послал меня, — начал он твердо. — И если у вас есть какие-то доказательства, что граф послал еще кого-то, что граф нечестен, извольте сказать.

— Доказательств нет. Просто я чувствую, — сказала принцесса, не сводя глаз с Христенека.

Но лейтенант был само негодование:

— Я не передам ваших слов графу, ибо он их не заслуживает. Репутация графа известна и безукоризненна. Поверьте, нелегко ему было прийти к такому решению — послужить вам. И отнюдь не несправедливые обиды от императрицы, но желание блага отечества... желание помочь законной наследнице трона...

В глазах Христенека стояли слезы.

— У вас благородное сердце, — с чувством сказала принцесса. — Итак, жалую вам мой орден Азиатского креста. И клянусь: за удачное исполнение этой миссии граф Орлов повысит вас в чине! Итак, майор Христенек, завтра со всем своим двором я выезжаю в Пизу... — И, будто спохватившись, она прибавила: — Да, там заходил этот банкир от графа... Пусть он сегодня снова зайдет.

У дома принцессы стоял большой дорожный берлин, запряженный шестеркой лошадей. Доманский и Черномский руководили слугами. Принцесса в дорожном плаще придирчиво наблюдала за дорожной суетой.

— Архив, — шепнула она Доманскому.

Доманский исчез в доме и вернулся со знакомым большим баулом.

— Я позабочусь о нем, — говорит поляк.

— Пистолеты?

Доманский кивнул, указывая на баул.

— Два положите в карету. И оба заряженные... Вы поедете с вещами в берлине. Я, Черномский, моя камеристка и... — она ласково взглянула на стоявшего поодаль Христенека, — и господин русский майор поедем в карете.

— Лейтенант, — улыбаясь, поправляет Христенек.

— Я обещала вам майора... Учтите, я всегда держу свои обещания.

У дома появился банкир Беллони.

— Вот этот господин сейчас подтвердит. Вам все заплатили?

Беллони низко кланяется.

— Боюсь, что не до конца...

— Синьор Доманский... — усмехается принцесса.

Доманский молча подходит к Беллони и отвешивает ему звонкую пощечину.

— И передайте всей вашей жадной своре: я всегда плачу по счетам!

Две огромные кареты ехали по Риму. У церкви Сан Карло кареты остановились.

Принцесса вышла из кареты и раздала щедрую милостыню нищим.

— Молитесь за меня, — услышал Христенек из окна кареты ее голос.

При приветственных криках толпы нищих оба экипажа направляются по Корсо к Флорентийской заставе. И покидают Рим.

ОРЛОВ: СИЯТЕЛЬНАЯ ЛЮБОВЬ

«Я нанял для нее в Пизе великолепное палаццо...»

Дворец в Пизе.

У огромного окна стоял граф Орлов. Он видел, как ко дворцу подкатили кареты.

«Гонец от Христенека сообщил мне, что с ней едут 60 человек челяди, два поляка и камер-фрау».

Кареты остановились. Христенек помог принцессе выйти из кареты. Из огромного берлина шумно высаживались слуги.

Орлов стоял в конце длинной анфилады роскошных комнат на фоне картины в золотой раме, изображающей Чесменский бой.

«Мне хотелось увидеть ее вот так, неприбранную: в дорожном плаще, после четырех дней тряской дороги...»

Принцесса легкой, летящей походкой стремительно шла сквозь анфиладу дворцовых комнат. И навстречу ей, будто из золотой рамы, из картины Чесменского боя, выдвинулся красавец богатырь в белом камзоле, с голубой Андреевской лентой через плечо, в белом парике...

Поздний вечер в покоях палаццо Нерви. У камина сидели принцесса и Орлов. Разговаривали по-немецки.

— Пришелся ли дворец по сердцу Вашему высочеству?

— Я жила и во дворцах, и в убогих хижинах. И благодарю Господа за всякий кров над головой. Но я ценю, граф, ваши заботы обо мне и о моих людях.

Орлов молча, со странной улыбкой глядел на принцессу.

«Роста она небольшого, и лицо нежное: ни белое, ни черное, глаза огромные, на лице есть веснушки. Телом суха. Да кто же она? Басни про Персию да про Сибирь? Говорит по-немецки, по-итальянски, по-французски. А по-русски — ни звука, принцесса Всероссийская!»

— О чем вы думаете, граф?

— О вас, Ваше высочество... Об удивительной жизни, которую вы мне, рабу своему, поведали.

— И что вы думаете обо мне и о моей жизни?

— Не думаю — гадаю: кто вы, Ваше высочество?

Она очаровательно улыбнулась и спросила мягко и нежно:

— Не верите, граф, моему рассказу?

— Смею ли я, жалкий раб, верить или не верить? Сибирь... Персия... Санкт-Петербург и Багдад... История чудеснейшая.

— Не более, чем ваша, граф, — улыбнулась принцесса. — Вы, вчерашний сержант, и ваш брат, пребывавшие в ничтожестве, в один день становитесь чуть ли не властелинами великой страны? Или отец мой, жалкий полуграмотный сельский певчий, женится на дочери Петра-императора? А сама ваша нынешняя государыня? Нет, нам надо привыкнуть, мы живем в век чудес. Ничтожная немецкая принцесса Софья становится императрицей Екатериной, убив...

Она будто что-то вспомнила и смущенно замолчала.

— Вы хотели сказать, Ваше высочество: убив мужа своего?

Белые от бешенства глаза смотрели на нее в упор.

— Не она, милая, это я убил его. Вот этой рукой задушил... — шептал он, протягивая к ней руку.

Его лицо приблизилось к ней, и она увидела страшный шрам — от рта до уха. Бешеные глаза надвинулись... Они близко, совсем близко... И он поднял ее, как пушинку, на воздух. И она задохнулась в этих стальных руках.

— Не знаю, кто ты, — шептал он по-русски, — но люба ты мне...

И она покорно закрыла глаза.

Была ночь. В покоях палаццо Нерви тускло горели свечи. Огромная кровать под балдахином тонула в полутьме. Лицо со шрамом склонилось над принцессой:

— Давно с тобой встречи жду... Знал — меня не минуешь... А как письмо от тебя получил, понял: пришло мое время. Уж один раз на престол возвел. И в другой раз осечки не будет... Грех не рискнуть, ежели ты Елизаветина дочь.

— А ежели нет? — усмехнулась в темноте принцесса.

— А ежели нет... — Он помолчал. Потом прибавил: — Погублю...

Наступило молчание.

— Ну что ж, спасибо за правду, — глухо сказала она. — Как губить будешь?

— А дальше... Увидел тебя, проклятую, и понял: не погубить мне тебя, потому что ты погубила меня. Держишься как государыня... Обликом ты государыня. Величавость в тебе. И храбрость: не побоялась в Пизу приехать.

— Это безопасно, граф, — засмеялась она. — Да вы и сами знаете: Пизой владеет брат императрицы австрийской, родственник жениха моего. Не посмеете вы тут ничего... И слуг моих во дворце шестьдесят человек.

— Да, не ошибся... Отважна... И хитра... Рискну с тобой! — И добавил: — Но учти: сначала женюсь на тебе. И не как мой братец Гришка на императрице надумал жениться, когда она повелительницей стала да в три шеи прогнала его. А сейчас женюсь, когда ты — ничто без меня. Ну... пойдешь за меня?

— Не много ли для первого дня, граф? — холодно усмехнулась принцесса. — К тому же у меня есть жених...

И вновь страшные горящие глаза приблизились к ней. И этот ужасный шрам...

— Пойдешь за меня?

— Пойду... ведь сам знаешь, — бессильно ответила она.

Ночь в огромной спальне подходила к концу. В тусклом свете выступали из темноты статуи и картины. Утренний ветер входил в комнаты.

— Уезжайте, я не хочу, чтобы они вас увидели.

Принцесса Всероссийская, как жена Цезаря, — вне подозрений.

— Чтобы *он* меня не увидел? — усмехнулся Орлов. — Боишься?

— Я стараюсь не причинять боли людям, которые меня любят.

— Если не хочешь, чтоб я его, как государя императора!..

— Зачем? Никого больше нет... Есть ты.

Он молчал.

— О чем ты сейчас думаешь? — Она гладила его по волосам, она целовала его.

Он все молчал, потом сказал:

— Кто ты? Кто ты? Кто ты? Ты одинаково быстро говоришь по-немецки, по-итальянски...

— Добавь: по-французски, которого ты, к стыду моему, не знаешь. У меня хорошее образование, граф, и были очень дорогие учителя.

— Кто ты? Кто ты? Если любишь меня больше, чем тайну свою...

Она откинула голову. Волосы упали ей на плечи.

— Я Елизавета. Дочь Елизаветы. И запомните это, Ваше сиятельство, если видеть меня еще желаете...

— Я хочу в это поверить, — медленно начал он. — Я слыхал, что немец-учитель вывез ее из России вместе с племянниками отца ее Разумовского. Ты не знаешь, случаем, имени этого учителя?

Она только засмеялась.

— Ну, его имя, Ваше высочество? — шептал граф.

— Придет время — скажу.

— Я даже человека своего узнать все подробности в Пруссию к этому учителю недавно посылал. Да помер, оказалось, учитель.

И вдруг, усмехнувшись, она спросила:

— А какого человека вы к нему посылали?

— Верного. И ловкого. Того самого, которого я к тебе посылал. Рибас, испанец... Неужто забыла?

Она засмеялась, радостно, облегченно:

— Вот теперь я тебе верю! Теперь ты мне все сказал! Я ведь сразу почувствовала...

Засмеялся и граф:

— А если он нарочно сделал так, чтобы ты почувствовала? Чтоб я сегодня мог про него рассказать? И до конца в доверие к тебе войти?

— Тогда он был бы дьявол. И ты вместе с ним.

— Все мы бесы, Елизавета. Не верь словам. Ты только рукам да губам ночью верь. Ночью все правда...

Он целовал ее и шептал... И она что-то шептала уже в безумии, как вдруг он расхохотался и вытащил из-под ее подушки пистолет. Она тоже засмеялась. Он отшвырнул пистолет далеко, в угол зала.

— Хоть теперь безоружная...

И, все еще смеясь, повернулся к ней и наткнулся грудью на сталь. Улыбаясь, она смотрела на него, приставив к его груди другой пистолет.

— Стреляй, — шепнул он. — Хочу вот так... с тобой помереть.

— Боже мой, — сказала она. — Я люблю тебя!

Пиза. В театре давали оперу Моцарта «Волшебная флейта».

Граф Орлов в камзоле, сверкающем бриллиантами, и принцесса в нежно-голубом платье и в фантастическом ожерелье из сапфира появляются в ложе.

Весь театр глядел на них. За спиной графа — русские морские офицеры в парадных мундирах.

Погас свет. Началась опера. Но зал не смотрел на сцену...

Принцесса и Орлов в открытой коляске. За коляской следовала другая — с музыкантами, нанятыми графом. И всюду толпа зевак провожает их глазами. Голубое небо, праздничная толпа, солнце и музыка... И прекрасный город...

— Я только думала прежде, что была счастлива, — шепчет принцесса. — Я не знаю, чем все кончится, но всю жизнь буду благодарить тебя. Я познала тебя. Я познала счастье...

Он наклонился к ней и тоже прошептал, как шутливое заклинание:

— Кто ты?

— Я та, которая без памяти любит вас, — в тон шепнула она.

— Дочь ты? Самозванка ли ты? Теперь уже поздно! Весь флот уже о нас знает. Теперь мне идти с тобой до конца. Я муж твой перед Богом, и горько мне не знать, кто жена моя...

Она посмотрела на него:

— И как же вы можете брать меня в жены, если не верите мне?

— Верю... хотя только безумный может верить. После потешных твоих побасенок про Пугачева, твоего брата, о которых Рибас мне докладывал...

— Я говорила то, что надо было говорить, что хотели услышать от меня тогда банкиры. Цель была: чтобы они дали мне деньги на святое дело. И ради этого я выдумывала. Неужели, думаешь, я не знаю, что Пугачев попросту безродный разбойник?

— Я верю тебе, верю, но... — засмеялся он, — но одно имя... хотя бы одно имя из твоего детства... И больше ни о чем не спрошу.

Она усмехнулась, подумала. Потом сказала:

— Иоганна Шмидт, любимая наперсница матери...

— Действительно! — в изумлении прошептал граф.

— Могу еще имя... я помню его с детства. Красавица Лопухина. Мать ненавидела ее за красоту и обвинила в заговоре. Ей вырезали язык на плахе и били плетьми. Палач показывал гогочущей толпе ее обнаженное тело. И, протягивая вырезанный язык, кричал: «Кому языки? Языки нынче у нас дешевые!» Когда я вспоминаю это унижение красавицы...

Она остановилась и, усмехнувшись, добавила:

— Кстати, с ней на плахе стояла другая женщина: уж не помню ее имени... тоже знатная и осужденная на те же муки... Но та успела сунуть палачу свой нательный крест, осыпанный бриллиантами. И палач сек ее лишь для вида и даже язык ей оставил. Эта история меня потрясла, и я ее запомнила. Ах, граф, какая у нас удивительная страна — страна, где взятки берут даже на плахе!

— Не поняла ты, — вдруг шепотом сказал граф. — Чтобы понять это, надо там родиться и жить. Когда она нательный крест палачу отдала, она как бы братом его сделала...

— Какие странные брат и сестра — палач и жертва...

— Опять не понимаешь... простила она его. Простить на плахе — ох как это по-нашему!

— Ну, и в заключение, граф, мой подарок: еще одно имя. Я вам прежде сказать обещала — имя учителя, вывезшего из России дочь Елизаветы... меня вывезшего... Дитцель!

— Вправду Дитцель! — задохнулся граф.

— Но я обещала только одно имя, — рассмеялась она. — А наговорила... Полно, хватит.

— Но подожди, — торопливо продолжал Орлов, — я слыхал, что этот Дитцель действительно вывез за границу дочь Елизаветы... Но при дворе говорили: ее зовут Августа?

Она молчала.

— Я слыхал: вывезли ее из России вместе с племянником отца ее Разумовского?

Она молча, с улыбкой смотрела на возбужденного графа.

— Дараган была фамилия племянника, — сказал он. — И Дитцель назвал ее за границей Августа Дараганова. Да немцы в Тараканову ее переделали для благозвучия. Августа Тараканова... Но как Августа Тараканова в Елизавету-то превратилась?!

— А... может, тоже для благозвучия? — Она расхохоталась. — Вы совсем извелись вопросами. Вот что значит Фома неверующий. Чтобы вас не мучить, я так закончу наш разговор: скоро вы все поймете! Я обещаю рассказать вам все, граф, когда ваша эскадра выступит против узурпаторши. Так решили люди, поддерживающие меня...

И она засмеялась и нежно прикоснулась к его лицу.

Коляска ехала по городу, играли музыканты...

«Но откуда она про Дитцеля знает? И про Шмидтшу? Ляхи рассказали? Готовили ее? Но времени выяснять уже более нет. В Петербурге, чай, уже... Неделя блаженства закончилась, Ваше сиятельство».

В дворцовом саду адмирал Грейг докладывал Орлову:

— Большой ропот среди моряков, Ваше сиятельство. Дисциплина стремительно падает...

Орлов молча передал Грейгу запечатанный пакет.

— Возвращайтесь на корабль, адмирал. Пакет вскроете на корабле, там мои подробные инструкции. В ближайшее время дисциплина на кораблях не будет внушать опасений...

Грейг откланялся. И тотчас в саду появился Рибас:

— Все ее бумаги в бауле, их охраняет Доманский. Когда он уходит из дома, к баулу приставлен верный слуга, чех Ян Рихтер. Пытаться похитить бумаги бессмысленно.

— И не надо. Думаю, что там ничего нет. Так что... — И Орлов замолчал.

— Да, — вдруг сказал Рибас, — хочешь — не хочешь... — Он вздохнул.

— Дьявол ты, Осип Михайлович, — глухо сказал Орлов. — Ступай...

Орлов медленно шел через анфиладу дворца. Остановился перед зеркалом. Глядел, усмехался на свое отражение:

— Как он сказал? *«Не хочешь...»* Не хочешь... Самозванка она. Это точно. А если б не самозванка была?

Человек в зеркале печально усмехнулся.

— Вот в том-то и дело, — сказал граф отражению. — Только самолюбие свое тешил. А на самом деле конец игре точно знал. Потому как на самом деле — холоп ты, давно холоп!

Она сидела у камина. На столике стоял шандал, сделанный когда-то для нее князем Лимбургом. Шандал был зажжен, и на экране она так же сидела у камина. И у ног ее, как на экране, на маленькой скамеечке пристроилась камеристка Франциска фон Мештеде.

Слуга доложил — и быстрыми шагами вошел, почти вбежал Орлов. Он протянул ей бумагу.

— Депеша! Из Ливорно! Злая драка в городе! Англичане, союзники наши, и мои моряки сильно пьяные были. Раненые и убитые с обеих сторон... Волнения на кораблях... Хотят жечь английскую эскадру. А у меня в адмиралах англичанин Грейг. Бунт назревает! — Он мерил залу своими огромными шагами. — Я выезжаю в Ливорно. Немедля.

— То есть как? — сказала она капризно. — Значит, вы можете вот так уехать? Оставить меня?

— По-моему, вы забыли, Ваше императорское высочество: кроме любви, нас связало и нечто другое. Я не могу потерять эскадру *накануне...*

— Боже мой, я действительно все забыла!

Она поднялась с кресла и сказала величественно:

— Это знак судьбы. Пора начинать. Я еду с вами в Ливорно.

— Пора начинать, — как эхо, повторил граф. — Но учти: условие будет...

Она сразу стала настороженной.

— Мы повенчаемся в Ливорно, — сказал граф. — И, как положено внучке Петра, венчать нас будет православный священник...

— Православный священник — в Ливорно?

— Есть! У меня на корабле есть, там и повенчаемся. Это будет началом восстания. Сразу после венчания я объявлю флоту свою волю. Твою волю.

Она задумалась, долго глядела на него. Затем сказала:

— Ну что ж... ты прав... Святое дело зовет — и будь что будет! Поцелуй меня!

Он целовал ее бесконечно, безумно.

— Вот теперь я верю, — сказала она смеясь. — Все будет...

ХРИСТЕНЕК: ЧИН МАЙОРА

На следующий день в покоях принцессы появился Христенек. Он стоял у камина, ожидая выхода принцессы, когда услышал приближающиеся шаги и отрывистый разговор.

— Можно обманывать днем, но не ночью, — говорил голос принцессы.

— И все-таки ты сошла с ума, — отвечал мужской голос.

— Запомни: сошел с ума тот, кто влюблен. А он влюблен, и безумно — уж в этом я разбираюсь. Влюбленный — всегда глуп. «На забаву нам и созданы глупцы».

— Но, умоляю, будь осторожна.

— Рискнем... Тем более это наш единственный шанс. Все или ничего! Рихтера оставишь здесь с бумагами. Сами поедете со мной. На худой конец...

Христенек громко кашлянул. Голоса замолкли, и через мгновение в залу торопливо вошла принцесса.

— Что вы тут делаете, милейший?

— Слушаю то, что мне слушать не положено. На вашем месте я рассчитал бы слуг: в дом может войти всякий.

Принцесса молча, пристально смотрела на него.

— Я пришел просить вас об исполнении слова, — усмехнулся Христенек. — Вы обещали похлопотать перед графом о *майоре* Христенеке. На корабле готовят свадьбу, это будет самое время для подобной просьбы.

Она молчала.

— Кроме того, — продолжал Христенек, — раньше у вас не было денег, у меня были. Но теперь, к сожалению, наоборот...

Принцесса с облегчением вздохнула, подошла к шкатулке и вынула мешочек с золотом.

— Сдается, что вы большой плут, мой юный друг!

— Это не так плохо, — сказал Христенек, — иметь своего плута при графе. Но это будет стоить хлопот о чине. И денег. Много денег!

— Вы будете майором, — засмеялась принцесса и с торжеством обернулась к Доманскому, стоявшему в дверях...

«Вот теперь ты точно поедешь...» — сказал себе Христенек.

21 февраля 1774 года в Ливорно стоял солнечный ветреный день. В доме Дика, английского консула в Ливорно, собралось блестящее общество. Двери залы распахнулись. Богатырская фигура Орлова заслонила вход, и он провозгласил:

— Ее императорское высочество Елизавета!

В великолепном туалете, сверкая бриллиантами, подаренными графом, появилась принцесса.

Низко кланяясь, подходили гости к руке принцессы. С благоговением целовали руку.

Граф Орлов представлял ей одного за другим:

— Английский консул в Ливорно и кавалер российского ордена Святой Анны сэр Джон Дик с супругой... Адмирал русского флота Самюэль Грейг...

Грейг в орденах, в парадном мундире почтительно целует руку принцессы.

— Ишь, старая лиса, — шептал принцессе Орлов, — мундир парадный надел. Теперь никуда ему от нас не деться...

Пир в доме Дика в разгаре. В широкие окна гостиной виден залив и корабли русской эскадры на рейде. С кораблей начали палить пушки.

— В честь Вашего императорского высочества! — провозгласил Орлов. — Салют русских моряков наследнице престола!

Гости за столом захлопали. Опьяневший Черномский что-то страстно доказывал по-польски Христенеку. Тот, соглашаясь, кивал. Они поцеловались.

И только один Доманский был совершенно трезв и не спускал глаз с принцессы. Но та не смотрела на него. Она жадно глядела на море, где, медленно совершая маневры, двигались русские корабли. И шептала жене консула Дика, с которой уже успела подружиться, шептала так, чтобы граф слышал:

— Да, да, я его люблю. И пусть я много страдала из-за любви, но я благословляю это страдание...

— Возвышенно! — шептала в ответ жена консула. — Ох, глядите: на кораблях опять стреляют. Всю жизнь я мечтаю побывать там, и каждый раз он мне только обещает, — сказала она, кивнув на супруга. — Вы все можете... Попросите графа когда-нибудь... Только мужу ни слова, он ужасно к нему ревнует. — И она указала глазами на Грейга.

— А вы его? — засмеялась принцесса.

Жена консула потупила глаза.

— Как мы все беспомощны перед ними, — сказала принцесса. И вдруг громко обратилась к графу: — У меня есть желание, граф. Я хочу сейчас же побывать на корабле. Я хочу все увидеть своими глазами.

Наступила тишина. Жена консула захлопала в ладоши. Доманский побледнел.

— Но, Ваше высочество, — начал Орлов, — это невозможно. На кораблях идут маневры. Стреляют пушки, это опасно.

— Я не узнаю вас, граф. Слово «опасно» странно звучит в устах героя, — надменно начала принцесса.

«Ну, все точно! Чтоб ей до смерти захотелось, надо сказать «нет». Ох и граф!» — усмехнулся Христенек.

— Граф прав, — резко сказал Доманский.

— Клянусь доставить принцессу живой и невредимой на сушу, — сказал дотоле молчавший Грейг.

На лице принцессы промелькнуло сомнение.

— Ты не поедешь на корабль, — торопливо зашептал Орлов, — что бы ни обещала тебе эта старая лиса! Я тут хозяин... Точнее, поедешь, только с одним условием: венчаться!

— Как... сейчас? — беспомощно спросила принцесса.

— А почему не сейчас? Корабельный священник ждет нас. Сегодня я объявлю свою волю флоту. Твою волю. Иначе не быть тебе на корабле!

Лицо принцессы вновь стало величественным, спокойным. И, с презрительным торжеством взглянув на Доманского, она прошептала графу:

— Что ж, решено!

И, поднявшись из-за стола, сказала, почти приказала:

— Мы все едем на корабль, господа!

— Не забудьте про чин, — прошептал сзади Христенек.

Она засмеялась. Теперь она была совсем спокойна.

Все шумно вставали из-за стола. Доманский растолкал совсем захмелевшего Черномского.

— Мы едем, идиот.

— Куда?

— Вот это я тоже хотел бы знать, — сказал Доманский. И поправил пистолет под кунтушем.

— Как... и вы, господа? — спросил Орлов, с усмешкой глядя на поляков.

— И мы, — ответил Доманский.

— Тогда... — Орлов приказал Христенеку, — две шлюпки к набережной. — И, повернувшись к Грейгу, объявил: — Поднять флаг на адмиральском корабле. И чтоб все офицеры были в парадных мундирах. Ее императорское высочество к рабам своим ехать изволят...

Шлюпки приближались к адмиральскому кораблю. Матросы выстроились на палубе.

— Ура! — разносилось в воздухе.

— По-царски встречают внучку Петра, основателя флота Российского, — шептал Орлов. Глаза его стали безумными. — Ох, если бы ты знала, что я сейчас чувствую...

И он сжал ее, будто загораживая своим телом от высокой волны.

Орлов, принцесса и адмирал Грейг идут по палубе вдоль фронта почетного караула. И опять гремит «ура!»...

Орлов и принцесса стоят на корме. Вокруг толпятся офицеры.

— Наполнить кубки, господа... Граф Алексей Григорьевич любовь свою поминает, — обратился по-русски Орлов к офицерам.

— Что ты сказал? — спросила по-немецки принцесса.

— Любовь! — перевел ей Орлов. — Любовь, будь она проклята! — И, усмехнувшись, добавил: — За священником иду, сударушка!

— Сударушка... — повторила она нежно.

И смеясь, и посылая ей воздушные поцелуи, и все глядя на нее, будто не мог наглядеться, Орлов уходил от нее.

Она улыбалась. И глядела в море.

Христенек смотрел, как медленно уходил граф и как глядела в море принцесса...

«Счастлива...»

— Ваши шпаги, господа, — раздался голос сзади.

Не понимая, она повернулась на голос и увидела, как в толпе офицеров Доманский пытался выхватить пистолет и как Черномский нелепо тащил из ножен свою огромную саблю. Матросы уже висели у них на руках...

«Пора...» — подумал Христенек.

— Что вы делаете, господа? — закричал он и будто попытался вырвать свою шпагу из ножен, и тоже был обезоружен.

И уже Доманский, с усмешкой глядя на принцессу, отдавал свой пистолет.

— Что происходит, господа? — почти беззвучно спросила принцесса.

Морской офицер, стоявший за ней, отрапортовал по-французски:

— По именному указу Ее императорского величества императрицы Екатерины Второй вы арестованы.

— Кто вы такой? — Она еще пыталась быть надменной.

— Капитан Литвинов, прибывший вас арестовать, — ответил офицер.

— Немедленно позовите Его сиятельство! — крикнула принцесса.

— По приказу командира корабля «Три иерарха» адмирала Грейга граф Орлов арестован как изменник государыни.

Принцесса лишилась чувств. Матросы бросились к ней. Ее унесли в каюту.

На палубе появился Грейг.

— Этих господ — в отдельную каюту! — Грейг указал Литвинову на поляков. — И караул приставить.

Доманского и Черномского увели.

И тотчас матросы отпустили Христенека.

— Что с ней? — спросил его Грейг.

— Да ничего — игра одна: глаза прикрыла, соображает, что дальше делать, — сказал Христенек. — Глаз с нее не спускать... нрава она отчаянного.

— И закрыть проход в эту часть палубы. Караул при арестованных круглосуточно! — отдавал распоряжения Грейг. — Чтоб птица не пролетела!

В палаццо принцессы в Пизе в большой зале столпились слуги.

Христенек стоял у мраморного столика и с шутками и прибаутками выдавал деньги.

— А ну-ка, господа хорошие: служить — не тужить... Всех вас принцесса велела рассчитать по-царски.

В залу вошел Ян Рихтер.

— А ты мне и надобен, — ухмыльнулся Христенек. — Зови камер-фрау, собирайте вещи, на корабль велено доставить.

— У меня есть приказание: вещи принцессы я могу отдать только в собственные ее руки, — мрачно ответил слуга.

— И правильно, — весело нашелся Христенек. — Тебя, дружок, не велено рассчитывать. Тебя да камер-фрау принцесса при себе оставляет. И велено вас доставить со всеми ее вещами на корабль, где нынче Ее императорское высочество с женихом своим графом Алексеем Григорьевичем и приближенными Доманским и Черномским — известны тебе такие имена? — готовятся отплыть из Ливорно в Турцию. А ну-ка, мрачный человек, собирай свою команду, да поживее. Принцесса передать велела: головой отвечаешь за сохранность вещей. Особенно береги баул! Веселее, господа хорошие. Эх, где ни жить — всюду служить!

Рихтер почесал затылок и молча пошел прочь из залы собирать вещи. Христенек вздохнул с облегчением.

Экипаж, груженный вещами принцессы, подъехал к набережной. По-прежнему на набережной толпились люди. И красавцы фрегаты продолжали свои учения в заходящем солнце...

Из экипажа высаживается Христенек, за ним Рихтер, не выпускающий из рук знакомый баул, и камеристка принцессы Франциска фон Мештеде.

У набережной их ждала шлюпка с матросами.

— А ну, родимые, помогайте гостям нашим вещички таскать! — кричит Христенек матросам.

Сгибаясь под тяжестью, матросы тащат в шлюпки огромные сундуки.

Рихтер стоит у шлюпки со своим баулом и с сомнением наблюдает всю эту картину.

— А откуда я узнаю, господин, что моя хозяйка на корабле? — вдруг спрашивает он.

— Ну что ж ты такой неверующий? — хохочет Христенек и обращается к толпе на набережной: — Эй, любезнейшие, что здесь происходит?

— Маневры в честь Ее высочества русской принцессы, — с готовностью отвечают из толпы.

— А где ж сама принцесса?

— На корабле, — словоохотливо начинают объяснять зеваки, — со свитой — на трех экипажах приехали... все с усищами, с саблями огромными...

Три коляски, украшенные гербами графа Орлова, стояли на набережной.

Рихтер вздохнул и пошел садиться в шлюпку.

Шлюпки отчалили от набережной.

В каюте адмиральского корабля стоят раскрытые сундуки. По всей каюте разбросаны платья, шляпы, мантильи, амазонки. На отдельном столике — маленький баул, прежде находившийся у Рихтера. Около баула дежурит матрос...

Посреди этого моря женских туалетов за другим столиком сидит писарь. Перед ним зажжен тот самый шандал с экраном, где изображена гадающая принцесса.

— Опись вещам... — монотонно диктует Христенек.

Подлинная опись вещей принцессы, захваченных в Ливорно. По ней можно представить себе гардероб блестящей женщины галантного века, имевшей склонность к путешествиям.

— «Тафтяное платье полосатое... Палевые, с флеровой белою выкладкой, гарнитуровые черные, с такой же выкладкой робронды и юпки попарно... Кофточки и юпки попарно... Тафтяное розовое, с белой флеровой выкладкой... Юпки атласные...»

В каюту вошел Орлов...

ОРЛОВ: ПОСЛЕДНИЕ ПИСЬМА

Орлов, усмехаясь, оглядел каюту.

— Письмо, Ваше сиятельство... от нее для вас, — сказал Христенек. — Адмирал Грейг принес.

Орлов взял письмо, а Христенек продолжал рыться в вещах принцессы и диктовать:

— «Польские кафтаны — атласный, полосатый... Салоп атласный голубой... Четыре белых кисейных одеяла...»

Орлов смотрел на бумагу, исписанную торопливым почерком. Иные буквы расплылись — слезы ярости... Он читал письмо и одновременно слушал монотонный голос Христенека, перечислявший все эти модные вещи. Она вновь была перед ним. И он слышал ее голос...

«Вы, так часто уверявший меня в верности, где же вы были, когда меня арестовали?»

— «Кушак с золотыми кистями... Амазонские кафтаны... Камзолы с серебряными кистями и пуговицами... Две круглые шляпы, из коих одна белая с черными полями, а другая черная с белыми... Одна простыня и наволочки к ней полотняные... Одна скатерть...»

«...Не верю, не верю, вы не смогли бы так поступить! Но если даже все это правда, заклинаю вас всеми святыми: придите ко мне!»

— «Осьмнадцать пар шелковых чулок... Десять пар башмаков шелковых надеванных... Семь пар шитых золотом и серебром не в деле башмаков...»

«...Я готова на все, что вы для меня приготовили. И на то, что вы отняли у меня навсегда свободу и счастье. И на то, что вы вдруг передумаете и освободите меня из ужасного плена, но что бы вы ни решили — придите!»

— «Лент разного цвета... 12 пар лайковых перчаток... Веер бумажный и веер шелковый... Три плана о победах Российского флота над турецким... На медной доске величиною с четверть аршина Спасителев образ... Книги — 16 — иностранные и лексиконы... Три камышовые тросточки — две тоненькие, одна с позолоченной оправой... Семь пар пистолетов, в том числе одни маленькие...»

Орлов подошел, поиграл пистолетами, кивнул на баул:

— Бумаги?

— Точно так, Ваше сиятельство, как вы повелели: никто не прикасался, — ответил Христенек. — И караул к ним сразу приставил.

— Ко мне в каюту! — приказал Орлов матросу.

Матрос поднял баул и вышел.

— Ее люди, которые вещи доставили?..

— Сидят под стражей, — отвечал Христенек.

— Всех арестованных по разным кораблям развести. На адмиральском только ее оставить с камер-фрау. В каюту ей все вещи отнести. — Он огляделся и усмехнулся. — Да, одежды у нее предостаточно. Но в Петербурге ей совсем другая понадобится. Купишь салоп на меху на куньем — и пускай адмирал отдаст от меня. Ты свое дело заканчивай. Завтра письмо от меня в Петербург повезешь императрице вместе с бумагами разбойницы. С Рибасом поедете.

Орлов сидел в своей каюте, лихорадочно перебирал бумаги принцессы. Весь стол был завален этими бумагами.

— Кому только не писала... Да, свойства имеет отважные. Султану... Королю шведскому, королю прусскому, — перебирал он письма. — А это уже к ней... Вся Конфедерация здесь. Огинский, Радзивилл... А это вы, Ваше сиятельство...

Усмехнувшись, он сжег свои письма над свечой. И вновь погрузился в ее бумаги... Наконец он закончил разбирать таинственный баул. Но того, что искал, не было: никаких бумаг о ее рождении.

Он прошелся по каюте.

— Ну что ж: прав, Ваше сиятельство, ничего у нее нет, одна пыль в глаза... Копии кем-то составленных завещаний русских царей. Кем? Все теми же ляхами? Самозванка! Не ошибся, граф.

В каюту вошел Грейг.

— Я сейчас отпишу ей ответ на письмо, а вы передадите.

Грейг помолчал, потом тихо сказал:

— Увольте, Ваше сиятельство.

— Я дважды не прошу, адмирал. Сами передадите и в высшей степени любезно. И романы в каюту ей доставите. Читать она охоча, а дорога-то дальняя. Я ее, слава Богу, знаю... Ей удавиться ничего не стоит. А ее живую надо государыне привезти. Многие тайны знает эта женщина.

— Но откуда здесь романы, Ваше сиятельство? У нас на все корабли одна книга. И та — «Устав морской службы».

— К Дику пошлешь, у этой английской скотины все есть.

Орлов начал писать письмо, а Грейг закурил свою трубку и молча ждал, пока граф закончит.

Из письма графа Орлова, написанного по-немецки на корабле:

«Ах, вот где мы не чаяли беды... При всем том будем терпеливы. Я нахожусь в тех же обстоятельствах, что и Вы, но надеюсь получить свободу через дружбу своих офицеров. Всемогущий не оставит нас. Надеюсь, что адмирал Грейг из приязни ко мне даст возможность бежать. Он окажет и Вам всевозможные услуги, прошу только первое время не испытывать его верности. Учтите, он будет очень осторожен. Наконец остается мне просить Вас только об одном: заботиться о своем здоровье. Как только я получу свободу, буду разыскивать Вас по всему свету и служить Вам. Вы только должны заботиться о себе, о чем я Вас прошу всем сердцем. Ваши собственные строчки я получил из рук адмирала и читал их со слезами на глазах. Неужели Вы желаете обвинить меня?! Берегите себя. Не могу быть уверен, что Вы получите сие письмо, но надеюсь, что адмирал будет настолько вежлив и благороден, что передаст его Вам. Целую от всего сердца Ваши ручки».

Граф подумал — и подписи не поставил.

Грейг хмуро взял письмо.

— Как только я покину корабль, снимитесь с якорей. Пока не просочились слухи на берег... Представляете, что будет со всей этой толпой? Они тут как порох!

Грейг молчал.

— В порты постарайтесь заходить пореже. Через английского консула я уже отправил послание: в Портсмуте вы будете снабжены всем необходимым. Там и сделаете остановку, там и команда отдохнет. После чего, стараясь избегать новых остановок, двинетесь прямо в Кронштадт... И поспешайте, поспешайте, адмирал!

— У меня была нелегкая жизнь, граф, — усмехнулся

Грейг, — но никогда я не выполнял более трудной миссии.

Корабли снимались с якорей в заходящем солнце.

Дворец Орлова в Пизе.

Стояла глубокая ночь. В своем кабинете граф принимал Рибаса и Христенека.

Христенек докладывал:

— Корабли благополучно ушли, Ваше сиятельство. Эскадра находится в открытом море.

— Говорят, толпа на набережной в Ливорно по-прежнему не расходится, — усмехнулся граф.

— О сем гонец из Ливорно ничего не поведал... — начал Христенек.

Но Рибас, тут же сообразивший в чем дело, перебил его:

— Так точно, Ваше сиятельство. Есть сведения: большое недовольство в городе. Итальянцы как дети. Уж очень полюбилась им таинственная принцесса.

— Полюбилась злодейка, — поправил Орлов и продолжал: — Усилить караулы вокруг дворца! Я жду больших волнений, господа. Тем более что вокруг нее было много отцов иезуитов, а сии... — Он помолчал. — Итак, я отправляю вас обоих в Петербург. — Он обратился к Христенеку: — Ты повезешь письмо государыне. А Рибас будет отвечать за бумаги разбойницы. Вы должны прибыть в Петербург как можно скорее, чтоб следствие основательно подготовилось к приезду разбойницы и еще чтоб государыня знала, в каком бедственном положении я тут пребываю. Расскажите подробно, каким опасностям я тут теперь подвергаюсь. Думаю, что оставаться мне сейчас в Италии никак невозможно.

«Итак, Его сиятельство решил при помощи сего дельца в Петербург пожаловать. И роскошное свое изгнание прекратить...» — улыбнулся про себя Рибас.

— Выспитесь хорошенько, господа, и наутро в путь!

Рибас и Христенек ушли. Граф остался один. И начал писать письмо императрице.

Письмо графа Орлова Екатерине Второй. Февраля 14 дня 1775 года. Из Пизы.

«Угодно было Вашему императорскому величеству повелеть доставить называемую принцессу Елизавету. И я со всею моею рабской должностью, чтоб повеление исполнить, употребил все возможные мои силы и старания. И счастливым теперь сделался, что мог я оную злодейку захватить со всею ее свитою... И теперь они все содержатся под арестом и рассажены на разных кораблях. Захвачена она сама, камердинерша ее, два дворянина польские и слуги, имена которых осмеливаюсь здесь приложить. А для оного дела употреблен был штата моего генеральс-адъютант Иван Христенек, которого с оным донесением посылаю и осмелюсь его рекомендовать яко верного раба и уверить, что поступал он со всевозможной точностью по моим повелениям и умел весьма удачно свою роль сыграть».

Орлов походил по комнате. Оставалось главное.

«...Признаюсь, Всемилостливейшая государыня, что теперь я, находясь вне отечества, в здешних местах сильно опасаться должен, чтоб не быть от сообщников сей злодейки застреляну иль окормлену ядом... И посему прошу не пречесть мне в вину, если я по обстоятельству сему принужден буду для спасения моей жизни, команду оставя, уехать в Россию и упасть к священным стопам Вашего императорского величества».

Он еще походил по комнате.

«...Я сам привез ее на корабли на своей шлюпке вместе с ее кавалерами. В услужении у нее оставлена одна девка, камер-фрау. Все же письма и бумаги, которые у нее захвачены, на рассмотрение Вашего величества посылаю с надписанием номеров. Женщина она росту небольшого, тела очень сухого...»

Он опять видел ее лицо. И тем последним, страшным, сводящим с ума движением она припала к нему...

«...Глаза имеет большие, открытые, косы, брови темнорусые. Говорит хорошо по-французски, немецки, немного по-итальянски, хорошо разумеет по-англицки и говорит, что арабским и персидским языками владеет. От нее самой слышал, что воспитана в Персии, а из России увезена в детстве. В одно время была окормлена ядом, но ей помощь сделали. Когда из Персии в Европу ехала — была в Петербурге, в Кенигсберге, Риге, а в Потсдаме говорила с королем прусским, сказавшись ему, кто она такова. Знакома очень со многими князьями имперскими, особливо с князем лимбургским. Венский двор в союзниках имеет и всей Конфедерации польской хорошо известна. Сама открылась мне, что намерена была ехать прямо к султану отсель. Собственного ж моего заключения об ней донести никак не могу, потому что *не смог узнать в точности, кто же она в действительности.* Свойства она имеет довольно отважные и своею смелостью много хвалится, этим-то самым мне и удалось завести ее, куда желал».

Граф еще походил по зале. Дальше начиналось самое сложное... Он писал, рвал бумагу и опять писал.

«...Она ж ко мне казалась благосклонною, для чего и я старался казаться перед нею весьма страстен. Наконец уверил я ее, что с охотою женился б на ней, чему она, обольстясь, поверила. Признаюсь, что оное исполнил бы, чтоб только достичь того, чтоб волю Вашего величества исполнить. Я почитаю за обязанность все Вам донести, как перед Богом. И мыслей моих не таить...

А она уж из Пизы расписала во многие места страны о моей к ней преданности. И я принужден был ее подарить своим портретом, каковой она при себе и имеет, и если захотят в России ко мне не доброхотствовать, то могут придраться к сему, коли захотят. При сем прилагаю полученное мною от нее письмо уже из-под аресту, а она и по се время верит, что не я ее арестовывал. То ж у нее есть письмо моей руки на немецком языке, только без подписывания моего имени: что-де постараюсь уйти из-под караула и спасти ее... Прошу не взыскать, что я вчерне мое донесение к Вашему императорскому величеству посылаю. Ибо опасаюсь, чтобы враги не проведали и не захватили курьера моего с бумагами. Посему двух курьеров посылаю. И обоим письма черновые к Вашему величеству вручу...»

Он опустил голову на руки и долго молча сидел, потом встал и подошел к зеркалу. На каминной доске стоял тот самый шандал с экраном, на котором была изображена принцесса. Рядом с шандалом — высокий бронзовый канделябр.

— Холоп. — Он подмигнул себе в зеркало. И расхохотался.

Потом поднял канделябр и швырнул в зеркало — в свое отражение.

В ту ночь во дворце слуги не спали. Они попрятались в дальних покоях и со страхом слушали, как буйствовал граф до утра в своем кабинете.

ФРАНЦИСКА ФОН МЕШТЕДЕ: ПРИЗРАК СВОБОДЫ

Франциска фон Мештеде сидела у занавешенного окна и смотрела, как принцесса в бешенстве разгуливала по каюте.

У принцессы начался приступ кашля. Кашель раздирал ее... Наконец, совладав с кашлем, принцесса уселась за столик. Попыталась читать, но отбросила книгу. И вновь заходила по каюте. Франциска с испугом следила за госпожой.

«Она наняла меня в Оберштейне. Она была очень щедрая госпожа, и я с охотою выполняла свои обязанности: одевала ее, раздевала, приносила еду и питье. Но она редко со мной разговаривала. И я удивилась, когда она сама вдруг обратилась ко мне...»

— По-моему, мы стоим на месте? — сказала принцесса.

— Да, госпожа.

— Значит, мы прибыли в порт, это ясно. Постарайся узнать, где мы...

Франциска попыталась отворить дверь, но тщетно: с другой стороны дверь была заперта на засов.

Принцесса вскочила со стула, взяла книгу и швырнула ее в дверь каюты. Она швыряла книгу за книгой и кричала по-французски:

— Где адмирал? Скоты! Свиньи! Позовите адмирала!

Дверь каюты распахнулась, и вошел Грейг.

— Чем могу служить?

— Где мы находимся?

— В Плимуте, сударыня.

— Так! Значит, это последняя остановка?

Грейг молчал.

— Значит, граф не появится, значит, вы оба дурачили меня? Заберите его проклятые книги! Я ненавижу этого подлого предателя!

Грейг молча выслушивал крики принцессы. Задыхаясь от кашля, она продолжала кричать:

— Почему мне не разрешают выходить на палубу? Если в вас осталась хоть капля человеческого... Дайте мне подышать! Я погибаю от кашля, мне нужен глоток воздуха, сударь... Или это тоже распоряжение графа?

Грейг вздохнул:

— Клянусь, я вас выпущу на палубу, как только мы выйдем из Плимута. К сожалению, весть о вашем плене каким-то путем достигла Лондона. И множество любопытных на лодках плавают совсем рядом с кораблем. Я хочу, чтобы вы поняли мои побуждения. Я не могу вас выпустить сейчас. Мой совет: не казните себя, сделать все равно ничего нельзя. Читайте. Отдыхайте. И надейтесь на судьбу: русская императрица милостива.

Он вышел из каюты. Раздался стук засова.

— Браво! — Глаза принцессы загорелись. — Там друзья мои! Нас не оставили. — И она обратилась к Франциске, молча сидевшей у занавешенного окна: — Все сейчас зависит от тебя. Это последняя остановка. Дальше они повезут нас в Россию. Слушай внимательно. Сейчас ты закричишь: «Принцесса умирает». Бей в дверь, вопи, пока не откроют. А потом тащи меня на палубу. Тащи, несмотря ни на что. Вытащишь, кричи, чтоб бежали за лекарем. Сделаешь все точно — будем свободны. Учти, Франциска, твоя свобода, моя свобода сейчас зависят от тебя. Ты все поняла?

— Я все поняла, госпожа! — Франциска вскочила со стула и бросилась к двери.

Как только принцесса улеглась на полу и закрыла глаза, Франциска начала безостановочно стучать в дверь и кричать:

— Умирает! Умирает! — Кричала она по-французски и по-немецки. И кулаками била в дверь.

Наконец дверь раскрылась, и испуганное лицо матроса возникло в проеме.

— Умирает! — кричала Франциска и тащила принцессу за руки на палубу.

— Не положено, — отбивался испуганный матросик.

Но вид лежащей замертво женщины произвел впечатление. Он помог Франциске вытащить принцессу на палубу.

— За лекарем беги, за лекарем, — кричала Франциcка по-немецки, пытаясь объяснить знаками матросу, что делать. Матрос понял и уже хотел бежать. Но принцесса не выдержала. Она вскочила и бросилась к борту.

Она была уже у борта, она видела лодки на воде, размахивающих руками людей в лодках, когда верткий матросик настиг ее у борта.

— Не положено, барыня, — умоляюще просил он, держа принцессу. — Не положено, барыня...

Люди в лодках что-то кричали...

В каюте она упала на кровать и зарыдала впервые по-настоящему — страшно и беспомощно.

Корабли уходили из Плимута.

ТЮРЬМА В ГАЛАНТНОМ ВЕКЕ

> В наше время, мой друг, в тюрьме встречаются и очень приличные люди.
>
> *Бюси де Рабутен. Письма*

Весной 1775 года императрица находилась во дворце в Коломенском. Шла подготовка к великим торжествам по случаю празднования Кючук-Кайнарджийского мира с Турцией.

В кабинете императрицы Рибас и Христенек увидели идиллическую картину: Екатерина кормила сухарями и сладостями семейство левреток. На столе лежал том ее любимого Вольтера. В распахнутое окно было видно, как по реке медленно плывет лодка. Звонили колокола...

Рибас и Христенек с умилением лицезрели кормление собачек.

— Вы тоже принимали участие в поимке самозванки, господин Рибас? — продолжая кормить левреток, спросила Екатерина.

— Самое незначительное, Ваше величество. Все совершил господин Христенек, как о сем справедливо написал Его сиятельство.

Наконец прожорливые маленькие собачки насытились, и императрица углубилась в письмо Орлова.

«Бедный граф все описывал нам свое коварство по отношению к злодейке, чтобы еще и еще отводить от себя всякие возможные подозрения: де ничего у него с разбойницей не было — ни любви, ни какого дальнего расчета. Одно только усердие к исполнению нашей воли... Но, к его несчастию, нам слишком хорошо знаком характер сего человека со шрамом. Особенно трогательно звучало его заявление, как он боится мести жалких горожан...»

Екатерина оторвала глаза от письма. И взглянула на обоих посланцев.

— Уж очень опаслив стал граф Алексей Григорьевич, совсем на себя не похож. И яда боится, и пули.

— Сильные волнения в Ливорно, Ваше императорское величество, — невозмутимо ответил Рибас.

— А вы что нам скажете о сем предмете? — Она устремила взгляд на Христенека.

— Именно так, — усмехнулся Христенек, показывая сей усмешкой, что Рибас лжет.

— Как по-вашему, господин Рибас, — продолжала Екатерина, — почему граф не исполнил нашего предписания: не потребовал немедля выдачи самозванки у сенатора рагузского?

— Со всей рабской верностью могу сказать, матушка государыня: не было у него такой возможности. Уплыла она из Рагузы, когда письмо от Вашего величества он получил. Но, не щадя ни живота, ни доброго имени, действовал Его сиятельство, чтоб всклепавшую на себя чужое имя захватить и в Россию доставить. Только об этом и мыслил.

И опять Христенек улыбнулся и показал императрице, что Рибас лжет.

— Отпусти их, матушка, не мучай.

Через потайную дверь в стене в кабинете появился сам фаворит. Екатерина улыбнулась Потемкину и благосклонно обратилась к посланцам:

— Идите с Богом... Отдыхайте после дороги...

— Изменник Алешка, — сказал Потемкин, когда они остались одни, — и весь их корень проклятый лгущий. А как понял, что не получится... что она самозванка всего лишь, только тогда предать ее тебе решился. Но подло — любовью сначала натешился. А потом, как последнюю девку...

— Она и есть последняя девка, беспутная да наглая, — ласково прервала Екатерина. — А граф есть человек, нам преданный. Опять ты позабыл мою просьбу. Главную. Никогда ни в чем не стараться вредить Орловым в моих мыслях. Они мне друзья, и я с ними не расстанусь. Это я сказала тебе, когда ты в мои покои в первый раз вошел, и сейчас повторяю. Умен будешь — нравоучение примешь.

— И ты позволишь ему то, ради чего он все это придумал? В Петербург пожаловать? С Гришкой опять соединиться да со всей проклятой семейкой?

— К сожалению, нынче у нас нет возможности разрешить графу покинуть Ливорно.

Потемкин усмехнулся, но улыбка тотчас исчезла, ибо Екатерина продолжила:

— Но в дальнейшем... в самом скором времени, когда начнутся торжества по поводу мира с турками, я буду ждать его в России. Я надеюсь отметить по заслугам подвиги графа в войне. Я даже составила список. — И она подняла со стола бумагу и стала медленно читать, глядя на Потемкина: — «В день торжеств граф получит прозванье Чесменского, серебряный сервиз, 60 тысяч рублей, в Царском Селе в его честь мы воздвигнем памятник из цельного мрамора, а на седьмой версте от

Санкт-Петербурга в память чесменской его победы — церковь Иоанна Предтечи и дворец в азиатском вкусе... Ибо много ковал он нашу победу. Да к тому ж, не жалея своего честного имени, с врагом нашим, Пугачевым в юбке боролся...» У тебя нет возражений, Ваше сиятельство?

— Нет, — яростно ответил Потемкин.

И только тогда она усмехнулась благодетельной своей улыбкой и добавила:

— Жаль, что после торжеств драгоценное здоровье графа не позволит ему более находиться на нашей службе и оставаться в Санкт-Петербурге.

Потемкин улыбнулся.

— Помни, мой друг, правило: хвалить надо громко, а ругать тихо.

— А этот Христенек... который всю правду открыл... — начал Потемкин. — Человек он верный...

— Мой друг, слуга, рассказавший правду про своего господина, не именуется верным. Именуется доносчиком, да к тому же еще дураком. Ибо говорил он тебе ту правду, которую его государыня услышать совсем не хотела... А доносчик да дурак именуется словом «опасный». Так что отправь его назад к графу в Ливорно с моим письмом. Я постараюсь, чтобы граф о нем... позаботился. А вот второго... Как его зовут?

— Рибас, Ваше величество, — произнес неслышно появившийся в комнате князь Вяземский.

— Вот тебе я его и рекомендую, голубчик, — ласково улыбнулась Екатерина фавориту.

Потемкин удалился так же внезапно и незаметно, как вошел: доверенные люди в этом кабинете не появлялись, а возникали.

— Я отдал необходимые распоряжения, матушка, — сказал Вяземский. — Кронштадт готов к встрече эскадры. Следствие по делу женщины я думаю поручить Александру Михайловичу Голицыну. Он человек, может, и не блестящий, да исполнительный.

— Ох, от блестящих мы с тобой, Александр Алексеевич, много натерпелись. Так что запиши: «Рибас. Определить в Кадетский корпус и поручить воспитание Алексея Бобринского, ибо к деликатным делам большие способности имеет».

Граф Алексей Бобринский — незаконный сын императрицы от Григория Орлова. В это время графу было тринадцать лет.

— А теперь проси князя Александра Михайловича.

В кабинет вошел князь Александр Михайлович Голицын, генерал-губернатор Санкт-Петербурга.

Екатерина указала на баул принцессы, стоявший поодаль на мраморном столике.

— Здесь бумаги всклепавшей на себя чужое имя, захваченные благодаря неусыпным стараниям и отваге графа Алексея Григорьевича. Добросовестно изучи их, князь.

— Все как велишь, матушка, рабу своему, — поклонился князь.

— Имя графа часто будет мелькать в речах этой беспутной женщины. Так что с выбором записывай. Ибо все, что делал граф, он делал по нашему повелению, и непосвященным сие понять трудно...

И снова князь молча поклонился.

— С нею в сговоре находились поляки конфедератские, — продолжала Екатерина. — Радзивилл-князь, Огинский-гетман. Сие нам хорошо известно. Но тебе должно быть также известно, что князь Радзивилл и Огинский-гетман примирились нынче с нашим другом польским королем. И по последним нашим сведениям и к радости нашей, князь Карл явился из Венеции с повинной в Польшу, и поместья ему вернули. И про венецианское удальство его с радостью забыли. И вспоминать более не желаем. Так что поляков, с ней задержанных, допрашивай без рвения. Но главное... главное, князь, это выяснить: *кто она?* Была ли с кем в России связана? Все донесения о том, что расскажет на следствии известная женщина, немедля направить с нарочным к нам в Москву.

Екатерина осталась одна в кабинете.

«Мы придаем этому делу особое значение, как и всему, что касается монаршей власти. Идея самодержавия Божьей милостью есть величайшая идея нашего времени, нуждающаяся в постоянном бережении. Весь мир, все, что окружает нас сегодня, должно служить этой идее. И в том числе я сама. Что такое костюм государя? Это золото, драгоценности? Что наши дворцы? Блеск мундиров гвардии, картины из жизни богов и героев, золотые ливреи слуг, тысячи зеркал и свечей? Все это служит сей идее. Все это говорит: здесь, рядом с вами — Олимп, обиталище богов. Наше искусство должно быть светлым, возвышенным. Ибо люди должны радоваться, что совсем рядом с ними живут боги. И хотя я сама так устаю от этого блеска, но, Божьей милостью императрица, охраняющая идею, я должна заботиться о ней. Да, в тягость — убирать волосы, одеваться в присутствии множества посторонних мужчин, но что делать? Я каждый день обязана дарить подданным эту выставку богоподобия. Да, мне куда милее отдаваться втайне прихотям своего сердца, но я не могу лишать подданных радости узнавать об этом. Все, что касается особы монарха, прекрасно и священно. Ибо все, к чему прикасается монарх, немедля становится милостью Божьей. И его фавориты тоже. И, как Божьи дела, они не могут быть ни предметом зависти, ни обсуждения, но только восхищения. Ибо другая высшая цель — верноподданничество. Верноподданничество — вот похвала и добродетель гражданина! Вот почему всякое присвоение царского имени есть величайшее преступление против главной идеи времени».

Пожелтевшие листы Следственного дела в Центральном архиве древних актов...

Все ее бумаги, которые только что держала в руках императрица, все письма, которые возила с собой по свету эта женщина, все слова этой женщины во время допросов, ее насмешки, слезы, страдания навсегда успокоились вот в этой безликой папке. И там звучит ее таинственный голос...

На казенном столе, под казенной современной лампой я касаюсь тех же страниц, которых касалась ее рука. О, эти руки, тщетно тянущиеся через столетия!

...Моя рука листает страницы Следственного дела.

И рука князя Голицына держит те же документы. Князь задумался, князь в размышлении...

ГОЛИЦЫН.
СЛЕДСТВИЕ: «КТО ОНА?»

«26 мая 1775 года утром я приехал в Петропавловскую крепость. Я решил начать с допросов поляков, а к ней в камеру пойти под вечер, в семь часов пополудни».

Князь Александр Михайлович Голицын, сын знаменитого петровского полководца, отнюдь не прославился на военном поприще по примеру отца своего. В Семилетнюю войну из-за него чуть была не проиграна знаменитая Кунерсдорфская битва. Но он получил за участие в деле чин генерал-аншефа. В турецкую войну князь тоже не блистал подвигами, но получил чин фельдмаршала. Ибо у него был другой талант — исполнительность. И в дворцовых интригах участия не принимал, что было редкостью. И, что совсем уж было редкостью — честен был... Екатерина назначила этого неудавшегося воина, но доброго и верного человека петербургским генерал-губернатором.

В камере Черномского.

Князь Голицын допрашивал Черномского.

За отдельным столиком в углу записывал показания секретарь Ушаков, безмолвный, серенький человечек, из тех, что в просторечии именуются «приказная крыса» — особая порода служащих, выведенная в империи.

Голицын обращался к Черномскому:

— Обстоятельства вашей жизни, сударь, хорошо изучены нами по документам, находившимся в архиве известной вам женщины. Следственно, всякая ложь с вашей стороны бесполезна и приведет лишь к тому, что нами будут употреблены все... я подчеркиваю, все средства для узнавания самых сокровенных ваших тайн. А посему предлагаю вам говорить с полной откровенностью, надеясь на безграничную монаршую милость Ее величества... Итак, каковы обстоятельства, приведшие вас к знакомству с самозванкой?

Черномский отвечал весьма охотно:

— В 1772 году я был послан Конфедерацией в Турцию, в лагерь войск, сражавшихся с Россией. Цель моей поездки состояла в том, чтобы разведать, какую помощь мы можем получить из Турции. Из Константинополя я привез графу Потоцкому ответ от Великого визиря и затем поступил на службу к князю Радзивиллу, бывшему, как вам известно, маршалом Конфедерации.

«Про Конфедерацию матушка не велела...»

И князь прервал Черномского:

— Как вы оказались в свите известной женщины? Отвечайте точно на поставленный вопрос.

— Я одолжил ей денег. Она обещала заплатить свой долг в Риме... Кроме того, Доманский был мой хороший товарищ, и я поддался его уговорам поехать с ним и с этой женщиной. Да и пострадав своим карманом, я не мог бросить ее, не получив обратно деньги.

— Называла ли себя негодница в вашем присутствии царским именем? И именовали ли вы ее так?

— Да, все ее так именовали. Князь Карл Радзивилл, когда сел в Венеции на корабль, чтоб ехать с нею к султану, так прямо и объявил нам: дескать, с нами отправляется к султану дочь покойной русской императрицы. Князь Карл иначе не называл ее.

— Я не спрашиваю вас о князе Карле, — торопливо прервал Голицын, — я об ней самой спрашиваю. Именовала ли она себя царским именем в вашем присутствии?

— Да, она так себя называла. И все в Риме ее так называли. И секретарь кардинала Альбани, и французский консул, и посланники всех дворов. Я сколько раз передавал ей письма с надписью: «Ее высочеству принцессе Елизавете».

— Куда вы собирались двинуться дальше из Рима? Говорила ли она вам о своих дальнейших целях?

— Из Рима мы хотели вернуться с Доманским в Польшу. И оттого в Риме много раз просили ее побыстрее вернуть нам деньги и уволить со службы. Но она нам вскоре сказала: «Радуйтесь, у меня теперь будет новая жизнь — граф Орлов обещал мне помогать во всем. Я еду теперь к нему в Пизу и там заплачу вам обоим все долги. И с миром вас отпущу». Ну, я и поверил. Да я и сам видел: любовь у них с графом...

— О графе я вас не спрашиваю, — прервал, вздохнув, Голицын. — Скажите-ка лучше, что вам известно о происхождении сей негодницы? Говорила ли она вам правду? Или кому-нибудь в вашем присутствии? Называла ли своих родителей вам или кому-нибудь в вашем присутствии?

— Никогда ничего не говорила. И никого не называла. Более прибавить ничего не могу. — И поляк залпом выпалил: — Молю о милосердии российской повелительницы и припадаю к стопам ее. И клянусь: не знал ни о каких делах, кроме конфедератских, о чем чистосердечно поведал. Да и то я должен был их исполнять как принявший присягу военную.

«Ишь, в дурачка-то играет... Ох, много бы я от тебя узнал, если б не матушкин приказ...»

В камере Доманского Голицын ведет допрос. Ушаков в углу записывает показания.

— Обстоятельства вашей жизни хорошо нам известны из полученных документов и из подробных чистосердечных показаний вашего друга господина Черномского. Следственно, всякая ложь с вашей стороны приведет лишь к тому, что употреблены будут все меры узнать до конца самые сокровенные ваши тайны. Только чистосердечное признание даст возможность рассчитывать вам на безграничную милость Ее императорского величества...

Доманский кивнул головой, показывая, что он усвоил эту истину.

— Как и при каких обстоятельствах вы познакомились с известной женщиной?

— Впервые я увидел ее в Венеции. Я состоял тогда при князе Радзивилле. Мне сказали, что некая иностранная дама, узнав, видимо, из газет, что князь Карл направляется к султану, приехала к нему в Венецию, чтоб под покровительством князя Карла отправиться туда же.

— Зачем?

— Сего мне не сообщили, Ваше сиятельство, да я и не интересовался тогда.

— Это была ваша первая встреча с иностранной дамой?

— Да, первая. Князь Карл приказал проводить эту даму на корабль, сказав мне, что это русская великая княжна. Князь Карл...

— Хватит о князе, — прервал Голицын. — И вы в это поверили?

— Все в это верили. И я тоже. Кроме того, в 1769 году в Польше услышал я как-то от графа Патса, служившего в России, что императрица Елизавета действительно находилась в каком-то тайном браке и даже имела дочь...

И опять Голицын его торопливо прервал:

— А сама негодница уверяла вас в своем вымышленном происхождении?

— И меня, и князя Карла, хотя сомнения у нас оставались. Князь Карл даже утаил ее письма Великому султану и Великому визирю. Он мне прямо сказал: «Не хочу впутываться в ее замыслы и потому эти письма оставлю у себя, а ей скажем, что отправил, иначе гневаться будет».

— Значит, князь Карл, — радостно начал Голицын, — уже тогда решил отстать от ее преступных планов?

— Ну конечно. И потому он вернулся в Венецию из Рагузы, рассорившись с этой женщиной.

— Ну а почему вы не поехали обратно в Венецию с князем Карлом?

— Да просто принцесса... — Он поправился: — То есть эта женщина предложила мне и Черномскому сопровождать ее в Неаполь и в Рим. А мы с Черномским давно хотели поклониться святому престолу и оттуда уехать в Польшу. И еще одно обстоятельство: она задолжала мне восемьсот дукатов, из которых я, в свою очередь, пятьсот занял для нее в Рагузе. И у Черномского были такие же обстоятельства. И мы поехали с ней... Потому что верили ее обещаниям, что она отдаст нам деньги в Риме.

— И вы все это время верили ее россказням о высоком ее происхождении?

— Я же говорил: мы сомневались. Я даже обратился к ней самой — умолял сказать правду и обещал следовать за ней куда угодно, кто бы она ни была. Но она только с гневом сказала: «Как вы осмеливаетесь подозревать меня в принятии на себя ложного имени?»

— Вы сейчас сказали, что были готовы следовать за ней куда угодно, кто бы она ни была. Что сие значит?

Доманский на мгновение задумался. Глаза его сверкнули — и он выпалил:

— Да! Да!.. И уговорил друга своего Черномского с ней ехать, ибо влюблен! До безумия! Не деньги — Бог с ними, но страстная привязанность к ней... боязнь за нее заставили меня не покидать ее. Бежать с ней в Италию!

— Она давала вам какие-то надежды?

— Никаких. Просто без всяких надежд мечтал я о ней. Ложных иллюзий по поводу ее происхождения у меня не было. И часто вслух я сомневался в ее происхождении.

Он замолчал.

— Но каждый раз она вас уверяла?..

— Да! — вздохнул Доманский.

— Как она себя называла? Повторите. И не торопитесь.

— Она называла себя Елизаветой, дочерью покойной императрицы, — опять вздохнул поляк и забормотал какой-то насмешливой скороговоркой: — Знаю свою вину. Но именем всех святых хочу объяснить государыне: только любовь привела меня к ней. Я ее люблю и оттого не чувствую вины, ибо если за любовь наказывать людей, кто остался бы без наказания?! В своей жизни я никого не загубил и оттого припадаю к стопам всемилостивейшей государыни, молю о милосердии и снисхождении. Клянусь, что никогда не верил в россказни и верить не буду, и буду стыдиться своей глупости, и беру обязанность на себя вечно молить Бога за здравие и долголетие царствования государыни!

«Ох, продувные бестии! Так я и поверил этим заклятым врагам государыни, когда они здравицу в ее честь поют! Так я и поверил сему человеку, который изо всех сил выгораживал себя и Радзивилла и топил ту, которую он-де так любит... Ох, мне бы вас допросить с пристрастием... Ребрышки вам пощупать... Чую, тут ключ... Ан нельзя. Вот такая наша жизнь: «Узнай правду, не узнавая ее». Ох-хо-хо-хо».

В камере перед Голицыным стоял слуга принцессы Ян Рихтер.

«И опять выслушивал я всяческие глупости. Этот пересказывал свою биографию...»

— Кем я только не был, Ваше сиятельство. Сначала был хирургом. Потом сделался венецианским солдатом, потом был скульптором. Потом играл на виолончели. Потом — на мандолине. А потом решил: всюду жизнь плоха, всюду надо заботиться, добывать деньги на пропитание. И понял: лучше всего быть слугою. Пусть хозяин о тебе заботится!

— Можете ли вы сообщить что-нибудь о происхождении вашей хозяйки?

— Да откуда, Ваше сиятельство? Я служил, дом охранял. Докторов к ней звал. Хворала часто. А как время свободное — играл на мандолине. Или бумажки складывал.

— Какие бумажки?

— А я разве знаю? Она мне говорит: «Сложи бумажку в баул да запри».

— Эти бумажки? — И Голицын показал Рихтеру письма принцессы, вынутые из баула.

— Может, и эти... А может, и не эти... Мое дело какое: что скажет барыня, то и складывал. Я ее вещи и бумажки никому не отдавал без ее приказания. Вот за то и попал сюда.

— Как вы называете вашу барыню?

— Как все: Ваше императорское высочество.

— Вспомните: говорил ли в вашем присутствии кто-нибудь или она сама, откуда она родом? О ее родителях?

— Да зачем? Мне только одно говорили: принеси,

убери, сходи. А в свободное время я на мандолине играл...

В камере перед Голицыным стояла Франциска фон Мештеде.

— Да ничего такого я о ней не знаю. Одно знаю: щедрая госпожа.

— Говорила ли она в вашем присутствии, кто она? Называла ли она себя дочерью императрицы или еще как?

— Все вокруг так говорили... А она? Не помню... Я как-то не задумывалась. Все говорили. Нет, не помню...

— Говорила ли она с вами о своих родителях, о своем происхождении?

— Да она вообще со мной мало говорила. Я ее одевала и раздевала — вот и весь разговор. Она даже когда в коляску меня с собой сажала, не объясняла, куда едет. И никто у нас в доме не знал заранее, что она делать будет. И даже на исповедь она никогда не ходила.

Князь взглянул на часы и сказал Ушакову:

— Ну что ж, теперь пошли. И помни: молчать обязан до смерти обо всем, что сейчас увидишь и услышишь.

— Так точно, Ваше сиятельство.

— Ох-хо-хо-хо, — вздохнул князь и, подняв грузное свое тело, направился в камеру к «известной женщине».

В камере принцессы.

Ушаков уселся за конторку и приготовился писать. Голицын тяжело сел на стул и внимательно поглядел на принцессу.

«Темные волосы, нос с горбинкой. Итальянка? Но по-итальянски, граф докладывал, знает плохо. Кто же она? Но хороша... Только исхудала очень».

— Кто дал право так жестоко обращаться со мной, и по какой причине вы держите меня в заключении?

«Ишь глазищи-то горят...»

— Обстоятельства жизни вашей, сударыня, нам хорошо известны по полученным вашим документам, и в том числе тем, которые вы у себя хранить изволили. Следственно, всякое запирательство с вашей стороны приведет лишь к тому, что будут употреблены — поверьте, мне горько об этом говорить, — даже крайние меры для выяснения самых сокровенных ваших тайн. А посему предлагаю вам оставить пустой гнев и отвечать со всей откровенностью на мои вопросы, полагаясь на безграничную милость Ее императорского величества. Вопросы будут предложены мною на французском языке, но если какой другой язык вам угоден...

Голицын остановился и вопросительно посмотрел на принцессу. Она молчала.

— Итак, вопросы будут предложены на французском. Вы называли себя всевозможными именами в разных странах Европы. Как вас зовут поистине?

— Меня зовут Елизавета. А путешествовать под разными именами, как известно Вашему сиятельству, в обычае людей знатных.

— Кто ваши родители, Елизавета?

— Не ведаю.

— Сколько вам лет, Елизавета?

— Двадцать три года.

— Какой вы веры?

— Православной, — усмехнувшись, ответила Елизавета.

— Тогда кто вас крестил? И где вы провели свое детство.

— Кто крестил, не помню. Детство провела в Киле, у госпожи Перон... или Перен, сейчас не помню. Сия госпожа постоянно утешала меня скорым приездом моих родителей. Но в начале 1762 года приехали в Киль трое незнакомцев и увезли меня в Петербург...

«Ох шельма: 1762 год — это же сразу после кончины императрицы Елизаветы! На что намекает, разбойница! Ох, записывать не хочется — будет гневаться государыня».

— А потом, — продолжила Елизавета, — обещали меня привезти в Москву, но по велению царствовавшего тогда Петра Третьего увезли далеко в Сибирь — к персидской границе...

«Далее я все знал из бумаг, далее шли ее обычные выдумки: как бежала с нянькой в Багдад, как принял их персиянин Гамид и передал другому персиянину Али...»

— ...И вот тогда Али в первый раз сказал: «Ты дочь русской императрицы». То же повторяли все окружавшие меня.

— Можете ли вы назвать по именам людей, внушивших вам такую несуразную мысль?

— Кроме князя Али, никого не помню. Но в это время произошли большие волнения в Персии...

Она с упоением рассказывает. Лицо ее вдохновенно: она будто живет этими миражами, будто забыла, где находится...

«Далее повторяла все сказки, что в ее бумагах были. Про то, как Али в Лондон ее отвез. И как вернулась в Персию...»

— Из Лондона я отправилась в Париж. И всюду как приемная дочь князя Али я называла себя принцессой Али... Хотя в Париже множество французских дворян сказывали мне, что на самом деле я великая княжна и дочь императрицы Елизаветы.

— Кто сказывал? Можете назвать по именам?

— Легче перечислить, кто не сказывал. Запишите имена всех французских дворян — от министра герцога

Шуазеля до принца Лозена. Но я упорно отрицала это и называла себя принцессою Али.

— Вы отрицали?

— Именно. В этот момент я получила большие деньги из Персии и купила в Европе земельную собственность — графство Оберштейн. При покупке графства я познакомилась с его прежним совладельцем Филиппом Фердинандом, князем Римской империи, герцогом Шлезвиг-Гольштейн-Лимбургом.

«Ишь как величественно. Грозит, грозит именем, шельма...»

— Князь вскоре влюбился в меня. И я не отвергла его любви. И князь официально попросил моей руки. Я дала согласие, ибо он мне был любезен. Но для заключения брака мне нужны были документы...

Она закашлялась, потом поднесла платок к губам, вытерла рот. И когда положила платок на колени, Голицын увидел...

«Бог мой... Кровь... Точно, кровь!»

— Не торопитесь, сударыня, — мягко сказал Голицын, — времени у нас предостаточно.

— Это у вас предостаточно. У меня — нет, — сказала она, усмехнувшись, спрятала платок и продолжила рассказ.

— С помощью документов я хотела разъяснить самой себе тайну моего рождения. Я даже решила сама поехать в Петербург и там представиться императрице. И снискать ее милостивое расположение, предоставив ей важные предположения о выгоде торговли России с Персией. Я надеялась, что за эту услугу государыня поможет мне разыскать мои документы, и я получу принадлежащие мне фамилию и титул, достойные для вступления в брак с владетельным князем Римской империи.

«Опять за свое. Ох, будет в гневе матушка... Ох, и будет!»

— Я хотел бы узнать... — начал Голицын.

Но она, нежно взглянув на князя, ласково сказала:

— Умоляю вас, не прерывайте меня. Вы видите бедственное мое положение, как нелегко мне говорить. Кашель душит меня... Так что позвольте мне продолжить, коли хотите узнать истину...

И, не дожидаясь ответа князя, Елизавета продолжила:

— Но в этот момент мой жених нуждался в деньгах. Я надеялась достать ему нужную сумму, ибо он вел процесс с могущественными державами по поводу принадлежащего ему княжества Шлезвиг-Гольштейн.

«Это ж с матушкой он судился! Сыну своему матушка княжество это хотела... Ох, будет гнев!»

— Я надеялась достать ему нужную сумму, рассчитывая на кредит моего покровителя князя Али. И для получения этих денег я и поехала в Венецию, чтобы найти там людей, знавших моего покровителя. Выяснив, что князь Радзивилл едет к султану, я тотчас решила отправиться с ним и под его покровительством, ибо из Турции до Персии рукой подать. В Персии я мечтала не только получить деньги для своего жениха, но и добиться от князя Али сведений о тайне моего рождения. И получить наконец документы, достаточные для моего брака. И вот тогда в разговоре со мною князь Радзивилл и намекнул, что я могла быть очень полезной для его страны... Ибо от французских офицеров ему положительно известно, что я дочь покойной императрицы.

— Вот ведь как интересно, — не выдержал Голицын. — Все говорят... А почему говорят, никто не знает... Так что полно о князе Радзивилле! Что вы ему ответили на эти глупые его утверждения?

Она опять закашлялась. И вытерла кровь.

«Ох, помрет! И правду не узнаем... Так сказки и будем слушать...»

— Князь Радзивилл сказал, — твердо продолжала Елизавета, будто не слышала замечания Голицына, — что я имею право на русскую корону. И когда достигну трона, то в вознаграждение за содействие, которое он окажет мне, должна буду возвратить Польше отнятые у нее земли и заставить то же самое Австрию и Пруссию. Но я настойчиво отрицала его слова. И, более того, заметив, что князь Радзивилл... не перебивайте меня... при ограниченных способностях своего ума полон самых несбыточных мечтаний... хотела от него совершенно отделаться, но сестра его, поняв, что я имею много сведений и немало друзей на Востоке, упросила меня ехать с ними. Запишите мои слова в точности, и прошу показать их государыне...

Она опять закашлялась.

— Ну, а дальше мы с князем Радзивиллом сумели доплыть только до...

— Сударыня, — решительно прервал Голицын, — о князе вы мне расскажете впоследствии. Сейчас меня интересует прежде всего вот что... Бумаги, найденные у вас...

И Голицын выложил на стол завещание Петра Первого, Екатерины Первой и Елизаветы...

«Завещания трех российских самодержцев... Они поддельные. Но хорошо, со знанием составлены. На основании подлинных. Тот, кто составлял, откуда-то знал подлинные. А завещание Екатерины вообще с подлинного списано. Это уже не ее сказки про Персию...»

— Откуда они у вас? Прошу вас обстоятельно ответить.

— Нет ничего проще: я сама не знаю.

— То есть как?

— То есть так. 8 июля 1774 года — на всю жизнь запомнила этот день — я получила из Венеции анонимное письмо, при котором были приложены два запечатанных конверта. В письме было сказано, что я смогу спасти жизнь многих людей, коли помогу заключить мир России с Турцией, для чего по приезде к султану я обязана объявить себя дочерью императрицы Елизаветы, каковой в действительности являюсь. В том же письме было сказано, что один из запечатанных конвертов я должна передать султану, а другой — отослать в Ливорно графу Орлову. Не скрою — я открыла письмо графу. И что же? Там от имени Елизаветы Всероссийской были воззвание к русскому флоту и письмо к графу Орлову. Я сняла с этих бумаг копии. И, запечатав конверт своею печатью, отправила графу.

«Ох, шельма! Ох, ловка!..»

— Кто писал вам эти бумаги? Не торопитесь с ответом. Вся ваша судьба зависит от правдивого ответа. Одно правдивое слово спасет вас от многих печальных последствий, и наоборот, сударыня.

— Не знаю, — жестко ответила Елизавета.

— Но вы кого-то подозревали?

— Я готова присягнуть: почерк мне был незнаком.

— Сударыня, но ведь вы думали над этим... Не могли не думать. Итак, ради вашей же пользы... В последний раз спрашиваю: кто дал вам письма?

— Клянусь, не знаю. И в доказательство того, что говорю чистосердечно, признаюсь: конечно, получив эти бумаги, я стала соображать... Воспоминания детства, все слышанное от князя Али, слова Радзивилла, французских офицеров... И вот тогда-то мне и пришло на ум...

И, глядя в упор на князя, Елизавета сказала:

— А не та ли я самая, в чью пользу составлено завещание императрицы Елизаветы?

«Ох, шельма! Да и ты тоже хорош! Не прерывать такие речи!..»

— С какой целью, — сурово начал князь, — вы отослали графу Орлову эти бумаги?

— Они были адресованы на его имя, и я не имела права их не отослать. Но, с другой стороны, я отослала бумаги с тайной надежной узнать от графа что-нибудь о своих родителях. — И, усмехнувшись, прибавила: — А также обратить внимание графа на происки, которые ведутся против империи.

— И кто же, по-вашему, вел эти происки? — не унимался Голицын.

— В третий раз отвечаю: не знаю. Хотя, конечно, раздумывала. Подозрения мои пали и на Версальский кабинет, и на Турецкий диван, и на Россию, конечно. Но главное: эти бумаги привели меня в такое волнение, что стали причиной жестокой моей болезни, которая нынче, как вы видите, сильно развилась во мне...

— Итак, вы прервались в рассказе на отъезде с Радзивиллом в Венецию и на возвращении в Рагузу.

— В Рагузе было узнано мною о заключении мира России с Турцией, чему я сильно порадовалась. И тогда я стала настойчиво уговаривать князя Радзивилла отказаться от его неосуществимых планов...

— Не надо более о Радзивилле. Для чего вы уехали в Рим?

— Чтобы оттуда вернуться к своему жениху. И также я хотела продолжить попытки занять деньги для моего жениха под поручительство князя Али. Вот тогда в Риме и появился русский лейтенант Христенек с предложением от графа Орлова, что-де зовет он меня в Пизу и хочет познакомиться со мной по получении от меня бумаг. Пиза была по дороге во владения жениха моего. И я согласилась. Но граф Орлов...

— Граф все поведал нам подробно. Так что подробности не излагайте.

— Граф по приезде моем в Пизу, — будто не слыша,

продолжала Елизавета, — снял для меня дом. И явился сам, и учтивейшим образом предложил мне свои услуги. Пробыв в Пизе девять дней, я сказала графу, что желала бы ехать в Ливорно. Я сказала это потому, что граф обещал...

— Обстоятельства, почему граф обещал, нам ведомы. Я прошу вас быть краткой, прежде чем мы перейдем к самому важному вопросу.

— В Ливорно, когда мы обедали у английского посланника, — по-прежнему, будто не слыша, продолжала Елизавета, — я попросила графа посмотреть Российский флот, маневры которого при многократной пальбе тогда происходили.

«Странно... Зачем она на себя берет? Это ж Алексей Григорьевич наверняка подманил ее на корабль».

— На корабле граф от меня отлучился, и я услышала вдруг голос офицера, объявившего, что велено ему арестовать меня. Это явилось полной для меня неожиданностью. Тотчас я написала графу письмо, требуя объяснения жестокого и необъяснимого случая. Он ответил мне письмом, которое я вам передаю. — И она положила перед князем письмо.

Голицын, не читая, положил письмо в бумаги, лежащие на столе...

— Из всего сказанного, надеюсь, вы поймете, почему я столь изумлена, здесь очутившись. Ибо никаких злокозненных намерений к императрице не питала. Судите сами: если б питала, разве взошла бы я с такой доверчивостью на российский корабль?

«Ах, вот зачем «сама попросилась на корабль»!

— Я выслушал с терпением вашу историю, сударыня. А сейчас от сказок мы перейдем к делу. Вы должны мне ответить на вопрос, который в своем повествовании многажды старались миновать. По чьему наущению вы выдавали себя за дочь императрицы Елизаветы Петровны?

— Наоборот, князь, в своем рассказе я как раз многократно подчеркивала: я никогда сама не выдавала себя за дочь императрицы Елизаветы Петровны. Никогда и ни в одном разговоре я этого не утверждала. Другие — да: князь Али, мой жених, гетман Огинский, князь Радзивилл, французские...

— А вы сами ни разу? — насмешливо прервал Голицын. И добавил с торжеством: — Но в своих показаниях ваши приближенные Доманский и Черномский неоднократно, подчеркиваю, неоднократно уличают вас совсем в обратном. Извольте прочесть, сударыня, их показания.

И он выложил перед ней бумаги. Она тотчас с любопытством пробежала бумаги. И расхохоталась.

— Ну, можно ли всерьез слушать глупца? — вдруг кокетливо и как-то легкомысленно спросила принцесса.

— Но они оба, оба...

— А двух глупцов тем более. Просто эти идиоты не понимают юмора. Да, иногда, шутя, чтоб отделаться от их назойливого любопытства, я говорила: «Да принимайте вы меня за кого угодно! Пусть я буду дочь шаха... султана... русской императрицы... Я ведь сама ничего не знаю о своем происхождении».

— Значит, шутили? — усмехнулся князь.

— Шутила. — И, улыбнувшись, она нежно взглянула на князя.

— Наверное, после подобных шуток слухи о вашем происхождении, — заторопился князь, отводя от нее глаза, — распространились в Венеции и в Рагузе?

— Сама дивилась... и сама беспокоилась. И даже просила рагузский сенат принять надлежащие меры против этих вздорных слухов. — Она с открытой издевкой смотрела на князя. — Я сказала вам все, что знаю, больше мне нечего добавить. В жизни своей мне пришлось много терпеть, но никогда не имела я недостатка в себе духа и недостатка в уповании на Бога. Совесть не упрекает меня ни в чем. Надеюсь на милость государыни, ибо всегда чувствовала влечение к вашей стране... Всегда старалась действовать в ее пользу.

И опять князю померещилась издевка.

— Подпишите показания, сударыня, — устало сказал князь.

Она взяла перо и подписала твердо латинскими буквами: Елизавета.

«Убила... Себя убила!..»

— Сударыня, так нельзя. Одним именем без фамилии подписываются царственные особы. Все прочие подписывают у нас фамилию.

— А что мне делать, коли не знаю я своей фамилии? — язвительно улыбаясь, спросила Елизавета.

— Все, конечно, так... Но, прочтя ваши показания, — князь сделал паузу, — могут подумать, что вы настаиваете на лжи, которая уже привела вас в эти стены и от которой вы отрекаетесь в показаниях своих.

Глаза Елизаветы сверкнули.

— Я привыкла говорить правду: я Елизавета. Более ничего прибавить не имею.

Она закашлялась. И опять вытерла кровь с губ.

31 мая 1775 года в своем дворце князь Голицын писал первое донесение императрице. В этом донесении было все, что хотела прочесть Екатерина.

«Что касается поляков, то об них заключить можно, что они попросту доверились слухам о мнимом сей женщины происхождении и попросту примазались к ней, как бродяги, прельстившись будущим мнимым счастием... Ее слуги ничего такого, что уличало б эту женщину или поляков, не показали и лишь сказывали, что, по слухам, считали ее принцессою...»

Всю вину, но достаточно мягко, добродушнейший князь возлагал на одну «известную женщину».

«История ее жизни наполнена несбыточными делами и походит более на басни. Однако ж и по многократном моем увещевании, и при чтении допросов поляков она ничего из сказанного отменить не захотела. Не имея возможности пока основательно уличить ее, не стал я налагать на нее удержание в пище и не отлучил от нее служанку. Ибо отлучить служанку значит обречь ее на полное безмолвие, так как ни один человек из охраняющих ее иностранных языков не знает, а она по-русски не говорит ни слова. Кроме того, от долговременной бытности на море, от строгого нынешнего содержания и, конечно же, от смущения духа сделалась она совсем больною. Мои наблюдения о ней: по речам и поступкам можно судить, что она чувствительна и вспыльчива, разум имеет острый и весьма много знаний. По-французски и по-немецки говорит с совершенным произношением, знает итальянский и англицкий и объявляет, что в Персии выучила арабский и персидский. Так как находится она сейчас в болезни, я приказал допустить к ней лекаря...»

Князь закончил писать и позвонил в колокольчик. Вошел секретарь Следственной комиссии Ушаков.

— Отправишь в Москву с нарочным Гревенсом к государыне.

И опять Голицын допрашивал, а Ушаков за конторкой записывал показания.

— Не появилось ли у вас намерения сделать признание?

— У вас доброе и правдивое сердце, князь, вы не можете не чувствовать, что я все время говорю правду.

Она смотрела на него своими огромными глазами.

Князь торопливо отвел взгляд, а она продолжала:

— Поверьте, князь, я никогда не знала, что такое

совершать зло. Вся система моей жизни состояла в том, чтобы творить добро. Если бы я замышляла зло, разве поехала бы я одна на флот, где двенадцать тысяч человек?

— Вы это уже говорили, сударыня.

— И повторю: я не способна на низость. Простите, что я надоедаю вам своими рассуждениями. Но люди чувствительные, подобные Вашему сиятельству, так легко принимают участие в других. Наверное, поэтому я испытываю к вам слепую доверчивость. Князь, я написала письмо государыне... И умоляю вас: вы передадите его! Вы передадите его, князь? Обещайте!

Она вдруг схватила его руку и поцеловала.

— Ох, что вы, сударыня, — засуетился и без того растроганный князь, — ну конечно, передам. Конечно, передам... Это обязанность моя, — сказал он, вспомнив об Ушакове.

— Тогда я прочту письмо, чтоб вы знали, что передаете. — И, не дожидаясь ответа князя, она начала читать наизусть письмо:

«Ваше императорское величество, истории, которые писаны в моих показаниях, не смогут дать объяснение многим ложным подозрениям на мой счет. Поэтому я решаюсь умолять Ваше императорское величество выслушать меня лично, *ибо имею возможность доставить большие выгоды вашей империи.* Ожидаю с нетерпением повеления Вашего величества и уповаю на ваше милосердие. Имею честь быть с глубоким почтением Вашего императорского величества покорнейшая и послушная к услугам, — она помедлила и почти с торжеством прочла подпись: — *Елизавета*».

Голицын побледнел:

— Вы сошли с ума. Так не пишут императрице. Я уже обращал ваше внимание, — начал он, стараясь говорить грозно, — на непозволительную дерзость вашей подписи под протоколом. И вот теперь...

— А я вам объяснила, — вдруг холодно и высокомерно ответила Елизавета, — что другой подписи быть не может. Вы обязаны, князь, передать Ее величеству мое письмо.

«Боже мой... Когда матушка получит вот это... Да после моего благостного донесения... да еще прочтет до того ее подпись под протоколом... Это ведь конец! Ей — конец!.. Да и тебе... Ох, и будет тебе гнев матушки!»

— Послушайте, я действительно к вам добр, ибо вы больны. Это письмо может привести к крайним мерам и самому суровому содержанию. Вы не представляете, что такое «суровое содержание». И чем оно станет для вас, изнеженной и очень больной женщины. Вы долго не протянете...

— Да-да. Я поняла, что вы добры ко мне... Что вы хотели бы, чтобы я тут «протянула долго». А коли я предпочитаю...

И она засмеялась.

«Нарочно! Ну конечно!..»

— Князь, вы дали слово, — твердо сказала она, — и я уверена: вы его сдержите. Вы передадите мое письмо. Тем более что услуга, которую я смогу оказать при встрече вашей императрице, поверьте, будет исключительной!

— Да не записывай ты! — в сердцах сказал князь Ушакову.

ЕКАТЕРИНА В МОСКВЕ

Весь 1775 год Екатерина прожила в Москве.

Только что пережившее смертный страх перед пугачевским воинством московское дворянство радостно встречало императрицу.

Ах, эта Москва... Теплые московские дворцы, утопающие в зелени, и, как контраст, как вечный спор, беспощадное видение Санкт-Петербурга: прямые стрелы проспектов, холод Зимнего дворца, лед Невы, безжалостные шпили крепостей...

Когда по воле Петра вся знать потянулась в Петербург, северный парадиз не пришелся по вкусу старым дворянским родам. Сердца их рвались обратно, в родное московское приволье.

Блестящие вельможи, выйдя в отставку или попав в немилость, немедля селились в Москве и доживали тут свои дни в роскоши и в полнейшем бездействии. Москва становилась ворчливой оппозицией Петербургу. Екатерина называла ее республикой и заботилась о том, чтобы сохранять с ней добрые отношения.

Дети богатейших московских вельмож составляли основу гвардии, той самой гвардии, которая возводила на трон и свергала с трона российских государей.

Москва XVIII века. Это был единственный в мире город-усадьба. Извилисто текла еще не закованная в трубы Неглинка, образуя великие болотца, пруды и застойные лужи. Грязь убирали лениво, что способствовало возникновению знаменитой чумы, опустошившей город в 70-е годы, во время борьбы с которой так отличился Григорий Орлов.

Но зато не было проклятой петербургской тесноты.

Великолепны раздольные подмосковные усадьбы: юсуповское Архангельское, панинское Марфино, шереметевское Останкино, и столь же привольны городские дворцы-усадьбы с такими же обширными парками за чугунными оградами, с домашними церквями... Все это соседствовало с деревянными лачугами с завалинками и огородами.

Древний Кремль — гордость москвичей — был, увы, в запустении. Он просыпался только во времена коронаций. И вновь погружался в вековой сон, нарушаемый лишь московскими пожарами.

Как горела тогда Москва! В 1701 году великий пожар сжег Кремль. Петр занимался строительством Петербурга, и было ему не до ненавистной московской старины. И обгорелые стены кремлевских дворцов угрюмо зияли черными провалами.

В 1737 году новый страшный пожар обрушился на Москву. Пожар вспыхнул от свечки перед иконой и остался в пословице «Москва от копеечной свечки сгорела...»

Наконец богомольная Елизавета, столь любившая первопрестольную, где провела она свои девичьи годы, где, по преданию, венчалась с Алексеем Разумовским и где живала часто в великолепном его дворце, обращает свои взоры на разрушенный Кремль. И, к ужасу ревнителей московской старины, повелевает иноземцу Растрелли разобрать обветшавшие здания и построить дворец. Он построил для Елизаветы в Кремле неудобный зимний дворец, который царица не любила и в котором никогда не жила...

Екатерина пошла в своих заботах о Кремле еще дальше. В 1773 году был заложен гигантский дворец по проекту Баженова. Он должен был охватить весь Кремль, но, к счастью, истощенная пугачевским бунтом и войною казна не дала возможности осуществить это... Последствия внимания Екатерины были страшны: уничтожение еще крепких старых зданий Приказов, знаменитого Запасного дворца, где когда-то помещались хоромы Самозванца, снос Тайницкой башни, палат Трубецких, церкви Козьмы и Дамиана, дворцов духовенства. По планировке 1775 года была расчищена Красная площадь, сломан старый Гостиный и Посольский дворы, уничтожены стены, ворота и рвы Белого и Земляного городов...

Пока шло очередное разрушение-реконструкция древнего Кремля, Екатерина жила в старом Коломенском дворце.

В девять утра князь Александр Алексеевич Вяземский, как всегда, шел с докладом в кабинет императрицы.

Надев «снаряд», Екатерина читает отчет князя Голицына. Сначала с милостивой улыбкой: добрая государыня читает отчет доброго слуги. Но постепенно лицо ее мрачнеет. Наконец, отбросив бумаги, императрица приходит в бешенство. Она быстрыми шагами разгуливает по кабинету, пьет воду и бормочет:

— Бестия!.. Каналья!.. Это не донесение, это любовное послание. Этот выживший из ума старец, по-моему, совсем потерял голову от развратной негодницы!

Наконец она успокоилась, уселась в кресло, позвонила в колокольчик.

Вошел молодой белокурый красавец Завадовский, новый секретарь императрицы.

Петр Васильевич Завадовский с весны 1775 года состоял «при собственных делах императрицы». В июле того же года при праздновании Турецкого мира ему будет пожаловано полтысячи душ в Белоруссии.

— Пишите, мой друг.

Секретарь усаживается за столик.

Екатерина, расхаживая по кабинету, начинает диктовать письмо Голицыну.

Князь Вяземский, как всегда, молча наблюдает эту сцену. Он есть — и его нет. Он умеет исчезать, оставаясь на месте.

— «Князь Александр Михайлович, — диктует Екатерина. — Пошлите сказать известной женщине, что, ежели желает она облегчить свою судьбу, пусть перестанет играть ту комедию, которую она в присланных нам бумагах играет. Это дерзость. Дерзость доходит до того, что она смеет подписываться Елизаветой».

— Я не поспеваю, Ваше величество, — говорит Завадовский.

— Простите, мой друг, — берет себя в руки Екатерина.

И вновь диктует, обращаясь к нему с нежной улыбкой, и вновь постепенно приходит в бешенство:

— «Велите к тому прибавить, что никакого сомнения не имеем, что она авантюристка. И для того посоветуйте этой каналье, чтоб она тону-то поубавила и чистосердечно призналась, кто заставил играть ее сию роль? И откудова она родом? И давно ли сии плутни ею вымышлены? Повидайтесь с нею, князь, и весьма сердечно скажите этой бестии, чтобы она опомнилась. Вот уж бесстыжая каналья! Дерзость ее письма ко мне превосходит всякие чаяния!»

— Я не успеваю, Ваше величество.

— Простите, мой друг.

Она продолжает диктовать:

— «И я серьезно начинаю думать, что она попросту не в полном уме. Остаюсь доброжелательная к вам Екатерина. Москва, июня 7 дня 1775 года».

Подписав письмо, императрица обращается к Вяземскому:

— И намекните князю, что, если сии два вопроса в самом скорейшем времени не получат ответа...

Вяземский поклонился.

Екатерина взяла себя в руки и добавила привычно благостно:

— И пусть он поосторожнее будет с этой канальей. Князь добр, а женщина бесстыжа и коварна. Что еще у нас, Александр Алексеевич?

— Граф Алексей Орлов пересек границу России и сухопутным путем направляется в Москву.

Вяземский вопросительно посмотрел на императрицу.

— Ну что же, граф доблестно вел себя в сражениях, он оказал нам неоценимые услуги в деле с этой бестией, и мы с нетерпением поджидаем графа в Москву на наши торжества по случаю заключения мира с турками. Заготовьте указы о присвоении титула Чесменского и о прочих его наградах.

ГОЛИЦЫН:
«И ВСЕ-ТАКИ — КТО ОНА?»

Князь Голицын и Ушаков вошли в камеру Елизаветы. Князь был мрачен.

— Ах, князь, где же вы столько пропадали?.. Я скучала, — нежно и кокетливо, будто не замечая настроения князя, начала Елизавета.

— Я ждал ответа Ее величества на ваше послание, — хмуро сказал князь. И добавил сухо и строго: — Ее величество справедливо возмущены дерзостным тоном вашего письма и предлагают вам впредь перестать играть комедию, которую вы, несмотря на все увещевания наши, играть продолжаете. И немедля ответить на следующие вопросы: кто надоумил вас присвоить царское имя? Откудова вы родом?

— Князь, я уже объяснила: никто! — не торопясь, начала Елизавета. — Просто откуда-то возник слух...

— Так! Отвечать отказываетесь! Пиши! — обратился князь к Ушакову. — Второй вопрос: откудова вы родом?

— Но, князь, вы же знаете... Я много говорила вам, что эта загадка мучает меня всю мою жизнь, и...

— Пиши: опять отвечать отказывается, — жестко обращается князь к Ушакову. — И третий вопрос: от кого получили вы тексты завещаний российских государей?

— Но я уже отвечала вам: не знаю... Может быть, и есть моя вина в том, что, не зная, я отправила их графу...

— И на третий вопрос отвечать не желает. — И князь, пряча глаза, сказал Елизавете: — Ну что ж, видит Бог, государыня была к вам милостива, но всякому терпению есть конец. — И он приказал Ушакову: — Пусть войдет господин комендант...

«Клянусь, она с любопытством ожидала дальнейшего. Не с ужасом, а с любопытством. И такая была гордая! Господи, отведи искушение!»

В камеру вошли комендант и солдаты.

— Отберите у сей женщины все! Все, кроме постели и самого нужного белья и одного-единственного платья. Ее служанку более не допускать к ней. Пищу давать крестьянскую. Простую кашу... Офицеры и двое солдат должны находиться теперь внутри помещения денно и нощно. Господин Ушаков! Переведите ей.

В камеру уже входили офицеры и солдаты. Комендант выносил вещи принцессы.

Она выслушала Ушакова, залилась слезами и упала на постель.

— Ах, голубушка, я же предупреждал, — сказал князь и торопливо вышел из камеры. Он не терпел женских слез.

В камере остались офицер, двое солдат и Елизавета.

Она тотчас перестала плакать, внимательно посмотрела на пришедших и обратилась к ним сначала по-немецки:

— Вы тут намерены быть всегда, господа?

Но они молчали.

Она заговорила по-французски.

Солдаты и офицер только переглянулись и продолжали молчать.

Они понимали только по-русски.

В своем дворце Голицын в халате сидел в кабинете. Перед ним стоял комендант крепости Чернышев.

Комендант докладывал.

— Совсем плоха. Два дня не ела. И кровью ее рвало. Не может она принимать эту пищу. Потом вас все звала. Но солдатушки не понимают... Наконец многократным произнесением вашего имени она их вразумила. Те дали ей перо и бумагу. Вот, Ваше сиятельство...

Князь читает записку Елизаветы:

— «Именем Бога умоляю вас, сжальтесь надо мной. Здесь, кроме вас, некому меня защитить. Придите! Я, как в могиле, в таком молчании...»

Голицын пришел в камеру Елизаветы. На этот раз один, без Ушакова.

— Увещеваю вас, сударыня... Сами видите, к чему приводит запирательство. Откройтесь, государыня милостива.

Она хотела ответить и закашлялась.

«Помрет... Помрет, а мы так и не узнаем. Ох, будет гнев!»

Елизавета вытерла кровь и вдруг начала с удивительной энергией:

— Не хотят даже слушать доказательство моей невинности, — уставилась на князя томными глазами. (Ах, как страшился князь этого ее взгляда!) — Будьте милосердны, не верьте бредням и слухам. Лучше поглядите внимательно в мои бумаги. Прочтите там письмо маркиза де Марина. Он, умнейший человек, серьезно сообщает мне о слухах: будто в моем распоряжении персидская армия в шестьдесят тысяч человек! И сколько еще таких бредней обо мне ходило!.. Почему я должна за них отвечать?

— Но у нас есть сведения, — сказал князь, отводя глаза, — что это вы сами многократно утверждали, будто у вас шестьдесят тысяч войска, так же как это вы писали султану письма, где подписывались именем дочери императрицы.

— Князь, это сплошные недоразумения! — сказала она вдруг легкомысленно. — Поймите, я очень доверчива и за это много страдала, но я честна. Честна перед императрицей. Знаете что... Соберите обо мне мнения самых знатных людей Европы! Князь, умоляю, выпустите меня отсюда! Клянусь, я буду молчать обо всем. Я все забуду, вернусь к своему жениху в Оберштейн. Ну, выпустите меня, князь!

— Вы никак не хотите понять серьезности вашего положения и оттого не хотите сознаться.

— Ох, я так не люблю быть серьезной!.. Я так боюсь серьезных людей. — Она продолжала свою игру. И добавила, с необыкновенной нежностью глядя на князя: — Да и в чем мне признаваться? Скажите, я произвожу впечатление сумасшедшей? Тогда зачем же вы приписываете мне сумасшедшую идею: сменить власть в России! В стране, языка которой я даже не знаю. Да если бы весь свет уверял меня, что я Елизавета, неужели, по-вашему, я настолько безумна, что не смогла бы понять, что я, жалкая женщина, не могу идти против великой незыблемой империи?.. Умоляю, сжальтесь надо мной и, главное, над невинными, которых здесь заточили единственно за то, что они были при мне! Неужели я их погублю?

«Когда она вот так говорит... я забываю, зачем пришел. И верить ей начинаю...»

— Вы говорите, что некоторые особы, известные в Европе, могут дать о вас необходимые сведения? — попытался вернуться к допросу князь.

— Да! И наверняка помогут раскрытию моей тайны, которой я сама не знаю! Клянусь! — Она почти кричала. — Я ее не знаю!

— Хорошо, кто они, эти люди? Назовите, — стараясь быть строгим, спросил князь.

— Князь Филипп Фердинанд Шлезвиг-Гольштейн-Лимбург, литовский гетман Огинский, маркиз де Марин, французский министр Шаузель...

«Ну разве эти бредни удовлетворят матушку? А мне опять донесение писать...»

— Послушайте, — устало начал князь, — я увещеваю вас: раскройте, кто вы? Кто внушил вам мысль принять на себя царское имя?.. Вы же видели, чем кончается запирательство. А ведь существуют еще крайние меры...

У нас с вами два исхода: или мы о вас все узнаем, или вы все узнаете о наших «крайних мерах»...

— Я сказала все. И не только мучения, но и смерть не заставит меня отказаться от моих показаний!

Князь только скептически покачал головой.

«Ох-хо-хо! Я-то знаю, как отказываются, да еще какие люди... Не тебе чета, милая красавица...»

И сказал, стараясь быть суровым:

— Ну что ж, при таком упрямстве вряд ли можно ожидать помилования...

В ответ она только закашлялась.

— И все-таки передайте Ее величеству: я жду, когда она со мной поговорит.

Князь только махнул рукой и вышел из помещения. Сказал ожидавшему его коменданту:

— Допустите к ней служанку, выведите солдат из камеры и кормите со своего стола. — И прибавил, будто оправдываясь: — А то долго не протянет. И правды не узнаем.

ЕКАТЕРИНА: «КТО ОНА?»

Москва, Коломенское, девять утра.

Екатерина беседует с князем Вяземским. Это их обычная утренняя беседа. Беседа «исполнительного» человека с императрицей: она говорит, а князь Вяземский молча кивает или издает восхищенные восклицания, вроде: «Ну, точно, матушка! Точно так, матушка государыня!»

Екатерина говорит:

— Вместо покаяния она громоздит ложь на лжи. Да и князь хорош! Она открыто водит его за нос. А он серьезно нас спрашивает, можно ли по просьбе разбойницы обратиться за выяснением ее жизни чуть ли не ко всей

Европе. Эта интриганка хочет нашими руками известить о своем положении весь мир.

— Совершенная правда, Ваше величество.

— А князь не понимает. Или он действительно потерял голову, или он дурак. Напишите ему: мы-де сора из нашей избы в Европу выносить не привыкли... И пусть продолжает выяснять, кто сия каналья на самом деле и кто подучил ее преступным действиям?

Князь Вяземский проникновенно кивал.

— И еще: пусть он объявит сей лгунье, которая опять просит у меня аудиенции... Смеет просить... Что я никогда!.. Никогда!.. НИКОГДА ЕЕ НЕ ПРИМУ, ибо мне известны и преступные ее замыслы, и крайняя ее лживость.

Она позвонила в колокольчик.

Вошел все тот же обольстительный секретарь Завадовский.

— Сейчас, мой друг, — обратилась она с мягкой нежностью к молодому человеку, — мы будем писать письмо князю Александру Михайловичу Голицыну.

Молодой человек восторженно улыбается императрице.

ГОЛИЦЫН:
«КТО ОНА? КТО ОНА? КТО ОНА?»

Санкт-Петербург, дворец Голицына.

Князь закончил читать письмо императрицы.

— Ох-хо-хо, — вздохнул Голицын, — опять придется ее на хлеб и воду!

Целый месяц бился в заколдованном кругу бедный князь — то отменял строгие меры, то применял. И все с ужасом ждал, что императрица велит принять «крайние меры», и тогда арестантке придет конец, и так и не выяснит он правды. Но Екатерина к «крайним мерам» отчего-то не прибегала. Вместо этого из Москвы забрасывали его бесконечными повелениями.

«Со второй половины июля матушку вдруг начал интересовать лишь один вопрос: кто она, сия женщина, на самом деле?»

Раннее утро, князь мирно спит в своей опочивальне.

Входит камердинер князя, осторожно будит своего господина:

— Ваше сиятельство... Срочная депеша. Из Москвы. Велено разбудить...

Старый князь спросонок читает депешу:

— «Милостивый государь! Ее величеству через английского посланника донесено, что известная самозванка есть трактирщикова дочь из Праги. Сие обстоятельство, мы надеемся, к обличению обманщицы послужит. И вы немедля должны использовать его. И то, что откроется, Ее императорскому величеству тотчас донести. Генерал-прокурор князь Вяземский».

Хохочущее лицо Елизаветы.

— По-моему, князь, вы сошли с ума!.. Так и передайте тем, кто снабдил вас этой чепухой.

И опять раннее утро в опочивальне князя Голицына. И опять его почтительно будит камердинер:

— Ваше сиятельство, депеша от императрицы.

И опять спросонок с трудом читает бедный князь:

— «Адмирал Грейг имеет подозрение, что распутная лгунья — полька. Вы можете в разговорах с ней узнать незамедлительно, на самом ли деле она есть польская побродяжка...»

И опять камера. И опять умирающая от хохота Елизавета.

— Из-за этого вы разбудили меня?! Чтобы сообщить этот вздор?!

И опять дворец Голицына. И опять его будит растерянный камердинер с очередной безумной депешей в руках.

«Я понимал, что матушка начала сильно нервничать, но что я мог поделать? Молчала разбойница! На этот раз матушке сообщили, что, по слухам из Ливорно, самозванка есть итальянская жидовка».

Сидя на кровати, полусонный князь дочитывал письмо императрицы:

— «И скажите: коли в этот раз она опять не признается в правде, и не послушает наших монарших слов, и вместо признания будет продолжать свои бредни, мы тотчас отдадим ее в распоряжение суда и решим дело по справедливости и суровости установленных нами законов».

Раннее утро. В камере Елизаветы князь Голицын и Ушаков.

— Значит, еврейка? — усмехается Елизавета. И, помолчав, вдруг добавляет: — Передайте императрице, что я не могу и на этот раз принять ее *предложение.*

— Какое предложение? О чем вы смеете говорить, сударыня?

— А вы до сих пор не поняли? Императрица в который раз делает мне предложение: коли я соглашусь на одну из этих глупостей и признаю себя дочерью трактирщика или еврейкой, я думаю, что мне даже предоставят свободу.

— Не записывай это, болван, — прохрипел князь Ушакову.

— Но передайте вашей государыне: никаких предложений. Только аудиенция. Без нее ничего не будет. Личная встреча.

— Ох, накличете вы, сударыня... Да за такие речи завтра же «крайние меры» последуют.

— Не последуют. Никаких «крайних мер» не будет, — вдруг усмехнулась Елизавета. — Ибо хозяйка наша боится, что при «крайних мерах» я тотчас скажу то, что знаю. Не выдержу и расскажу. А она не хочет этого услышать. Она так не хочет этого услышать, что боится даже встречи со мной... А хочет она, чтоб я только признала, что ничего не было. *Была лишь безумная лгунья, всклепавшая на себя чужое имя.*

— Опомнитесь, сударыня, еще раз увещеваю. И когда опомнитесь, мы разговор продолжим.

«А ведь и вправду как все странно! Государыня грозит, а «крайних мер» не следует... Неужто?..»

Голицын и комендант Чернышев шли по двору Петропавловской крепости. Холодное летнее петербургское солнце горело на золотом шпиле...

— Нервна очень и кашляет... Ох, не протянет!

— Так ведь почему нервна она?.. — усмехнулся комендант. И, подмигнув, прибавил: — Неужто не догадались, Ваше сиятельство?

— Да ты что?

— Жена моя первая поняла. А вчера и лекарь подтвердил.

— Только этого недоставало! — всплеснул руками князь.

ОРЛОВ:
ДЫМ ОТЕЧЕСТВА

В Москве, в Коломенском дворце, Екатерина принимала графа Алексея Орлова.

— Рада тебя видеть в отечестве, Алексей Григорьевич, накануне празднеств наших. Велика твоя доля в победе. Надеюсь, по заслугам и оценила.

— Приношу тебе рабскую благодарность за великие твои милости, матушка!

— Брат твой Григорий в Петербурге в полном здравии, и, надеюсь, скоро его увидишь. Вот и послы иностранные с изумлением отмечают, что вновь он у нас в полной милости. Не понимают, что никогда не забуду услуг вашей семьи нам и отечеству.

— Рабы твои до смерти.

— Знаю.

— Надеюсь, что усердие свое я тебе доказал, когда разбойницу к тебе доставил, — чуть усмехаясь, говорит граф.

— Оно и видно, — пришел черед пошутить императрице. — Лекарь говорит: тяжела она... Впрочем, сия развратница со всей своей свитой, говорят, жила?

Орлов молчал.

— И притом, — вдруг взрывается Екатерина, — смеет нам писать, настаивать на свидании. Объявляет, что может сообщить нам нечто важное. — И совсем уж насмешливо закончила: — Как ты думаешь, Алексей Григорьевич, что она хочет нам такого важного сообщить?

— Уж не знаю, матушка государыня. Но совсем не то, что нашептывают тебе, матушка, друзья мои здешние. Я перед тобой чист: заманил и привез. Как обещал.

— Граф, ты с ней в полной откровенности был... Кажется, так?.. — продолжала насмехаться императрица. — Ну, и кто же она?

— Да, хороши слуги у тебя, коли до сих пор не выяснили!

— Так помоги им.

— Ан не могу, — улыбается граф. — Я отписал: не сказала. Все сказала, — продолжал он, в упор глядя на Екатерину, — и как любит, сказала. А уж она говорить умела... Молода да хороша. Так, что забыть нельзя.

— И ей тебя тоже. До смерти, — усмехнулась императрица. — И все-таки, граф, что по сему поводу думаешь?

— Сначала я решил, что побродяжка. Плетет басни свои... Но как-то ночью... Ночью... — повторил он, глядя на Екатерину.

— Ночью, — печально повторила императрица, будто вспомнила что-то...

— Так вот. Ночью... она вдруг имя одно сказала. Каковое знать ей неоткуда было: Иоганна Шмидт...

— Помню ее, — вздохнула государыня.

«Еще бы не помнить тебе любимой наперсницы Елизаветы! Уж как она тебя тиранила!..»

— И еще про Кейта, англичанина, на службе Елизаветы находившегося. А потом и про учителя...

— Про какого учителя? — тихо спросила Екатерина.

— Дитцеля... Ну, который, по слухам, увез... Августу вместе с племянником Разумовского в Европу. А Дитцеля этого иногда она кличет Шмидтом. Все перемешалось в ее головке... Или рассказал ей все это кто-то. Или молода была, когда все узнала.

— Ну что ж. Сильно опутала тебя бесстыжая лгунья. Неужто забыл, Ваше сиятельство, что сказал вам старик Разумовский: никакого брака тайного не существовало. Как и Августы, следственно! Не в твоем возрасте повторять вековые сплетни! Но чтоб до конца во всем уверенным быть и слугам нашим нерасторопным помочь, поезжай-ка ты сам в крепость, граф. И разузнай все. Уж доведи до конца дело свое! — улыбалась императрица.

Он помолчал, потом сказал глухо:

— Зачем на муку меня посылаешь, Ваше величество?

— Если сие мука для тебя, дай Бог! Значит, сердце в тебе осталось. А без сердца как жить, граф?.. Граф Алексей Григорьевич Орлов-Чесменский, как теперь будут тебя называть... Вторая часть имени почетна, да и пригодится... — опять она усмехнулась, — ребенка будущего прозывать. Чтоб знал да гордился.

Вошел Потемкин.

Они стояли друг перед другом — Орлов и Потемкин, — оба огромные, косая сажень в плечах, и смотрели друг на друга ненавидящими глазами. Но под взглядом императрицы покорно обнялись и радостно расцеловались.

— Граф хоть и устал с дороги, — сказала императрица, — но в Петербург направляется. Торопится облобызать любимого брата. Не будем задерживать его досужими разговорами...

В 1860 году в «Северной пчеле» была напечатана история некоего Винского. В 1778 году, то есть через три года после описываемых событий, был он посажен в тюрьму за политическое дело, в тот самый Алексеевский равелин. Под старость Винский написал об этом «Записки». Он писал, что в конце срока временно перевели его в большое сухое помещение. И как-то, стоя у окна, он заметил на стекле итальянскую надпись, нацарапанную алмазом: «O! mio Dio!»

Винский спросил сторожа, приносившего еду, кто был здесь до него. И показал на царапины на стекле.

— Некому другому писать, кроме барыни. Перстень у нее был. Привезли ее издалека, по-русски совсем не знала. Я ей еду носил, да не как тебе — а настоящее кушанье, с комендантской кухни. А потом к ней как-то сам граф приезжал — Алексей Григорьевич Орлов-Чесменский. А потом она у нас и родила. А что? Здесь у нас все, как у людей. Тюрьма ведь тоже дом.

В камере темно, тускло горел огарок свечи. Она сидела на постели, расчесывала волосы, и головка ее была склонена, как на том экране.

Орлов в ужасе смотрел на исхудавшее лицо: одни огромные глаза да копна роскошных волос.

— Прости... Я... должен был предупредить о своем приходе.

Она расхохоталась.

— Ты сошел с ума. Какие церемонии в этом палаццо! — Она указала на солдат, молчаливо сидевших в углу темной камеры. — Видишь этих очаровательных мужчин при оружии? Они не покидают меня ни днем, ни ночью. А что? Они и есть теперь мои мужчины. Были те, теперь эти. Так что вы, граф, здесь всего лишь один из посторонних непрошеных мужчин.

— Я немедля распоряжусь...

— Вы? Распорядитесь? — Она опять покатилась со смеху. — Ну, не смешите меня! Игра закончена. Это раньше, когда я с вами только знакомилась, я уверена была, что вы распоряжаетесь. А теперь я знаю: в этой стране распоряжается только она. А вы — рабы. Ты, добрейший князь Голицын... Нет-нет, я без иронии. Он действительно добрейший. Просто я представляю, с какой добрейшей улыбкой он вздернет меня на дыбу, коли она прикажет. Хозяйка... Бедная! Она так боится, что не успеет узнать... Что я убегу... в могилу. А еще больше боится — узнать... Решила все-таки через тебя попробовать. Послала — и ты пришел. После всего, что сделал. Не постыдился. Точнее, стыдился, но пришел. Потому что раб. — И вдруг она закричала: — Как вы смели! Вы, который шептали в ночи... Вы, которому я все... Кто дал вам право бессовестно распорядиться чужой судьбой? — Она снова расхохоталась. — Это я так на корабле, когда тебя поджидала, в мыслях вопила. А сейчас — не хочу. На рабов не сердятся. Как на этих солдатиков несчастных. Они мне как родные. Помнишь, мы говорили, как на плахе жертва дарит палачу нательный крест. Братается с ним. Боже, как мне было это дико слышать когда-то. А сейчас поняла. В тюрьме должно многое понять... — И она протянула ему из темноты нательный крест. — Держи, я тебе приготовила. Я знала, что она тебя пошлет.

Он взял крест.

— Клянусь на кресте! Я тебя любил.

— Не надо. В любовь мы наигрались. Оба.

— Я не играл, Алин. Я любил. Я и сейчас тебя люблю.

— Тогда еще страшнее. Тогда ты даже не дьявол. Ты — никто... А я тебя не любила. Я виновата. Я любила... что? Деньги? Нет, их я тратила. Я любила власть. Власть над всеми. Как здесь это смешно! А ты успокойся. Ты не виноват. Я играла с тобой. И думала, что выиграла. И проиграла, потому что я впервые встретилась с любовью раба. Объясни своей госпоже: она тебя зря послала. Скажи, что «развратница»... Это она так меня кличет. Эта дама, о бесчисленных любовниках которой легенды ходят, смеет так меня называть. Скажи, что «развратница» сказала: есть только один путь узнать тайну — это свидеться со мной. И пусть поторопится: находиться мне тут, в гостях у нее, уж недолго. Ступай, граф. — Она засмеялась. — Графы... Бароны... Князья... Гетманы... Действительно развратница!

— Ты должна родить.

— Почему-то очень смешно, когда это говоришь ты, и так заботливо. Я рожу. Сына. Именно сына. Потому что не люблю женщин. Я даже имя ему придумала: Александр. Я слышала, что внук Екатерины носит имя Александр. А чем внук императрицы Елизаветы хуже? Александр!

— Я умоляю тебя, забудь все это. И я клянусь: ты будешь свободна. Я добьюсь.

— Я просила: не смеши меня. Передай ей: *свидание! Только мое свидание с ней!* Скажи, что оно в ее интересах. Скажи, что я знаю: она не идет, потому что кое-что услышать боится. Пусть превозможет страх и придет!

Коломенское.

Граф Орлов и Екатерина одни в кабинете.

— Смею предположить, Ваше величество, что только личная аудиенция...

— И как вы себе это представляете, граф?

— Велите привезти ее во дворец.

— Чтоб завтра весь Петербург, а потом пол-Европы удивлялись: почему мы унизились до встречи с побродяжкой? И воображали невесть что? Нет, императрица не встречается с безродной шельмой!

— Государыня, откуда кто узнает?

— Милый друг, сразу видно, вы давно не были в России. И забыли: мы все тут держим в секрете, но почему-то все обо всем знают. И чем больше секрет, тем больше знают. Я имею возможность следить за тем, что пишут в своих тайных донесениях иностранные послы. Как только я прошу своих приближенных: «Господа, это надо держать в секрете», так тотчас читаю сей секрет в донесениях всех иностранных послов! У нас в России все секрет. И ничего не тайна.

— Отпусти ее, матушка, Христом-богом прошу. При смерти она.

Екатерина молчала.

— Отпусти ее... За службу мою!

— За службу твою я тебя наградила, граф. Но нужду государства я не забыла тоже. Нам нужно спокойствие. Я характер ее поняла: эта женщина даст нам спокойствие разве в могиле. Прощай, граф. Я знаю, ты собрался опять вернуться в Петербург. Не надобно тебе.

Он с изумлением посмотрел на императрицу.

— Здоровье у тебя неважное. Ты правду писал. Потерял здоровье на ревностной службе отечеству. Я уже давно о сем подумывала — и даже освободила твои московские дома от всяких денежных сборов. В Москве будешь жить, граф.

Орлов глядел на императрицу. Она выдержала его взгляд и прибавила:

— Брат твой как-то сказал: «Два светила у тебя, матушка: я и Алешка!» Слишком много света будет для одного Петербурга держать вас там обоих. Мы должны об украшении и другой нашей столицы подумать.

ГОЛИЦЫН: «КТО ОНА?!!»

Князь Голицын подъехал к Петропавловской крепости. Карета въехала за стены крепости и направилась, как обычно, к Алексеевскому равелину.

«Вчера получил от государыни лично исправленные ею доказательные статьи. В них на основании наших допросов неопровержимо доказывалось, что все письма к августейшим особам Европы, захваченные у разбойницы, изготовила она сама и сама придумала также называть себя дочерью императрицы Елизаветы. Двадцать доказательных статей лично составила матушка. Вот как удивительно волнует ее это дело... Ох-хо-хо...»

В камере — князь Голицын и Елизавета. Ушаков за своей конторкой приготовился записывать.

— Надеюсь, что вы прочли сии статьи. И, как милостиво указала государыня, они напрочь уничтожают ваши ложные выдумки. Вы приготовились к ответу?

— Да, князь, совершенно.

— Итак, статья первая...

— Не будем тратить времени, князь. У меня все те же ответы на все статьи. О рождении своем не ведаю. И наследницей престола не называлась.

— Но побойтесь Бога. Вот смотрите, пункт седьмой: «Если сличать стиль и слог упомянутой женщины со стилем и слогом писем, захваченных у нее...»

— Не тратьте времени, князь. Ответ будет все тот же.

— Но так невозможно! Невозможно! Вы лжете на каждом шагу.

— В чем же моя ложь? — открыто издеваясь, спросила Елизавета.

— Да во всем. Даже в самых мелочах. И сейчас я вам это докажу!

— Жду, и с большим интересом.

— Например, вы заявляли, что понимаете по-арабски и по-персидски и воспитывались в Персии.

— Именно так.

— Напишите несколько слов на этих известных вам с детства языках.

По знаку князя Ушаков положил перед Елизаветой лист бумаги. Она усмехнулась и быстро написала на бумаге какие-то знаки.

— А теперь пригласите господ в камеру, — приказал князь Ушакову.

Ушаков ввел в камеру двух старцев.

— Этот господин из Коллегии иностранных дел... А этот господин из Российской Академии наук... — объявил торжественно князь принцессе. — И оба они в совершенстве владеют восточными языками.

После чего Ушаков положил перед ними бумагу, написанную принцессой.

— Что это? — обратился Голицын к ученым.

Те внимательно смотрели на бумагу и молчали.

— Это арабский или персидский? — строго спросил князь.

— Это никакой, — сказал наконец один из них, — это абракадабра.

Елизавета, усмехаясь, наблюдала всю эту сцену.

— Почему вы молчите, сударыня, и что это все значит наконец?

— Это значит, — спокойно ответила принцесса, — что спрошенные вами люди не умеют читать ни по-персидски, ни по-арабски.

— Все! Довольно! — в бешенстве поднялся Голицын. — На хлеб! На воду! И почему у нее тонкое белье в постели? Это что у нас тут — будуар или государева тюрьма?

«После того издевательства я не ходил к ней в камеру. Пусть поживет в строгих мерах: может, спеси-то поубавит! А тут еще и великие празднества подошли по случаю заключению мира с турками. Праздновать у нас умеют и любят. Я получил от государыни шпагу с бриллиантами и надписью: «За очищение Молдавии до самых Ясс». Наши блестящие модные насмешники, конечно, шутить по сему поводу изволили. Пусть шутят. Прибаутки-то их забудутся, а шпага к вящей славе останется. Все это время она писала самые жалостливые письма...»

В углу сидят караульные. На кровати, покрытой грубым одеялом, лежит Елизавета. В камере полутьма.

Входит Голицын, за ним Ушаков. Караульные молча поднимаются, выходят.

— Принеси свечей! — приказал князь Ушакову.

— Не надо, — раздался голос с постели. — Мне не хочется, чтобы вы меня видели. Простите, что лежу: проклятый кашель изнурил... да и в моем положении ходить не просто.

Голицын уселся и сказал в темноту:

— В последний раз, сударыня. Матушка императрица надеется, что одумаетесь. И расскажете всю правду.

— Странные тут люди, — задумчиво сказала она из темноты. — Я вам искренне предлагаю... даже умоляю... разрешить мне написать в Европу моим знакомым, чтоб попытаться выяснить эту самую правду. Почему вы не даете мне возможности им написать? Чего вы боитесь? Что они организуют мой побег? Но я никогда на это не соглашусь. Этого не позволит моя честь. И главное... почему ваша государыня не хочет поговорить со мной? Почему меня все время смеют упрекать во лжи и хитрости? Если б была хитра, разве поддалась бы я так слепо воле графа? Он! Он ввергнул меня в погибель! — Она кричала.

— Вы уже говорили все это, сударыня.

— Ах, князь, опять вы начинаете сердиться. Мне всегда больно, когда сердятся люди, которых я люблю. Поверьте, мое доверие к вам не имеет пределов. И в доказательство я хочу просить вас передать письмо императрице.

— Опять!

— Да вы не бойтесь, вы уже выучили меня писать вашей государыне, — засмеялась она в темноте и начала читать письмо: — «Ваше императорское величество, находясь при смерти у ног Вашего величества, излагаю я в объятиях смерти плачевную мою участь. Мое положение таково, что природа содрогается. Я умоляю Ваше величество... — Она помедлила и продолжала: — *Во имя вас самих* благоволите оказать милость и *выслушать меня.* Да смягчит Господь ваше великодушнейшее сердце, и я посвящу остаток моей жизни вашему высочайшему благополучию и службе вам. Остаюсь нижайшая, послушная и покорная, с преданностью, к услугам».

Она замолчала и протянула письмо из темноты. Голицын торопливо взглянул на письмо. Там не было ни подписи, ни даты.

«Слава тебе господи! Хоть этому тебя действительно научили, голубушка!»

— А что значит сие: *«Во имя вас самих* благоволите выслушать»?

— Это то самое и значит, князь: *«Во имя вас самих»,* — твердо и жестко ответил голос с кровати.

— Да, письмо не много лучше предыдущих. Дерзости по-прежнему... — Он вздохнул и поднялся.

— Ах, князь, как удалось вам сохранить доброе сердце? Бог благословит вас и всех, кто вам дорог, но помогите мне. Я изнемогаю. День и ночь в моей камере эти люди. Это при нынешнем-то моем положении. И главное: не с кем словом перемолвиться. Они не понимают меня. И эта страшная болезнь...

Добрейший князь только махнул рукой и вышел из камеры. У дверей камеры уже ждал его обер-комендант крепости.

— Вернуть хорошую пищу... Вывести людей... И вернуть камер-фрау! — не дожидаясь приказа, находчиво отрапортовал комендант.

Коломенское. Девять часов утра.

В кабинете императрица и князь Вяземский.

— Князь Александр Михайлович Голицын пишет, что она при смерти, — сказал Вяземский.

— Донесения князя напоминают стихи, — усмехнулась императрица. — Как он там написал? «Она возбуждает в людях доверие и даже благоговение», — усмехнулась императрица. — Это о бесстыжей беременной развратнице!.. Но пока он сочиняет эти стихи, дело не движется. Вместо раскаяния нам предлагают пустые просьбы от наглой бестии. Пусть князь объяснит ей в последний раз: никогда я с ней не встречусь. Кстати, коль она так больна и, как он пишет, «в объятиях смерти», пусть князь уговорит ее причаститься. — Императрица посмотрела на Вяземского.

— Послать к ней духовника и дать приказ, чтоб тот духовник довел ее увещеваниями до полного раскрытия тайны. О нижеследующем донести немедля с курьером, — тотчас сформулировал Вяземский.

«Слава богу, хоть этот не поэт!» — усмехнулась Екатерина.

В кабинете Голицына Ушаков докладывал князю:

— В Казанском соборе нашли. Священник Петр

Андреев. Он и по-немецки, и по-французски понимает.

— Присягу заставь принять о строжайшем соблюдении тайны и ко мне завтра позови.

Вошел камердинер и объявил:

— Курьер из Москвы от императрицы...

Голицын сидел за столом с письмом императрицы в руках.

«Который день подряд занимается матушка сим делом...»

Голицын, бормоча, с изумлением читал письмо:

— «Не надо посылать к ней никакого священника и более не надо допрашивать развратную лгунью. Вместо того предложить поляку Доманскому рассказать всю правду. И коли он правду расскажет о бесстыдстве сей женщины, присвоившей себе царское имя, разрешить ему обвенчаться с ней. После чего, — с величайшим удивлением прочитал князь, — дать дозволение *немедля увезти ее в отечество, чем и закончить все дело.* Добейтесь от нее согласия обвенчаться с поляком, чтобы раз и навсегда положить конец и будущим возможным обманам».

Князь торопливо позвонил в колокольчик. Вновь появился камердинер.

— Закладывать в крепость, — приказал князь. И добавил, обращаясь к Ушакову: — Смилостивилась над разбойницей матушка!

Он продолжал дочитывать письмо:

— «Коли не захочет бессовестная лгунья венчаться с Доманским, пусть сама откроет бесстыдную свою ложь. И, как только откроет, что бессовестно присвоила себе чужое имя, дать ей незамедлительно возможность возвратиться в Оберштейн и восстановить свои отношения с князем Лимбургом. Коли упорствовать будет и предложение сие не примет, объявить ей вечное заточение. Сии предложения от себя делайте, а имя наше ведомо ей быть не должно».

Потрясенный Голицын садился в карету, изумленно бормоча:

— Это что же такое? Полное помилование?!

Приехав в крепость, князь пришел в камеру Доманского.

Елизавета по-прежнему лежала в темноте на кровати. Теперь в камере не было караульных. Рядом с кроватью молча сидела камеристка Франциска, когда торопливо вошел князь. Он был один, без Ушакова. По знаку князя камеристка вышла из камеры.

— Хоть вы по-прежнему бессовестно запирались, но радуйтесь! Я принес вам необычайное известие.

— Я слушаю вас, князь, — равнодушно ответили из темноты.

— Сватом себя чувствую, — засмеялся князь. — Сейчас сюда приведут приближенного вашего Михаила Доманского. Он безмерно любит вас, и он просит вашей руки.

— Вы с ума сошли, — зашептали с кровати.

— Я удаляюсь, — продолжал князь. — И пусть камер-фрау подготовит вас...

— Не надо. Я достаточно уверена в себе, князь, чтобы принять его в обычном виде.

Ушаков и солдаты уже вносили в камеру свечи.

Она уселась на постели и, усмехаясь, глядела на дверь. В камеру ввели Доманского. Он с испугом, почти с ужасом смотрел на исхудалое темное лицо.

И она глядела на него.

«Как она на него смотрит. Клянусь, вовек не видел такой нежности... Кажется, дело сделано!»

— Итак, вам предлагают свободу и возможность немедля повенчаться, — торжествовал Голицын, предвкушая развязку. — После чего вы оба получаете право возвратиться в отечество господина Доманского. Конечно, при условии, что вы тотчас сообщите следствию тайну вашей лжи, сударыня. Все будет исполнено в точности, мое вам слово!

— Я правильно поняла вас, князь? Мы получаем свободу, коли я соглашусь признать себя дочерью трактирщика, булочника или чем-то там еще?

Доманский напряженно ждал ее ответа. Ушаков приготовился записывать. Она все с той же невыразимой нежностью смотрела на поляка.

— Вы и так получите свободу, мой друг, — тихо сказала она Доманскому. — Я вам ее обещаю. Свободу без моих лжесвидетельств... — И обратилась к князю: — А сейчас уведите его!

— Простите меня за мои показания, Ваше высочество. Я просто хотел... — начал Доманский.

Она усмехнулась:

— Я вас прощаю. — И почти крикнула: — Уведите!

Изумленный князь приказал солдатам:

— Уведите!

Доманского увели. Она смотрела, как он уходил в открывшуюся дверь камеры. Когда дверь захлопнулась, она начала хохотать. Она хохотала во все горло.

— Ох, князь, вы представляете меня замужем за этим несчастным, необразованным, жалким человеком?

— Но он красив... — беспомощно начал князь.

— Он недостаточно красив, чтобы обменять смерть дочери императрицы на жалкую жизнь госпожи Доманской.

— Хорошо. Тогда последнее предложение... — безнадежно сказал князь и добавил строго: — Но запомните, последнее!

Она молча глядела на него.

— Вы сами расскажете правду...

— Правдой вы называете то, что хотела бы услышать от меня императрица?

Князь будто не слышал.

— И за это вы получите возможность тотчас вернуться в Оберштейн и стать женой Лимбурга.

— Вы уверены, что он возьмет в жены признавшуюся лгунью? Хотя это досужий вопрос, ибо я сейчас думаю уже о другом женихе. И я приду к нему тем, кем была: дочерью русской императрицы. Передайте вашей государыне, — хрипло засмеялась она, — что ей остается только одно — увидеть меня. И пусть поторопится, а то жених уже поджидает.

Она закашлялась. Кашляла долго. Потом вытерла кровь и насмешливо посмотрела на князя.

— Я исчерпал все, сударыня. И милосердию есть предел... — И он начал торжественно: — Как нераскаявшаяся преступница, вы осуждаетесь на вечное заточение в крепости.

— Вечным, князь, ничего не бывает. Даже заточение.

— И никакого духовника за постоянную вашу ложь к вам не пришлют. Умрете как жили — лгуньей.

— Не пришлют — и не надо, — сказала она и равнодушно повернулась к стене.

Ушаков и солдаты уносили свечи. Голицын тяжело встал и пошел за ними к дверям камеры.

— Итак, я жду ее, — сказали ему вслед из темноты.

Из донесения князя А.М.Голицына императрице Екатерине, августа 12 дня 1775 года:

«Лживое упорство, каковое показала она, когда ни сама, ни Доманский не прибавили ни слова к данным прежде показаниям, хотя предоставлены им были высшие из земных благ: ему — обладание прекрасной женщиной, в которую он влюблен до безумия, ей — свобода и возвращение в графство свое Оберштейн... Из показаний ясно видно, что она бесстыдна, бессовестна, лжива и зла до крайности и никакими строгими мерками нельзя привести ее к раскрытию нужной истины».

Голицын закончил донесение императрице.

«С тех пор я более никогда не видел ее живой. В крепость я не ездил. Дел у меня и без того — весь Санкт-Петербург. А тут и хлопоты с детьми — дочь в свет вывозить. Ох, эта трудная комиссия: выдавать замуж!..»

Остается поверить, что деятельнейшая из русских императриц, у которой хватало времени писать пьесы и прозу, сочинять бесконечные письма и по десять часов в сутки заниматься государственными делами, отказалась откликнуться на призыв таинственной женщины, желавшей поведать ей свою тайну. Женщины, которую по ее приказу везла в Петербург целая эскадра. Женщины, которую ежедневно допрашивал сам генерал-губернатор Санкт-Петербурга, расследованием дела которой на протяжении двух месяцев руководила она самолично и с такой страстью...

И вот эта женщина готова сама сообщить ей при встрече то, чего она тщетно добивалась на протяжении месяцев. И Екатерина отказывается. И объясняет, что личная встреча с «побродяжкой» унизит ее! И это в России, где царь столь часто был верховным следователем, где Иван Грозный, и Петр, и Николай лично встречались со своими жертвами... Тем более что «побродяжка»-то была отнюдь не побродяжка, но невеста немецкого князя, кстати, куда более родовитого, чем сама Екатерина!

Не верится! Совсем не верится! А может быть, все-таки встретились? И может, узнала императрица на этой встрече то, что узнать не хотела, то, что узнать боялась? И оттого с таким упорством объявляла потом: «Встречи не было».

Во всяком случае, мы можем определить дату возможной встречи. Это произошло сразу после 12 августа. Именно тогда, когда внезапно помягчал режим и вдруг прекратились и допросы арестантки, и ежедневные инструкции Голицыну.

«Прошел сентябрь, октябрь и ноябрь... Из Москвы меня не тревожили более инструкциями, к изумлению моему. В конце ноября вывез я как-то свое потомство на бал...»

Бал в Зимнем дворце.

Слуга у подъезда объявил:

— Карету князя Голицына!

По лестнице тяжело спускается князь. Его догоняет сухопарый господин в орденах — граф Сольмс, посланник прусского короля Фридриха.

— Всегда стараюсь, Ваше сиятельство, — расцвел улыбками обходительный Сольмс, — получать сведения из первых рук!

Голицын, милостиво улыбаясь, приготовился выслушать вопрос посланника.

— В Петербурге говорят, что привезенная Грейгом принцесса на днях родила в Петропавловской крепости сына графу Орлову. Сие пикантное обстоятельство нас интересует, потому что принцесса считалась невестой одного из владетельных немецких князей.

«Ох-хо-хо... Вот так-то у нас: я не знаю, а они все знают, басурманы... Я узнал о сем только сегодня утром... из перлюстрированного донесения саксонского посланника».

Из донесения посланника Саксонскому двору:

«В Петербурге говорят, что привезенная Грейгом принцесса, находясь в Петропавловской крепости, 27 ноября родила графу Орлову сына, которого крестили генерал-прокурор князь Вяземский и жена коменданта крепости Андрея Григорьевича Чернышева. И получил он имя Александр, а прозвище Чесменский, и был тотчас перевезен в Москву в дом графа».

«Ох-хо-хо...»

Голицын обращается к посланнику:

— Смею вас уверить, что это досужие выдумки и сплетни, никакой почвы под собой не имеющие, господин посол. Насколько мне известно, никакой принцессы в крепости не содержится.

— Я так и думал, — улыбнулся Сольмс, — но вчера вечером за картами прошел слух, что сам граф Орлов после всех милостей, которыми был столь щедро осыпан, вдруг подал в отставку. Не могут ли быть связаны эти события? — совсем благодушно спросил Сольмс, но глаза его горели.

— Это столь же безответственные слухи, — спокойно сказал князь.

— Как странно! — совсем наивно продолжал Сольмс. — А у меня сейчас в руках вот такой текст. Не желаете? — И он начал читать, поглядывая на князя насмешливыми глазами: — «Всемилостивейшая государыня, во время счастливого государствования Вашего службу мою продолжал, сколько сил и возможностей было. А сейчас пришел в несостояние и расстройство здоровья. Не находя себя более способным, принужден пасть к освященным стопам... — и так далее, — и просить увольнение в вечную отставку». Это письмо вчера нам всем прочел вслух сам Григорий Потемкин.

И Сольмс уставился на Голицына.

— Ну, вот видите, *сам* вам все и объяснил, — сказал, добро улыбаясь, Голицын.

— Спасибо за откровенность, князь, — продолжал Сольмс, — я лишь хотел удостовериться, что и для вас отставка чесменского героя — такая же великая неожиданность...

Голицын вышел из дворца, уселся в карету, приказал:

— В крепость, милейший!

Карета ехала по ночному Петербургу.

«Значит, не известили! А может, не сочли нужным? Но почему? А если *почему-то...* Ведь сам обер-прокурор... А может, не надо мешаться? Дело-то уж очень странное! Ох-хо-хо...»

Голицын высунулся из кареты и приказал:

— Давай-ка домой, любезнейший!

Карета разворачивается и через мост направляется обратно на Невский, ко дворцу князя.

Голицын продолжал размышлять во тьме кареты.

«Не наше дело... Одно только знаю: у чахоточных, когда от бремени освобождаются, болезнь ох как быстро побеждает! Так что вскорости надо ждать... Ох-хо-хо!»

...5 декабря 1775 года. Раннее морозное утро.

В своей опочивальне князь Голицын еще спал, когда камердинер со вздохами, почтительно разбудил его:

— Ваше сиятельство... Из крепости обер-комендант дожидается!

Князь в халате торопливо выходит в приемную. Здесь его ждет комендант Петропавловской крепости Чернышев.

— Кончается... Священника просит.

Голицын задумался. Походил по приемной.

«Ох, чувствую, не надо! Да как откажешь в такой-то просьбе? Ну что ж, будем все исполнять по прежней инструкции матушки».

— Позовешь к ней Петра Андреева, священника из Казанского собора... Сначала к присяге его приведи о строжайшем соблюдении тайны, ну а потом... я сам с ним поговорю.

Князь позвонил в колокольчик и сказал вошедшему слуге:

— Закладывать. В крепость!

Был уже седьмой час вечера. В Петропавловской крепости в комнате коменданта сидел князь Голицын. И ждал.

У дверей камеры Елизаветы прохаживался обер-комендант Чернышев. И тоже ждал.

Наконец дверь камеры открылась. И вышел молодой священник. Комендант взглянул на него и только перекрестился.

В комнате коменданта крепости по-прежнему сидел князь Голицын. Чернышев молча ввел священника.

Голицын вопросительно посмотрел: священник тихо наклонил голову.

— Отошла, — прошептал князь. — Ну и что... что сказала?

Священник глядел на князя кроткими печальными глазами.

— Что огорчала Бога греховной жизнью... жила в телесной нечистоте... и ощущает себя великой грешницей, живя противно заповедям Божьим... Господи, спаси ее душу!

— А соучастники... а преступные замыслы? — растерянно спросил князь.

Священник молча смотрел на него.

— Значит, это все, что я должен передать государыне?

— Это все, что я имею сказать вам, князь.

Священник все так же кротко смотрел на князя.

«Я хотел накричать на него: как он дерзнул не выполнить матушкину волю?! Я уж было рот раскрыл... Но мне почему-то стало страшно. От глаз его...»

— Благослови тебя Бог, Александр Михайлович, — тихо сказал священник. И вышел.

Голицын сидел один в комендантской. Куранты на крепости пробили семь.

«Я вспомнил, как впервые вошел к ней... было тоже семь часов пополудни...»

Он тяжело поднялся с кресел.

Голицын вошел в ее камеру.

Она лежала на кровати: руки скрещены на груди. Горела свеча.

Голицын долго смотрел на ее лицо, спокойное, прекрасное и совсем юное... На застывших губах — тихая улыбка... Да-да, улыбка...

За спиной послышались шаги коменданта.

Но Голицын, не оборачиваясь, завороженно глядел на эту таинственную улыбку.

Наконец хрипло приказал коменданту:

— В равелине похоронить. Сегодня же ночью. Хоронить должна та же команда, которая охраняла ее. И крепко предупреди их о присяге. Чтоб навсегда молчали, олухи...

Утром следующего дня в Петербурге шел снег. Все засыпано снегом у Алексеевского равелина. Князь Голицын стоял посреди ровного снежного поля. Рядом с ним — комендант Чернышев.

— С землею сровняли. Все как повелели. Здесь она. — Комендант указал на ровное белое поле.

Голицын молча глядел на белое пространство перед собой. Потом вздохнул, перекрестился и пошел прочь по двору крепости.

К новому, 1776 году двор вернулся в Санкт-Петербург.

В девять часов утра в кабинете императрицы в Зимнем дворце были с докладом Вяземский и Голицын.

— И ничего не сказала на исповеди? — Екатерина внимательно поглядела на князя Голицына.

— Точно так, Ваше величество! Умерла нераскаявшейся грешницей.

— Бесстыдная была женщина... Но мы зла не помним. Пусть будет ей царствие небесное. Кстати, этот Петр Андреев — священник очень строгих правил. И нечего ему в нашем суетном Санкт-Петербурге делать. Пусть Синод распорядится, отошлет его в обитель подалее. Там и люди чище, и жизнь светлее.

Вяземский поклонился и записал.

— Что остальные заключенные? — спросила Екатерина.

— По-прежнему содержатся в строгости под караулом, — ответил Голицын.

— А нужно ли сие? — благодетельно улыбаясь, вдруг спросила императрица. — Всклепавшая на себя чужое имя мертва. Стоит ли держать в заточении людей, введенных ею в заблуждение?

И она благостно взглянула на Вяземского.

— Ну, во-первых, нельзя доказать участие Черномского и Доманского в ее преступных замыслах, — тотчас начал все понявший Вяземский.

— Вот именно, — милостиво сказала Екатерина. — Действовали по легкомыслию. Да к тому же пагубная страсть молодого человека многое извиняет. Ах, эта любовь, господа!

Оба князя с готовностью закивали.

«Столько предосторожностей, секретностей — и вдруг выпустить всех этих людей, знающих столько, в Европу?! Но почему? Что случилось?» — в изумлении думал Голицын.

— Я думаю, следует взять с них обет вечного молчания. Дать им по сто рублей и отпустить в отечество... У вас иное мнение, господа?

Оба князя закивали, показывая, что у них то же самое мнение.

— Да, еще... Остаются ее камер-фрау и слуги. — И она посмотрела на Вяземского.

— Я читал показания камер-фрау, — с готовностью начал Вяземский. — Умственно слабая женщина. К тому же не доказано ее сообщничество с умершей авантюрерой. Кроме того, говорят, бедняжка не получала от нее давно никакого жалованья...

— Отдать ей старые вещи покойницы, выдать сто пятьдесят рублей на дорогу. Отвезти немедля в Ригу и отправить в отечество, — сказала императрица.

«Ну и ну! Будто завещание чье-то читает...» — сказал себе Голицын.

— Всем остальным слугам, — продолжала все так же милостиво Екатерина, — выдать по пятьдесят рублей. И доставить их до границы, предварительно взяв с них обет вечного молчания. Все это оформить в указ, господа.

«Хорош будет указ!.. Столько допросов, присяг, предосторожностей — и всех выпустить в Европу... Ничего не могу понять!»

— У вас другое мнение, князь? — обратилась к Голицыну Екатерина.

— Ваше императорское величество поступили, как всегда, милосердно и мудро. Я думаю, все указанные лица и дети их будут до смерти молить Бога за здоровье Вашего величества.

— Ну вот... Что еще? — Она посмотрела на Вяземского.

— Прошение графа Алексея Григорьевича Орлова об отставке, — печально ответил Вяземский.

— Заготовьте указ Военной коллегии, изъявив ему наше благоволение за столь важные труды и подвиги его в прошедшей войне, коими он благоугодил нам и прославил отечество... Мы всемилостивейше снисходим к его просьбе и увольняем его в вечную отставку. И пусть Григорий Александрович Потемкин сам подпишет. Сие будет приятно обоим: они ведь давние друзья.

В Петропавловской крепости.

В камере Елизаветы — ворох платьев. Платья разбросаны повсюду — на кровати, где недавно она лежала, на полу.

Ушаков стоял посреди моря туалетов с описью в руках, а Франциска фон Мештеде придирчиво рылась в вещах принцессы.

— А где палевая робронда с белой выкладкой?

— Что по описи было, то и отдаем, — терпеливо бубнит доведенный до изнеможения Ушаков.

Наконец она отыскала робронду.

И тотчас новый вопрос:

— А две розовые мантильи? Одна была атласная... я хорошо ее помню... И кофточка к ней была тафтяная розовая...

— Что по описи было, то и отдаем...

Госпожа Франциска фон Мештеде выехала в Ригу в январе 1776 года, откуда благополучно прибыла в свое отечество — в Пруссию.

В марте 1776 года покинули Россию Черномский, Доманский и слуга Ян Рихтер.

Князь Лимбург благополучно женился и дожил до глубокой старости, окруженный бесконечным потомством.

Князь Радзивилл помирился с Екатериной, с королем Понятовским и преспокойно доживал век в своем Несвиже, по-прежнему поражая гостей и соседей своими выходками. Как-то жарким летом он объявил гостям, что завтра пойдет снег. И наутро проснувшиеся гости с изумлением наблюдали из окон... белые луга. Это бесчисленные слуги князя всю ночь посыпали траву дорогой тогда солью.

Гетман Огинский тоже прекратил вражду свою с Екатериной и королем — теперь он мирно строил свой знаменитый канал.

И все они забыли о той женщине...

В Петропавловской крепости росла высокая трава там, где когда-то зарыли гроб с телом «известной особы».

Шли годы. История эта стала забываться, когда в Ивановском монастыре в Москве появилась удивительная монахиня...

ОПЯТЬ НЕСКОЛЬКО ДАТ

Много лет спустя, уже в середине XIX века старый причетник Ивановского монастыря рассказывал археологу и историку И.М.Снегиреву о той монахине:

— Был я тогда мальцом. Игуменья Елизавета меня любила, и в келье у нее я часто находился. Был я как раз в ее покоях, когда она вела тот разговор...

1784 год, декабрь.

Покои настоятельницы в Ивановском монастыре.

В углу кельи, у печки, сидел мальчик-причетник и подбрасывал дрова в огонь. Эконом монастыря и игуменья мать Елизавета беседовали.

— Келью ей поставишь каменную, — говорила игуменья, — и чтоб видать было из моих окон.

— Значит, у восточной стены, против ваших покоев и поставим, — отвечал эконом.

— Келью с изразцовой печью, и две комнаты, и с прихожей для келейницы — прислуживать ей. Окна сделай маленькие, и чтоб занавеска всегда на них была.

И служителя приставишь — отгонять любопытных от окон.

Игуменья помолчала, посмотрела в огонь и продолжала:

— От той кельи устроишь лестницу крытую прямо в надвратную церковь, чтоб ходила она молиться скрытно от глаз людских... Когда молиться будет — церковь на запоре держать... В общей трапезе участвовать она не будет, стол ей положишь особый: обильный да изысканный. К нашей еде она не приучена. Чай, догадываешься, чьи повеления передаю?

— Когда ждать-то новую сестру?

— К началу года келью поставишь. Говорят, матушка государыня в это время в Москву пожалует.

— А как кличут новую сестру?

— Досифея. Да тебе ни к чему, потому что говорить с новой сестрою никому не следует... Ну, ступай, отец, ночь на дворе.

И сейчас в Москве сохранились башни и стены древнего Ивановского женского монастыря. Как писалось в старых книгах: «Девичь монастырь расположен в старых садех под бором, что на Кулишках, против церкви Святого Владимира».

Давно нет ни садов, ни того бора, ни прекрасного названия Кулишки, но остались, как дивное видение, белая церковь Святого Владимира на холме и руины заброшенного монастыря в кривом московском переулке.

В лунные ночи грозно темнеют башни и тяжелый купол собора древней обители. Столь древней, что в 1763 году в описи монастыря глухо сказано: «А когда оный монастырь построен и при котором государе, точного известия нет».

Основание Ивановского женского монастыря приписывают Ивану Третьему и матери царя Ивана Грозного Елене Глинской. Знаменит был монастырь богатыми вкладами. Особенно заботилась и украшала святую обитель богомольная императрица Елизавета. Она предназначала монастырь «для призрения вдов и сирот заслуженных людей».

В ту суровую эпоху Ивановский монастырь был обителью, и крепостью, и местом заключения. Эти стены видели разведенных цариц, насильно постриженных в монахини, раскольниц и страшную Салтычиху, изуверку помещицу, прозванную народом людоедкой. В описываемое нами время она была заточена здесь в темном склепе, под соборной церковью, в полном мраке. И свечу ей вносили, только когда подавали пищу...

1785 год, февраль.

В покоях настоятельницы монастыря сидела новая монахиня. Плат до бровей скрывал исхудавшее прекрасное лицо, монашеское одеяние прятало стройное тело.

Скрипнула дверь — вошел мальчик-причетник с дровами. Новая монахиня вздрогнула, втянула голову в плечи.

— Ты что пугаешься при каждом шорохе? — ласково сказала игуменья Елизавета. — У нас, слава богу, бояться тебе нечего. Тут покойно. Время свое проводить будешь в рукоделии, в чтении книг душеспасительных. Библиотека у нас древняя, знаменитая... Ну, а если какие светские книги захочешь, мне скажешь — принесем. Но, думаю, в миру ты их вдоволь начиталась. И еще: коли просьбицы какие — ко мне иди, с людьми не знайся, сестрица, людей избегай. Сама, чай, знаешь, чье это установление! — вздохнула игуменья.

— Была она среднего роста, худощава станом и, видать, прежде была красавица. На содержание ее большие суммы отпускались из казначейства. Она их на милостыню нищим тратила. И никто никогда не слышал от нее ни слова — обет молчания, говорили, взяла, —

рассказывал причетник. — Спина в черном одеянии — над книгой... Вот и все, что мы видели... И так четверть века слова от нее не слыхивали... Потом умерла государыня Екатерина. Вышло ей послабление — важные особы к ней приезжали и наедине с ней виделись. Но она по-прежнему молчала. А преставилась она зимой — февраль был, мороз. Год, как помню, 1810-й. Слух по монастырю пронесся: померла Досифея, царство ей небесное. И начались тут дивные дела... Хоронили всех наших инокинь у нас, в Ивановском. А ее понесли через всю Москву хоронить в Новоспасский монастырь — в древнюю усыпальницу царского рода.

Величавые стены, башни и громада собора знаменитого Новоспасского монастыря. Зажаты между новыми домами руины когда-то великой обители...

Здесь, в Новоспасском, в древней усыпальнице хоронили бояр Романовых, пока не сели они на царство. Здесь, в подклети Спасо-Преображенского собора, лежали кости тех, чьи имена гремели в отечественной истории: ближайших родственников Романовых — бояр Оболенских, Ситских, Трубецких, Ярославских, Нарышкиных, Куракиных...

Февраль 1810 года.

Во дворе Новоспасского монастыря — толпы народа. В парадных мундирах, лентах, орденах выстроилась вся московская знать...

— Сам главнокомандующий Москвы, жена его Прасковья Кирилловна, урожденная Разумовская, приехала. Да что говорить... Все при параде, как положено, когда особу царской крови хоронят. Митрополит Платон был тяжко болен — викария своего епископа Дмитровского Августина послал в сослужении со всем старшим московским духовенством. Вот так удивительно простую инокиню хоронили. Если могилку ее навестить захотите — под нумером 122 она. Слева от колокольни, у восточной ограды...

«Я записал весь рассказ старика, — сообщил потом Снегирев. — И не раз видел эту могилку. На диком надгробном камне была надпись: «Под сим камнем положено тело усопшей о Господе монахини Досифеи обители Ивановского монастыря, подвизавшейся о Христе Иисусе в монашестве 25 лет и скончавшейся февраля 4 дни 1810 года. Всего ее жития было 64 года. Боже, всели ея в вечных твоих обителях».

Я узнал, что существовал и портрет ее, содержавшийся в настоятельских кельях Новоспасского монастыря.

Портрет писан на полотне десять с половиной вершков. На задней стороне его идет надпись: «Принцесса Августа Тараканова, в иноцех Досифея, постриженная в московском Ивановском монастыре, где по многих летах праведной жизни скончалась и погребена в Новоспасском монастыре».

Портрет этот был выставлен для широкой публики на любительской выставке в Москве в 1868 году и многократно репродуцировался.

В начале нашего века над могилой Досифеи поставили часовню. И сегодня во дворе Новоспасского монастыря среди постыдной разрухи осталась эта полуразрушенная часовенка — слева от колокольни у восточной стены.

Превращены в руины настоятельские кельи, исчезли надгробные плиты, исчез портрет монахини. Но загадочное лицо ее смотрит на нас с репродукции этого портрета. И стоит часовенка над ее таинственной могилой, каким-то чудом уцелевшая...

Февраль 1810 года. В московском доме несколько молодых офицеров играли в карты. После карт, как обычно, сели ужинать. За шампанским разговор пошел, конечно, вокруг удивительных похорон.

— А знаете ли вы, — начал один из молодых людей, — что граф Орлов никогда не ездил около Ивановского монастыря? Я это доподлинно знаю. В тот год я безуспешно волочился за графиней Анной и слыхивал, что граф Алексей Григорьевич повелел своему кучеру за версту объезжать Ивановский монастырь. И вот как-то его новый кучер, который сего повеления не знал, повез графа мимо монастыря, за что пороли несчастного до полусмерти.

— Но что поразительно, господа, — подхватил другой молодой офицер, — говорят, она совершенно молчала целых двадцать пять лет.

— А вот тут я с вами не согласен, — вступил в разговор третий. — Моя кузина Варенька Головина все эти годы воспитывалась в Ивановском монастыре. И на днях кое-что поведала мне: оказалось, покойная монахиня сильно ее отличала и совсем незадолго до смерти рассказала ей удивительную историю.

Впоследствии эта история будет опубликована в 1865 году в журнале «Современная летопись» неким господином Самгиным, внуком Головиной.

— Варенька сказала, что монахиня поведала ей эту историю очень странно... как бы не о себе. Но при том она говорила так, что не оставалось сомнений, что рассказывала она о себе... Дескать, жила-была одна девица, дочь знатных родителей, и воспитывалась она далеко за морем, в теплой стране. Образование она получила блестящее и жила в роскоши и неге. Один раз пришли к ней гости, в их числе важный русский генерал. Генерал этот и предложил ей покататься в шлюпке по взморью. Поехала она с ним... А как вышли в море, там стоял русский корабль. Он и предложил ей взойти. Она согласилась, а как взошла на корабль, силой отвели ее в каюту да часовых приставили... — Он помолчал. — Теперь вы поняли, почему граф Орлов объезжал за версту монастырь? — с торжеством спросил рассказчик.

— Так что же выходит, господа, — монахиня была та самая женщина, которую граф захватил когда-то в Италии?

— И значит, эта женщина была не самозванка? — восторженно воскликнул другой офицер.

— Это все досужие разговоры, господа. Сия монахиня никакого отношения к той женщине не имеет, — решительно начал новый рассказчик. — Я доподлинно знаю. Мой дядя, Александр Михайлович Голицын, лично ее в крепости допрашивал. Да и отцу моему рассказывал, как в камеру к ней вошли, когда она уже была мертвая. И как сам распорядился зарыть ее в землю.

— Не горячись, Голицын. Будто мы не знаем, как у нас в России такие дела делаются. Одну вывезли тайно, а схоронили совсем другую. Сколько раз сие было.

— Нет, нет. Князь Александр Михайлович много рассказывал о той женщине. Господа, это была страстная натура! До такой степени страстная, что я влюбился в нее по его рассказам. Нет, не похожа она была на эту безгласную тень...

— Отнюдь не безгласная! Я слышал ее голос, господа, клянусь, — вступил последний из собравшихся. — В тот год я только поступил в полк и сильно повесничал. И как прослышал о безгласной монахине, тотчас заключил пари. Я подкупил сторожа, который ее караулил, выждал час, когда все собрались на богослужение... и подкрался к окну кельи. И вдруг из-за занавесок я услышал нежный тихий голос: «Зачем вы хотите нарушить мой покой?» Ах, какой это был голос, господа! Мольба, страдание, благородство... И я бежал, бежал от окна...

— Так все-таки, господа: кто же она была?

Вот такие разговоры ходили по Москве в февральскую зиму 1810 года.

ТАЙНА КНЯЖНЫ ТАРАКАНОВОЙ: ВЕРСИЯ

У восточной стены по левую сторону колокольни стоит маленькая часовня. Здесь в 1810 году была похоронена дочь императрицы Елизаветы Петровны — Августа (Тараканова)...

К.Морозов. Новоспасский монастырь в Москве

Итак, мы возвращаемся обратно, в 1775 год, когда все наши действующие лица живы. Еще живы.

1775 год, август. Петропавловская крепость.

В камере Елизаветы князь Голицын закончил тот самый последний допрос.

— Как нераскаявшаяся преступница, вы осуждаетесь на вечное заточение...

Через некоторое время он вышел из камеры.

Коломенское, шесть двадцать утра.

Императрица уже в своем кабинете. Окно распахнуто, в кресле, как всегда, расположилась английская левретка, смотрит в открытое окно и лает, завидев на реке движущуюся лодку.

Екатерина работает.

«Как был приятен для меня конец этого года. У сына в марте должен был появиться первенец. Я ждала мальчика. Ибо тогда сразу упрочится положение династии. И мое положение. Хотя, не скрою, эта бестия в крепости... меня тревожила. Я понимала, что она должна умереть со дня на день. И тогда — тайна навсегда... А она все время требовала встречи. Мне надо было с кем-то посоветоваться. Но мой друг... соколик... сударушка... душа моя... (Так государыня именовала Григория Александровича Потемкина.) По случаю мира с турками я наградила соколика графским достоинством. Ближе его сейчас никого нет... Но посоветоваться с ним в этом деле нельзя. В последнее время он стал положительно несносен. Как когда-то у Григория (у Орлова)... у него появилась идея во что бы то ни стало жениться на мне. Этот безумец решил стать государем. И надо отдать ему должное: он умеет устраивать зрелища. Когда я была в Москве...»

— Навестить тебе надо, матушка, Троице-Сергиеву лавру, — говорит фаворит.

«Я люблю русскую церковь, люблю разное облачение священников и такое чистое, безорганное человеческое пение... И я с радостью вняла призыву соколика».

Она идет по двору Троице-Сергиевой лавры, когда неожиданно ее окружает толпа монахов.

— В блуде живешь!..

— Покайся, государыня! Помни, что Иоанн Богослов сказал: «Беги тех, кто хочет совместить внебрачную и брачную жизнь. Ибо примешивают они к меду желчь и к вину грязь».

— Освяти жизнь таинством брака, государыня!

И расступаются монахи — Потемкин, огромный, страшный, в рясе, падает перед ней на колени.

— Во грехе не могу жить более! В монастырь уйду!

— Если хотите вонзить кинжал в сердце вашей подруги... Но такой план не делает чести ни уму вашему, ни сердцу.

Екатерина заплакала.

«Слезы могли быть единственным ответом на сию дикую сцену. Но я поняла, что придется что-то делать. Мне надобно было показать, что он отнюдь не всесилен. Было два выхода обуздать этого забавного безумца. Удалить его вообще — но он мне нужен, мне нужна эта беспощадная, страшная мужская воля. О, если б я была мужчиной!.. Оставалось второе — удалить его из опочивальни. Это, конечно, жаль, ибо сей господин — самый презабавный чудак, которого я видела в наш железный век... Короче, советоваться с ним сейчас в деликатных вопросах касательно женщины, именующей себя плодом тайной любви императрицы с фаворитом, означало родить новые сцены... А я устала от прежних. Так что, как всегда, пришлось...»

Она позвонила в колокольчик. И появился тот молодой красавец — новый секретарь Петр Васильевич Завадовский.

— Князя Вяземского пригласите ко мне.

Завадовский восторженно смотрит на императрицу, будто не слыша приказания.

«Конечно, он ничтожен, да прелесть! Что делать... Григория Александровича придется удалить из опочивальни».

— Я прошу вас, Петр Васильевич, душа моя, — совсем нежно повторяет Екатерина Завадовскому, — попросить ко мне князя.

В кабинете князь Вяземский и Екатерина.

— Какие новости из Петербурга об известной женщине?

Князь внимательно глядит на императрицу:

— Жить ей осталось недолго, как пишет в своем последнем донесении князь Александр Михайлович.

— Но не могу же я с ней встретиться?.. — вдруг говорит императрица.

Князь, как всегда, понимает.

— Вы должны с ней встретиться.

— Нет, нет, не уговаривайте, это невозможно!

— Ваше величество, я ваш преданный раб, но я смею настаивать на встрече с известной женщиной.

«Это самое в нем ценное — он всегда настаивает на том, чего хочу я сама».

— Если я на это соглашусь... вы знаете наш двор... это стая борзых. Нигде в мире нет таких сплетников. Немедля распространятся слухи, что сия авантюрера что-то из себя представляет.

— Никаких слухов не будет, покуда вы в Москве. Именно потому я настаиваю на этой встрече сейчас. Мы сообщим о вашем легком нездоровье. И вы сможете отсутствовать несколько дней. Одновременно дадим в газете сообщение о какой-то аудиенции, данной вами в это время в Москве какому-нибудь лицу... Никому и в голову не придет!..

— Подите с богом, князь, — прервала государыня, — я должна все обдумать.

Она вернулась к письменному столу.

«Ах каналья, ах бестия, проделать из-за нее такой путь... Однако пора приниматься за письмо к Гримму...»

«Пишу вам из Коломенского, где по случаю нездоровья провожу в праздности уже несколько дней. Том Андерсон, моя любимая левретка, сидит напротив меня в кресле и лает в открытое окно на судно, поднимающееся по Москве-реке. А я, пользуясь временем болезни, решила написать очередную пьесу. Надеюсь, у нее будет счастливый конец. Вы знаете, как я ценю в искусстве все радостное и веселое. По моей просьбе у нас даже Танкреда играют с благополучным концом...»

Коломенское.

Из дворца выходит князь Вяземский в сопровождении офицера в гвардейском мундире и в серебряной каске с черными перьями, надвинутой на лицо.

— Карету князя Вяземского, — кричит слуга.

Карета выезжает из ворот Коломенского на большую дорогу.

На следующий день карета, сопровождаемая эскортом гвардейцев, въезжает в Петропавловскую крепость. Эскорт остается у ворот, карета громыхает по крепостному двору.

Петропавловская крепость. В помещении коменданта князь Вяземский и комендант.

— По повелению матушки велено допросить арестантку доверенному лицу от государыни.

— За князем Александром Михайловичем посылать... или как? — усмехаясь, спрашивает комендант.

— Князя Голицына извещать не следует, дабы не плодить ненужных обид.

Князь Вяземский и офицер входят в камеру.

На кровати лежит Елизавета. Два солдата и капрал сидят на стульях в углу комнаты. Тускло горит свеча.

— Оставьте нас, — приказал Вяземский.

Караульные вышли из камеры. Вяземский вопросительно посмотрел на гвардейца. Тот слегка наклонил голову. Вяземский встал и тоже вышел из камеры.

В камере остались двое: Елизавета, лежащая на кровати, и офицер, молча сидящий в углу.

Наконец с кровати послышался голос Елизаветы:

— Я тоже любила носить мужские костюмы, Ваше величество.

Офицер усмехнулся, снял каску, положил рядом. Длинные волосы закрыли лицо. Екатерина отодвинула волосы и потянулась было приподнять свечу, чтобы осветить кровать.

— Не надо, Ваше величество, — послышался резкий голос с кровати, — если вы хотите узнать, красива ли я, это надобно было делать несколько раньше. А я знала, что вы придете... Я давно поджидаю вас, Ваше величество.

— Мой приход, голубушка, ровно ничего не значит.

— Напротив, он означает, что Ваше величество действительно столь проницательны, как об этом говорит вся Европа. И вы давно почувствовали, что я могу сообщить вам нечто, что никому другому не сообщу...

Приступ кашля прервал ее.

«Я не люблю лести. Но почему-то самая грубая лесть всегда обезоруживает меня...»

— ...Вы очень больны.

— Да-да... И притом в нынешнем моем положении...

— Я распоряжусь, чтоб впредь караульных вывели из вашей камеры.

— Вы действительно очень добры. Жаль, что мне недолго пользоваться добротой Вашего величества, этим ливнем благодеяний...

Она опять помолчала. Молчала и государыня.

— Итак, Ваше величество, — наконец сказали из темноты, — *она есть*.

— О ком вы говорите? — прошептала Екатерина.

— Вы поняли, Ваше величество... Августа... Дочь...

— Вы опять за свое?! Если вы позвали меня выслушивать наглые дерзости...

Екатерина вскочила и в бешенстве заходила по камере. И опять приступ кашля прервал императрицу.

— Время комедиантствовать мне не отпущено, Ваше величество. Итак, я могу рассказать вам то, что вы больше всего хотите знать и больше всего боитесь узнать. Но с условием...

Екатерина молча слушала.

— Вы отпустите на свободу.

Екатерина засмеялась.

— Вы не поняли. Не меня, Ваше величество. Меня отпустить на свободу уже не в вашей власти. А на свободу... вы отпустите их... всех, кого заточили вместе со мной. И я с вас страшную клятву возьму, что все так и исполните.

— Я добросовестно изучила вас, голубушка, по вашим показаниям. Никогда не поверю, что вас может волновать чужая участь.

— Вы не правы, это волнует *перед...* Очень боязно туда являться... с лишними-то грехами. Но, конечно, главный другой резон. Тут вы правы. — И, помолчав, она сказала: — Человек среди них... есть... Я много грешила с мужчинами... Но любила его одного... И сейчас люблю. Одно воспоминание о нем сжигает... Но полно. Итак, клятву, Ваше величество!..

Опять наступило молчание.

— Ну что ж, голубушка, быть по-вашему. Клянусь...

— Спасибо, Ваше величество, вы оказались истинно добры. Продолжился ливень благодеяний... Итак, все это началось два года назад. Боже мой!.. Всего два года. Будто в другой жизни... Не со мной. Мне теперь кажется, что я тут и родилась... в этой тюрьме. Итак, это случилось...

1773 год. Замок Оберштейн.

— Князь купил для меня тогда этот замок. И я жила там одна. Есть разные способы расставаться с мужчинами. Самый верный — притвориться чересчур влюбленной, и тогда ты ему быстро опротивеешь, и он бросит тебя, к твоему счастию. И есть единственный способ удержать мужчину — это показать ему, как он тебе надоел... Я сказала князю, что хочу пожить одна в Оберштейне. И страсть его тогда достигла предела. Он тотчас захотел на мне жениться...

В уборной принцессы в замке камеристка Франциска фон Мештеде помогала ей одеваться...

— Когда вы ее отпустите из тюрьмы, Ваше величество, не забудьте распорядиться, чтобы ей отдали все мои туалеты... она так их любила, — засмеялась Елизавета.

— Ах, госпожа, — говорит Франциска, — я все отдала бы, чтоб щегольнуть в таком платье!

— Ты еще так молода, милая, у тебя все впереди.

— А у меня для вас письмецо, госпожа, все от того же очень богатого господина.

— Седьмое послание за два дня! Ох, как скучно. Надеюсь, ты сказала ему, что я умерла и чтобы он меня больше не беспокоил.

— Да, и он немедленно ответил: «Передайте письмо принцессе на тот свет!» Ах, он так богат!

— Я уже догадалась, милая, по той горячности, с которой ты передаешь его письма. Жаль, что богачи не молоды и не хороши собой. Природа заботится о равновесии.

— На этот раз исключение, госпожа: он очень молод и очень красив.

— Ну что ж ты молчишь о главном!

— Ах, Ваше величество, я никогда не могла устоять перед мужской красотой!

Екатерина вздохнула.

— Я приняла его за туалетом.

Камеристка вводит Доманского в уборную принцессы.

— Сударь, это слишком, — сурово начинает принцесса. — Мало того, что вы подкупаете мою прислугу и она ежедневно мучает меня вашими посланиями! Мало того, что вы посмели дать ей деньги, чтобы она проводила вас ко мне!..

— Но откуда вы знаете?

— Вы платите много, но я плачу больше... Как вы осмелились забыть, что я невеста немецкого государя?! Я завтра же попрошу жениха оградить мою честь!

— Вы грозите мне гибелью... Как странно! Неужели вы не поняли, что жить без вас... Убейте меня!

Доманский выхватил кинжал и протянул принцессе.

Принцесса расхохоталась.

— Дорогой мой! Оставим это для юных девиц пятидесятых годов, только что покинувших монастырь. Увы, я принадлежу другому поколению — у нас уже мало иллюзий. Так что уберите кинжал, и начнем говорить серьезно. Я заметила вас еще в Париже. На всех балах вы следили за мной из толпы. Но у вас беда... Вы слишком красивы, чтобы остаться незамеченным. Итак, зачем вам понадобилось завоевывать мое сердце? Только прошу: ни слова более о любви. Я видела любовь и могу сказать точно, молодой красавец, она вам не грозит.

Он усмехнулся, вынул табакерку, взял понюшку табаку, собираясь с мыслями, и спокойно начал:

— Итак, действительно мы следим... за вами.

— Мы?

— Мы.

— И давненько?

— Уже со времени Парижа. Вы блестяще образованны. Вы прекрасны. Вы изворотливы. Вы жаждете приключений... И еще есть одно обстоятельство. — Он помедлил и продолжал, улыбаясь: — Как любит судьба насмешничать, милая принцесса! Когда вы выдумывали все эти россказни про Володимирскую принцессу... вы не знали самого главного.

Он остановился. Она с напряженным вниманием ждала.

— Вы удивительно похожи... — медленно начал Доманский. И опять замолк.

— На... кого? — не выдержала принцесса.

— На ту, за кого вы мечтали бы себя выдавать. Нет, не на принцессу Володимирскую! Никакого княжества Володимирского в России не существует... Но зато существует она.

Принцесса пожирала глазами Доманского.

— Ее зовут Августа. Не правда ли, подходящее имя для *августейшей* дочери русской императрицы от тайного брака с вельможей Разумовским? Думаю, она дала это имя своей дочери, чтобы никто не смел усомниться в ее происхождении. — Он усмехнулся. — Но императрица справедливо опасалась за ее судьбу после своей смерти. Поэтому ее вывезли из России, когда девочке было десять лет, и поселили тайно в маленьком городишке в Италии. Это сделал ее учитель, некто Дитцель, который и поведал все это на смертном одре отцу иезуиту. Ну, а тот уж нам... — И он замолчал.

Принцесса сидела потрясенная, не спуская глаз с поляка.

— А теперь будьте внимательны, Ваше высочество...

И он вынул из камзола и положил перед нею бумагу:

— Вот это — завещание императрицы Елизаветы в пользу ее дочери... той самой дочери.

Принцесса схватила лист:

— Подлинное завещание?!

— Это несущественно, те, кто составлял его, имели в руках истинные тексты завещаний русских царей, хранящиеся в царском архиве. — Он засмеялся и продолжил: — Итак, сейчас в России на троне безродная немка. И русская публика отлично знает, что сын этой немки и наследник престола рожден ею отнюдь не от несчастного супруга, убиенного Петра Третьего... Итак, остается Августа... *Последняя из Дома Романовых.* Последняя претендентка на престол! И если уж появиться ей на сцене, то сейчас, когда крестьянский царь Пугачев жжет помещиков!.. А Пугачева братом твоим сделаем!.. Смирим его и с ним соединимся!

И дворянство все перебежит к тебе, когда поймет, что одна ты сможешь чернь успокоить... А тут и мы из Польши огонь запалим. — Он говорил исступленно, яростно. — Вся Конфедерация с тобой восстанет... В смуте исчезнет империя... Как бред... Не впервой нам сажать царя на Руси, коли слыхала про Дмитрия-царевича... — Доманский был в безумии: шептал, болтал: — Возмездие немке, растерзавшей Речь Посполитую... Возмездие!

Принцесса успокоилась первой.

— Но коли Августа действительно существует, отчего вы ее не призвали?

— Лицом она на тебя похожа, да не характером. Теремная она царевна: тиха, скромна, пуглива. За пяльцами ей сидеть, а не царства завоевывать... Давно за тобой следим. И как от кредиторов во Франкфурте с пистолетом отбивалась...

Доманский поднялся со стула и торжественно объявил:

— Да здравствует Августа, дочь Елизаветы! Виват! Виват!

Она усмехнулась:

— Мой друг, я не люблю отбирать чужих любовников и чужие имена. Итак, запомните: никакой Августы нет. И никогда не было. Все это досужие выдумки... Существую только я, Елизавета, дочь Елизаветы, объявлявшая себя прежде принцессой Али Эмете Володимирской, ибо боялась открыть миру свое истинное имя, чтобы не претерпеть от врагов.

Ночь. Доманский и принцесса в спальне. Зажжен тот шандал — и в тусклом свете два обнаженных обессиленных тела.

— ...С ним я поняла: любовь похожа на смерть. Эта боль и нежность... Как я любила его! Но ту мечту я любила больше...

Елизавета замолчала. Молчала и Екатерина. Так они молча сидели в тусклом свете свечного огарка.

Наконец Екатерина сказала:

— Пусть он помолится Богу за то, что я дала тебе клятву.

— Прощайте, Ваше величество, — засмеялись из темноты. — Мне умереть, вам жить. Что лучше, о, если бы знать?!

— Вам действительно скоро умереть... Неужели не хочется облегчить душу? Кто ваши родители? Кто вы на самом деле? Как ваше истинное имя?

— Вы слишком умны, Ваше величество, чтобы ждать от меня ответов. Я решила умереть Елизаветой. Я заплатила за это своей жизнью. И я умру ею... Все, что я вам сейчас рассказала, этому не помешает. Я освободила его, моя совесть чиста перед ним. И перед собою. Ибо вы никому не посмеете передать все это. Вы будете молчать о моем рассказе даже на Страшном суде. И те, кого вы вынуждены будете посвятить в эту тайну, будут молчать также. Я знаю цену своему поступку. И предвижу все, что случится с *той несчастной.* Но... я всегда грешила во имя любви.

— Прощайте, голубушка, я исполню свою клятву. Но на прощание я вам скажу: вы страшная!.. И много несчастных спасено будет с вашей погибелью. Вы и есть дьявол во плоти.

— Обе мы дьяволицы. Потому что обе — Королевы.

«Вскоре я уже была в Коломенском и впервые после «болезни» позвала своего нового секретаря».

Кабинет Екатерины в Коломенском.

Завадовский с бумагами в руках восторженно смотрит на императрицу.

— Как драгоценное здоровье Вашего величества? Вы выглядите уже веселой.

— Запомните, молодой человек: истинно великие

люди не могут прожить и дня без смеха и шуток, что бы с ними ни случилось. Печальны и надуты только глупцы.

— Но вы были столь больны, вы не выходили несколько дней.

— Ох, друг мой. — Она взяла его нежно за руку. — Я открою вам рецепт от всех болезней, — сказала она, не выпуская руки молодого человека. — Берете тяжелобольного, запираете его одного в огромную двенадцатиместную карету, везете за двадцать пять верст, заставляете выйти и отстоять торжественную обедню от начала до конца под всеобщими взглядами. Затем угощаете его двумя аудиенциями и одной беседой с приезжим коронованным глупцом. Даете ему подписать двадцать бумаг. Затем подаете ему обед, к которому приглашено еще пятнадцать человек, каждому из которых он должен оказывать внимание. Клянусь, уже в середине дня ваш больной будет весел, как птичка. И второй рецепт: работа, работа, работа. Но не забывайте: соединяйте делание с ничегонеделанием. Наконец, третий рецепт: окружайте себя веселыми, забавными людьми. Вот, например, граф Потемкин. Он так неподражаемо шевелит ушами и так презабавно передразнивает любые голоса! А что забавного умеете вы?

— Ничего, Ваше величество, — испуганно отвечал оробевший Завадовский.

— Вот так уж и ничего?

— Совсем ничего... Я только умею говорить всем людям приятное. Отец меня научил: злыми имеют право быть только умные.

Екатерина засмеялась.

— Вам не надо шевелить ушами. Вы и так далеко пойдете.

«Мне надо было непременно обуздать графа Потемкина. И, кажется, я изобрела не самый неприятный способ».

1776 год. Санкт-Петербург, Зимний дворец.

«Еще в Москве в декабре я узнала о смерти всклепавшей на себя чужое имя. В начале года я вернулась в Петербург и готовилась отпустить всех. И, клянусь, я решила не трогать эту тень — эту злосчастную Августу. Я с нетерпением ждала рождения внука. Это должно было укрепить династию. Но боже, боже... Что случилось! Все эти несчастья... эти нестерпимые муки невестки... Я сидела у ее изголовья и ничем не могла ей помочь. Эти крики... И ее последний вздох. И несчастье сына. Его слезы... Все, все пережила я. Рушились все надежды... Как воспален мозг! Когда соколик увидел меня, он сделал то, что надо было сделать, — он зарыдал вместе со мной, как баба. И мы, обнявшись, плакали. И опять все надо было начинать сначала — бездетный Павел, без жены и наследника... А в это время где-то рядом существовала эта Августа, которую в любой момент... И эти вечно бунтующие поляки!.. Как бы нам ни было плохо, мы не смеем забывать об обязанностях. Еще не сняв траур по несчастной невестке, я тут же связалась с герцогиней Вюртембергской и стала подыскивать Павлу новую жену. И вот тогда-то мне пришлось подумать об этой Августе. Как только сняли траур, я, как всегда, созвала в Эрмитаже свой избранный кружок».

Из Зимнего дворца Екатерина переходит в Эрмитаж. Сверкающие огромные залы, увешанные бесчисленными картинами, золотые рамы картин, мрамор эллинских статуй, роспись потолков... И никого. Она идет одна среди этого великолепия.

«Меня окружает здесь множество замечательных предметов. Но мне они совершенно не нужны. Я очень похожа на киргизского хана, которому императрица Елизавета пожаловала огромный дом в Оренбурге, а он поставил во дворе этого дома палатку. И жил в ней. Так и я держусь во всем этом великолепии своего маленького угла».

Екатерина входит в маленькую залу в Эрмитаже. Здесь уже нет ни картин, ни статуй. Вокруг двух столов несколько мужчин упоенно играют в карты.

«Здесь находятся люди, которых я люблю. И здесь наконец я не чувствую себя зайцем, которого весь день травят борзыми. Но сегодня здесь меня интересовал только один человек...»

В залу вошел Рибас. Екатерина милостиво улыбнулась ему — и Рибас тотчас поспешил к императрице. Она протянула ему руку. И он поцеловал ее в изящном безупречном поклоне.

«Сей хитрец, которого я тогда оставила в Петербурге, быстро обтесался и умудрился жениться на моей любимой горничной Настеньке Соколовой, незаконной дочери богача графа Бецкого. Эта пронырливая и остроумная женщина в курсе всех моих тайн, так что и муженьку приходится тоже доверять, что я делаю с удовольствием, ибо он не только сообразителен, но и храбр и, говорят, блестяще владеет шпагой. Я сделала его членом своего интимного кружка. Я счастлива высшим счастием правителя. Я будто притягиваю нужных мне в данный момент людей».

Екатерина и Рибас уединились в стороне от играющих.

— У меня к вам вопрос, сударь. Я знаю, что вы ездили с секретным поручением графа Орлова. И по заданию Алексея Григорьевича пытались проверить ложные слухи о существовании некой Августы, якобы дочери покойной императрицы.

— Как проницательно выразилось Ваше величество: именно ложные, — тонко усмехнулся Рибас. — Потому что никакой Августы не может существовать.

«Приятно иметь дело с умным человеком».

— Однако на всякий случай вам следует побеседовать с неким поляком...

— Вы имеете в виду, конечно, господина Доманского, — мило улыбнулся Рибас.

— Я стараюсь не запоминать имен подобных господ. Итак, я собираюсь непременно помиловать сего господина, учитывая его молодые лета и то, что авантюрера завлекла его в любовные сети... Но он этого пока не знает.

— О, милосердие Вашего величества!.. Значит, я смогу ему это сообщить... в обмен на точные известия, где, естественно по слухам, обитает сия фантастическая особа?..

— После чего вы сами отправитесь в те места...

— Понял, Ваше величество: чтобы лично убедиться в неосновательности подобных слухов.

1776 год, март. Петропавловская крепость.

В камеру Доманского входит Рибас с самой широкой из своих улыбок. И с порога начинает без умолку говорить:

— Ах, мой старый друг! Я жажду заключить вас в объятия!

Доманский с изумлением уставился на Рибаса, силясь вспомнить, откуда он его знает.

— Неужели не вспомнили? Ну? Ну?

— Господин Рибас, — наконец произнес поляк.

— Милейший, — обратился Рибас к караульному. — Принеси-ка нам пару бутылок вина по случаю приятной встречи.

К изумлению Доманского, просьба была тотчас выполнена, и две бутылки вина появились в камере.

— Рейнское и анжуйское, — объявил Рибас. — Какое предпочитаете? В этой крепости неплохое вино... И, главное, достаточно выдержано временем.

— К сожалению, я редко пользуюсь этим погребом.

— А я — к счастью, — сказал Рибас, разливая вино. — Итак, за ваше скорейшее освобождение! Как? Я не сказал вам? Вас очень скоро освободят. Это замечательное известие. Но есть и печальное... На днях скончалась наша общая знакомая. Да, ушла в лучший мир. Я поручил показать вам могилу известной вам женщины.

Доманский сидел, молча уставившись перед собой.

— Как видите, более вас ничего тут не удерживает. Хотя нет, надо уладить перед отъездом вашим еще одно маленькое дельце. Вы сообщите мне город в Италии... где нынче... находится она.

— Кто? — прошептал Доманский.

— Та, которая погубила жизнь известной нам с вами женщины. Ведь если б вы не рассказали ей про злосчастную Августу...

— Проклятие! Откуда вы знаете?

— Ну-ну... Вы уже догадались откуда, — впервые серьезно сказал Рибас. — Итак, вы сообщите мне, где она. В обмен на скорейший ваш отъезд из крепости. Советую не упрямиться. Коли вы хорошо меня вспомнили — догадываетесь, что я все равно все о ней узнаю. Уж если пес пошел по следу... Итак: сначала вы мне послужите, потом я вам... Все-таки здесь прекрасный погреб, я всегда утверждал: пить вино надо в тюрьме! — Он поднял бокал: — За то, чтобы впредь вы не пользовались этим погребом!.. Я вижу: вы решились.

— Будьте вы прокляты, — пробормотал Доманский.

— Всегда ценю такое начало, — засмеялся Рибас.

Москва.

На Кузнецком мосту торговали тогда французские лавки. Здесь было любимое место московских франтов — петиметров, как называла их тогдашняя сатирическая литература. Здесь они прогуливались, назначали свидания богатым московским девицам.

Тучный хозяин французской лавки, в котором с трудом можно узнать когда-то молодого и стройного слугу Рибаса, внимательно смотрит на щеголя в надвинутой на глаза шляпе. Сей щеголь и есть господин Рибас собственной персоной.

— Очень трудно узнать человека в этом борове, — сказал Рибас.

— Да уж, — будто речь шла не о нем, вздохнул хозяин.

— Но я попытаюсь, — сказал Рибас и неожиданно отвесил хозяину лавки великолепную оплеуху. Но рука его только просвистела в воздухе, ибо толстяк с поразительной ловкостью увернулся от удара. Последовала новая попытка оплеухи — и вновь толстяк, как матадор от быка, ушел от удара. — Пожалуй, я тебя узнал, — произнес Рибас.

— А я вас что-то не припоминаю.

Но в этот миг оглушительная пощечина достигла цели.

Толстяк поперхнулся, а потом сказал с нежностью:

— Ну конечно, узнал вас, хозяин! Рад вас видеть, господин Рибас!

— Русского языка так и не выучил.

— Нет никакой надобности, мой господин. Здесь по-русски говорят только подлые люди. Но не они мои покупатели.

— Ты понял, зачем я пришел?

— Опять!.. Опять!.. — застонал толстяк. — Бессонные ночи, скачки на лошадях... О, как я хорошо жил, сударь!.. О, зачем вы объявились?..

Вскоре в газете «Санкт-Петербургские ведомости» появилось объявление: «Из столицы выехал испанский дворянин Де Ри вместе со своим слугой».

Прошло несколько месяцев.

В этот вечер в Эрмитаже избранный кружок императрицы, как всегда, играл в карты. Играли в «макао» на двух столах. И каждый выигравший черпал ложечкой бриллианты из ящичка посреди стола. Екатерина, с вечной своей благодетельной улыбкой, глядела на играющих.

«Я стараюсь чаще затевать подобные вещи, чтобы слух о щедрости «Северной Семирамиды» ослеплял европейские дворы. Мне приходится преданно служить своему образу. И этот образ доставляет мне немало хлопот».

Играют... И очередной выигравший, дрожа от волнения, лезет ложечкой за очередным бриллиантом. Горят глаза играющих. Игра, игра!

«В разгар игры, когда они алчно черпали бриллианты, вошел наконец тот, кого я ждала уже не один месяц...»

Как всегда, с открытой ослепительной улыбкой в залу вошел Рибас.

И опять они уединились с императрицей.

Игравшие, завороженные бриллиантами, даже не заметили этого.

— Давно вас не видела, господин Рибас, сказывают, что вы были за границей?

— Да, пришлось много путешествовать.

— И как ваше путешествие, сударь?

— Весьма удачное, Ваше величество. Я путешествовал по Италии, и после многих приключений в одном из маленьких итальянских городишек мне посчастливилось наконец столкнуться с некоей особой.

— И какова она... сия особа? — усмехнулась Екатерина.

— Еще не старая, бодра телом.

— И ей известно, кто она?

— Несомненно. Хотя уверен: не питает никаких честолюбивых планов. Однако думаю, что жизнь сей особы вне пределов нашей державы не отвечает интересам державы.

Екатерина помолчала, потом сказала:

— О всем, что вы выяснили, вы сообщите в дальнейшем посланному от меня доверенному человеку. Я не знаю сегодня его имени, но уверена, что уже вскоре он к вам обратится. Я благодарю вас за преданную службу, господин Рибас.

25 июня 1776 года французский посланник писал в Париж:

«Есть здесь один молодой человек Рибас, испанец по происхождению, малый не без способностей и честный. Он женился на любимой горничной императрицы. Ее величество оказывает ему всевозможные милости. Она даже намекнула, что желала бы дать ему знаки отличия, но вместе с тем желала бы иметь из-за общественного мнения веские причины, которые оправдали бы подобные милости. По-видимому, рекомендация испанского короля произвела бы наилучшее впечатление...»

Впоследствии судьба была очень милостива к Рибасу. В 1784 году он был отправлен на юг к Потемкину, где участвовал в завоевании Тавриды. В 1789 году он захватил турецкую крепость Хаджибей, на месте которой им была основана Одесса. На исходе века он уже вице-адмирал Черноморского флота, генерал, кригс-комиссар и т.д.

Но жажда интриг... Ах, эти интриги! На вершине могущества он продолжал участвовать во всех дворцовых интригах и...

1800 год. Карета Рибаса подъезжает к Зимнему дворцу.

Карета останавливается. Но никто из нее не выходит.

— Ваше превосходительство, — наконец осмеливается крикнуть лакей с запяток, — приехали!

Из кареты — ни звука.

Обеспокоенный слуга спрыгивает с запяток, открывает дверцы... и ему падает на руки господин Рибас.

— Ваше превосходительство! Господин Рибас!.. Умер! — кричит в ужасе слуга.

Так умер адмирал Рибас. Домашний врач случайно... совершенно случайно дал ему яд вместо лекарства.

«Этот Рибас был человек необыкновенный. Благодаря своему уму он сделался хорошим генералом и даже честным человеком», — написал о нем в своих воспоминаниях граф Ланжерон.

Но вернемся в 1777 год. В Царском Селе в парке на скамейке сидит Екатерина со своей вечной наперсницей Марьей Саввишной Перекусихиной.

«Теперь осталось найти человека, которому возможно было поручить сию миссию. И я думаю об этом все время...»

Мимо скамейки проходит роскошный петербургский щеголь.

«Сад был открыт мною для публики, и я любила вот так сидеть и наблюдать за новыми модами, за человеческими физиономиями».

Даже не повернувшись в сторону императрицы, щеголь прошествовал мимо. Гордо запрокинута голова. В руках трость.

— Ишь какой важный, — усмехается Марья Саввишна, — и не оглянется!

— А годков этак десять назад ох как бы оглянулся! —

добродушно улыбается Екатерина. — Видать, устарели мы с тобой, Марья Саввишна!..

«Но кого назначить? Рибаса не стоит. Он человек Потемкина. Григория Александровича в это дело не надо путать. Тогда кого?»

— Гришка-то твой, Орлов, — начинает меж тем Марья Саввишна рассказывать петербургские новости, — совсем с ума посходил. Хочет жениться на Зиновьевой Катьке, фрейлине, сестре своей двоюродной. Образумь его, матушка! Святое церковное постановление нарушает: сестра ведь. Не пройдет ему сейчас, это ведь не раньше!

— Да, это ты права. Пожалуй, они не простят ему, — задумчиво говорит Екатерина. И добавляет: — Да разве их, Орловых, остановишь? Безумны в желаниях и удовольствиях!

— Останови его, матушка. Погибнет он. — И Марья Саввишна зашептала: — Григорий Александрович Потемкин Совет решил собрать... Как Гришка-то поженится — Совет сразу будет. Брак отменят, а их обоих в монастырь постригут. Точно знаю.

— Да, Григорий Александрович человек решительный... Скажи, а любят его у нас?

— Очень. Двое — ты, матушка, да Господь Бог.

«Ну что ж, именно такой человек мне необходим. Всегда должен быть тот, кого очень не любят. Только тогда монарх может быть благодетелем... Значит, Совет? Ну что ж, кажется, я нашла себе человека...

Да, я была уверена: этот безумец женится. Так оно и произошло. И когда Совет собрался, я не стала оказывать никакого давления. Я разрешила им свободное волеизъявление».

Июнь 1778 года. Кабинет императрицы в Царском Селе. Входят Панин и Вяземский.

— Слушаю вас, господа.

— Совет единогласно постановил... — торжественно начинает Панин.

«Никита Иванович Панин по-прежнему помешан на значении Совета. Эта игрушка кажется ему некиим зародышем будущего ограничения власти самодержца. Горбатого могила исправит...»

— Совет постановил брак Григория Орлова расторгнуть и, подвергнув обоих церковному покаянию, сослать в монастырь. Абсолютным большинством мы так решили, матушка.

— Только граф Кирилла Разумовский был против, — поправил Вяземский и добавил с удовольствием: — Он сказал: «Еще недавно вы все были бы счастливы, коли граф Орлов удостоил вас хотя бы пригласить на свою свадьбу. Вспомните обычаи наших кулачных боев: лежачего не бьют».

— Абсолютное большинство голосов, — будто не слыша, повторил Панин. — Прошу вас, Ваше величество, подписать решение Совета.

— Не могу, — в ужасе прошептала императрица, — рука отказывается. Не могу подписать против человека, которому стольким обязана... Увольте, господа.

— Но это решение Совета, — в растерянности начал Панин, — речь шла о свободном волеизъявлении...

«Как он поглупел! Старость...»

— ...Не могу... Увольте, господа!.. Не заставляйте меня страдать!

И тогда вступил Вяземский:

— А я скажу по-простому, матушка: не можешь и не надо. Мы все рабы твои. И что тебе сердце подсказывает, то и исполним.

Дверь в стене неслышно отворяется — и появляется высокий сорокалетний красавец Семен Гаврилович Зорич, флигель-адъютант и новый фаворит императрицы.

«Он олицетворение мужественной красоты, но удивительный неуч. Я пыталась привить ему вкус к государственным делам и хоть как-то обучить его. Но он годится лишь громким голосом объявлять имена посетителей. Из него вышел бы отличный лакей. Впрочем, и это тоже талант...»

— Князь Григорий Григорьевич Орлов в приемной. Из Санкт-Петербурга пожаловал, — важно объявил Зорич.

Яростное движение Панина, Екатерина насмешливо глядит на него.

— Зови, душа моя, несчастного князя, — благостно обратилась Екатерина к Зоричу. — Ты ведь знаешь, я для него свободна в любое время. — И, улыбнувшись, сказала: — Ступайте с богом, господа!

В кабинете Екатерины сидел Григорий Орлов, уронив голову на руки.

— И чего молчал?.. И зачем таился?..

— Не смел... не смел открыться, — бессвязно шептал Орлов.

Она нежно дотронулась до его волос:

— Ах, батюшка Григорий Григорьевич, все ты забываешь, что я прежде всего твой друг, потом твоя императрица... А уж потом — все наше прошлое, вся наша любовь... Вон указ Совета лежит. Что ж теперь делать, Гриша? Развод, да в монастырь?

— Извлекла она меня из бездны... Ангел она во плоти... Утешение она мое... И тоже Екатериной кличут... И как имя ее назову, тебя вспоминаю. Люблю только тебя! Сама знаешь... всю жизнь!

«До чего простодушен. Даже в хитрости... А все-таки приятно...»

Екатерина молча расхаживает по кабинету и наконец объявляет торжественно:

— Мое решение, князь: я назначаю молодую княгиню Орлову из фрейлин в мои статс-дамы.

— Матушка! — Григорий упал к ее ногам. — Из бездны спасаешь!

— Ох, Гриша, — гладила она по голове лежащего у ее ног Орлова. — Что мне из-за тебя вынести придется! Каким курцгалопом скакать между Потемкиным и Паниным!.. Я жалую ей также орден Святой Екатерины и бесценный туалет из золота... такой прекрасной работы, что, клянусь, не многие королевы могут таким похвастать!

— За что убиваешь благодеяниями? — бессмысленно шептал Орлов. — Из тьмы вывела!..

— Ах, Гриша!.. Не хватает мне тебя! Так не хватает сейчас... — Она посмотрела на него долгим взглядом.

— Никак стряслось что, матушка? — вдруг деловито спросил князь.

Она кивнула. Князь тотчас поднялся с колен, уселся на стул и внимательно взглянул на Екатерину.

— Женщина есть... для меня опасная... страшная для меня.

— Значит, и для нас страшная. Что твое, то наше!

— Привезти ее надо... в Россию...

— Привезу.

— Ох, Гриша. Ты отважен, да прост. Да некому поручить.

— Выкраду.

— Не надо так сложно, она не пугливая. Как птица ручная. Так донесли мне. — И, помолчав, добавила: — Надо ее тем же манером... — Она остановилась.

— Каким манером? — прошептал Орлов.

— Ну как брат твой ту женщину привез. Корабль будет ждать тебя в бухте... Живет она на Адриатике, у моря. Тебе все Рибас расскажет... Но в дело его не посвящай. Вот так же на корабль ее пригласишь и... привезешь. Я Алексея послала бы, да нельзя ему в Италию. После того дела узнают его, живым не выпустят. А вы мне живые нужны. Что бы ни случилось, я знаю, вы моя опора.

— Все сделаю. Живота не пожалею. Я чуму в Москве победил. А уж женку к тебе доставить...

— Но запомни: ни одна душа... Августа ее имя... Августа Тараканова.

Орлов в ужасе глядел на императрицу.

— Да, она есть... Неправду сказал старик Разумовский, — усмехнулась Екатерина.

— Много бы я дал, чтоб тогда это услышать, — засмеялся Григорий. И сказал торжественно: — Привезу ее к тебе, матушка, клянусь.

Она взяла со стола бумагу, надорвала, протянула Орлову.

— Это указ Совета. Почитай на досуге. Чтоб лучше запомнить, как любят тебя друзья твои... В Петербурге объявишь, что едешь в Швейцарию, в свадебное путешествие. Духу Вольтерову поклониться. Вот истинное свадебное путешествие любителя муз и философии, каковым ты всегда являлся...

Из воспоминаний графини Блудовой:

«Ах, Катенька Зиновьева. Я была еще ребенком в то время, когда состоялась эта шумная история с графом Григорием Орловым. Я не принадлежу к их поколению. У тогдашних девушек была чистота и наивность... Это наивность полевых цветов — фиалок и васильков. У нашего поколения куда меньше простоты и больше наглости. В июле 1778 года Орлов с молодой женой уехали из Петербурга в свадебное путешествие, кажется, в Швейцарию. Но потом весьма быстро возвратились. Отголосок этого события остался в прелестных стихах, сочиненных молодой графиней и ставших тогда такими модными:

> Мне всякий край
> С тобою рай.
> Любимый мой,
> И я с тобой».

Царское Село. Шесть часов утра.

Императрица встает с постели. Она в хорошем настроении. Она напевает: «Мне всякий край с тобою рай. Любимый мой, вот я с тобой».

Входит заспанная служанка Катерина Ивановна.

— Заспалась, прости Христа ради, матушка.

— Ох, Катерина Ивановна, вот выйдешь замуж, вспомнишь мою доброту, — добродушно ворчит Екатерина, — муж-то с тобой возиться не станет. Муж тебя...

Как большинство женщин, прислуживающих Екатерине, Катерина Ивановна не выйдет замуж. Екатерина не любила новых слуг. Так и старились служанки рядом с императрицей.

В комнате появляется Марья Саввишна. Екатерина, напевая, трет щеки льдом:

> Желанья наши совершились,
> И все напасти уж прошли,
> С тобой навек соединились,
> Счастливы дни теперь пришли.

И поясняет Марье Саввишне:

— Жены Григория Орлова сочинение. Очаровательное!.. В Швейцарии сочинила. Посещение сих мест поэтический дар пробудило.

Пока императрица моется и совершает туалет, Марья Саввишна приступает к исполнению своей главной роли — сообщает последние сплетни:

— Странный Гришка-то вернулся из-за границы... Намедни князь Щербатов у него гостил. Стол, говорит, стал совсем скромный. Никуда с женой не выходят, в доме сидят... А на камзоле у Гришки теперь ничего не нашито — ни серебра, ни золота.

— А прежде был отменный франт, — улыбается императрица.

— Только с женой лижется целый день. Да говорят, она у него после возвращения из-за границы кашлять начала. Дохтура боятся — чахотка откроется.

— Да-да, печально, — равнодушно говорит императрица, — уже слыхивала. Григорий Григорьевич просит меня разрешить ему вновь за границу уехать на воды. Лечить бедную женщину... Только вернулся — и на воды просится. — Она усмехнулась. — Скажи, Марья Саввишна, что делают с любимой иконой, когда она устарела?

— Сжигают, наверное, матушка...

— Эх ты. Даром в России рождена, а обычаев русских не знаешь... Икону, у которой лик сошел, на воду спускают. Так что пускай князь с супругой опять за границу едет. На воды. — И, обтирая лицо поданным полотенцем, императрица напевает:

С тобой навек соединились,
Счастливы дни теперь пришли.

Царское Село. Девять часов пятнадцать минут утра.

В кабинете Екатерина слушает ежедневный доклад князя Вяземского.

— Заслуживает внимания, Ваше величество, перехваченное сообщение прусского посланника о том, что, по слухам, некая княжна Тараканова, якобы дочь покойной императрицы, содержится в заточении в Петропавловской крепости.

— Уму непостижимо, — говорит Екатерина. — Присягу у людей берем, на Евангелии клясться заставляем, и буквально на третьи сутки вся Европа знает...

— Длинные языки, Ваше величество. Даже поговорка у нас есть: длинный язык до Киева доведет.

— А надо, чтоб до Шлиссельбурга. Да почаще. Порядка в стране больше будет.

— Но новость сия не столь уж печальна. Ибо точно они ничего не знают. Из того же донесения явствует, что они считают княжну Тараканову и покойную «известную женщину», захваченную графом Алексеем Орловым, одним и тем же лицом. Цитирую, Ваше величество: «По распространившимся в Петербурге слухам, княжна Тараканова, захваченная графом Орловым в Италии и увезенная на корабле в Россию, не умерла, а продолжает находиться в заточении в Петропавловской крепости».

Екатерина заходила по комнате.

«Батюшки родные! Они соединились! И эта, вторая, отдала покойной каналье свое имя... И никто никогда не различит... не поймет, кто есть кто! Ваше величество, вы создали новый персонаж в этой забавной пьесе, и, клянусь, это не худшее ваше сочинение».

— Какие еще новости? — обратилась она к Вяземскому.

— В Санкт-Петербурге ожидают большое наводнение.

И опять задумалась Екатерина. И опять заходила по комнате.

— Вода, Александр Алексеевич, наверняка затопит Петропавловскую крепость. Так что сегодня же переведите ту женщину в безопасное место — в Шлиссельбургскую крепость. В ту камеру, где сидел когда-то несчастный Иоанн Антонович. Нам лишние жертвы не нужны...

— Милосердие Вашего величества спасает жизнь этой несчастной. И тем не менее я подумал... Никто не должен знать, что ее перевели. Пусть считают, что она погибла во время наводнения.

«Одно удовольствие с ним работать, читает, читает мысли».

— Так будет лучше для державы. Ибо следует побыстрее расстаться с этой тенью, могущей многих ввести в ненужный соблазн. Да и для нее самой... Уверен, известия о гибели этой женщины навсегда обеспечат ей спокойное существование в Шлиссельбургской крепости до конца ее дней.

Екатерина ничего не ответила, только приказала:

— Позаботьтесь, князь, чтобы закладывали карету. Я должна быть в городе во время наводнения. Следует ободрить людей.

Зимний дворец на следующее утро.

В кабинете Екатерины. Стоя у окна, Екатерина выслушивает ежедневный утренний доклад князя Вяземского.

— Боже мой, — говорит императрица, глядя в окно, — вся набережная затоплена. Много погибло?

— Жертв нет, — ответил Вяземский.

— Как удивительно! Наводнение, а жертв у нас нет. В других странах люди гибнут.

— У нас, Ваше величество, гибнут за царя, за веру и за отечество... Все благополучно обошлось.

— Ну что ж, я люблю, когда все благополучно. — И опять она посмотрела в окно. — Лодки плавают прямо по набережной, у дворца... — Императрица усмехнулась, потом повернулась к князю и спросила серьезно: — Еще есть какие-нибудь новости?

— Женщина — в Шлиссельбурге. Доставлена вчера вечером, но в городе уже слухи... Уже говорят, и, каюсь, не без нашей помощи, что в Петропавловской крепости погибла некая княжна Тараканова... В приемной уже дожидается граф Никита Иванович Панин.

Екатерина улыбнулась и вновь посмотрела в окно.

— Вы всегда произносите имя графа Панина с каким-то внутренним вопросом. Чувствую, вы все время хотите спросить: зачем я держу этого человека, давным-давно утерявшего всякое влияние, во главе Коллегии иностранных дел?

Князь молча склонил голову.

— Видите ли, друг мой, — благосклонно начала императрица. — Я заняла престол среди бурной борьбы. Но вот уже который год, слава богу, царствую мирно. Этому я обязана известным принципам в управлении, каковые и вам надлежит знать. Прежде всего постоянство. Постоянство должно быть во всем. Постоянство всех в неуклонном исполнении моей воли и мое постоянство по отношению ко всем. Это значит, когда я даю кому-то место, он может быть уверен, что сохранит его за собой до конца, коли, конечно, не совершит преступления или болезнь не заставит его покинуть сие место.

— А коли Ваше величество убедится, что ошиблись в выборе министра?

— Я оставлю этого человека на своем месте. И буду работать с его помощниками. Это не значит, что я стану его третировать. Наоборот, я сохраню видимость его влияния. Когда я узнала о победе графа Орлова при Чесме, я вызвала к себе главу военного ведомства. Как вы знаете, сей человек полнейший глупец... Но я хотела предупредить его о победе прежде, чем о ней узнает публика. Я позвала его в четыре утра. Он решил, что я собираюсь его за что-то распечь, и ворвался ко мне в кабинет с криком: «Простите, Ваше величество, но я тут совершенно ни при чем». — «Еще бы, — сказала я, — я это отлично знаю!» И рассказала ему о победе... Итак, у нас все всегда знают, что их места и привилегии будут сохранены за ними до смерти. И потому никому не надо беспокоиться и составлять заговоры. Вот почему граф Панин будет числиться главой Коллегии иностранных дел до своей смерти. Но, может быть, у вас на этот счет иное мнение, князь?

— Ваше величество, каждый раз, выслушивая ваше мнение, я счастлив сознавать, что думаю... ну совершенно... совершенно так же, как думаете вы.

— Тогда зовите графа, — засмеялась императрица.

Князь Вяземский преданно служил своей государыне тридцать лет. И настолько сделался безгласной ее тенью, что перестал реально существовать для нее. Когда по болезни он ушел в отставку и вскоре умер, она даже не потрудилась сделать вид, что огорчена. Она попросту не заметила этого события. Она выбросила князя из памяти, как старую перчатку.

В кабинете Екатерины — князь Вяземский и граф Панин. Екатерина ведет беседу, по-прежнему неотрывно глядя в окно на залитую водой набережную.

— Ваш дворец затоплен, Никита Иванович? Говорят, вы ловите рыбу прямо в манеже? Только не смотрите столь печально... Да, у нас несчастье. Кощунственно смеяться, скажете вы? О нет, кощунственно потерять смех в любых обстоятельствах. Все равно за бесчинства сей реки расплачиваться придется прежде всего мне. — И она обернулась к графу и ласково улыбнулась. — У вас, видимо, очень важная новость. И оттого вы посетили нас так рано, Никита Иванович?

— Посланники ряда стран, — важно начал Панин, — например посланники Саксонский и Прусский, сообщают в перехваченных депешах, что во время наводнения в Петропавловской крепости погибла «известная женщина». Более того, они пишут, что ее нарочно оставили там.

— А о какой женщине идет речь, Никита Иванович? — совсем ласково улыбнулась императрица.

— О той, которая всклепала на себя чужое имя, была доставлена из Ливорно графом Алексеем Орловым и умерла. Так что это совершенная ложь, Ваше величество! — И Панин с негодованием взглянул на Екатерину.

«И глаз стал мутный. А когда-то зорок был. Стареют все. Я разлюбила старых людей, они напоминают мне мой возраст. Нет-нет, надо окружить себя молодежью. Виват, вечная весна!»

— Нам надо незамедлительно, — продолжал Панин, — разоблачить сей вздорный слух.

— Не понимаю... А зачем, граф? — милостиво удивилась императрица.

— Но... — изумленно начал Панин, — Европа... И европейские газеты...

— Ах, граф, — доброжелательно сказала государыня. — Это все такой вздор. Прежде, когда я была молода, я оглядывалась на любое слово оттуда, я радовалась любому знаку одобрения. Чтобы получить это одобрение, я написала горы писем Вольтеру и барону Гримму. Все завоевывала общественное мнение... Но с возрастом, Никита Иванович, я все чаще и с печалью понимала, что самое благоприятное мнение просвещенной Европы можно завоевать отнюдь не достойными поступками, а ценными подарками или попросту деньгами. Вы поступили плохо? Ну что ж, это вам будет стоить чуточку дороже — всего лишь.

— Так что пусть клевещут, Никита Иванович! — радостно подытожил из своего угла князь Вяземский.

Екатерина по-прежнему стоит у окна и глядит на затопленную водой набережную — на корабли, выброшенные на берег. И на золотой шпиль Петропавловской крепости.

«Она уже живет в слухах, эта странная княжна Тараканова... Нет, клянусь, Ваше величество, это не худший ваш персонаж».

Картина: на полотне изображена прекрасная женщина в изодранном, когда-то роскошном платье. Она стоит на кровати, и страшная вода уже у ее ног, и крысы лезут на постель.

Легенда оказалась живуча. Через много лет, в 1864 году, на художественной выставке было представлено это впоследствии знаменитое полотно Флавицкого «Смерть княжны Таракановой во время наводнения в Санкт-Петербурге в 1778 году».

Екатерина, стоя у окна, все глядит на набережную. Вяземский и Панин по-прежнему стоят у стола, тщетно ожидая продолжения разговора.

Первым не выдержал Панин:

— Я свободен, Ваше величество?

Императрица спохватилась и обернулась все с той же улыбкой:

— Ох, простите, Никита Иванович, в голову пришел забавный сюжетец пьесы. О наводнении. — Панин взглянул на нее изумленно. — И никак вот не могу от него отделаться... Нет, недаром антрепренер в Москве зарабатывал на моих пьесах до десяти тысяч за представление. Они всегда имеют успех. И публика рвется. Я знаю, что многие наши тонкие ценители не находят их бессмертными. Но я всегда говорю: «Пусть, господа, кто-нибудь из вас сочинит получше. И мы тотчас же уступим ему место и будем наслаждаться его творениями».

«Да, это был самый удачный мой персонаж. Сия княжна Тараканова, погибшая во время наводнения. Теперь я могла быть спокойна: Августа — безликая тень и навсегда в Шлиссельбурге».

Но государыня ошиблась.

Прошло пять лет, и в 1782 году за границей, на берегах Женевского озера, после долгого тщетного лечения, скончалась от чахотки жена графа Григория Орлова Екатерина Николаевна. Ее надгробный памятник из черного мрамора и сейчас можно увидеть в кафедральном соборе в Лозанне.

А вскоре весь Санкт-Петербург был поражен известием удивительным: Григорий Орлов, этот великий кутила, соблазнитель самых блестящих женщин столицы, этот бывший глава петербургской «золотой молодежи», сошел с ума, не выдержав смерти жены.

1782 год, октябрь. Кабинет Екатерины в Зимнем дворце.

Шесть часов тридцать минут утра. Екатерина за столом пишет очередное письмо барону Гримму.

«Октября 25 дня 1782 года.

...Какой ужас! Я буду иметь, дорогой друг, перед глазами весьма грустное явление в лице князя Орлова, который возвращается сегодня в столицу. Слава богу, граф Алексей Григорьевич опередил его и уведомил меня, что он и братья его не будут выпускать князя Орлова из виду по причине полного расстройства или, точнее, ослабления умственных способностей».

Кабинет императрицы. 9 часов 15 минут утра 2 сентября 1782 года.

В кабинете Вяземский и императрица.

Вяземский делает ежедневный доклад.

— К сожалению, князь Григорий, который прибыл вчера в Санкт-Петербург, сумел ускользнуть от своих братьев. Он бродит по городу, навещает знакомых и при сем говорит невесть что.

— Что же он говорит? — помолчав, спрашивает императрица.

— Про Божью кару, про какую-то Августу и много чего несвязного. В безумии он пришел в дом к князю Щербатову, где посватался к его племяннице. И тут же просил не отдавать ее за него: дескать, проклят он. Князь Григорий нес такое, что князь Щербатов вынужден был отказать ему от дома.

— Ну зачем же обращать столько внимания на бред больного? — прервала императрица. — Однако что же находчивый граф Алексей Григорьевич медлит?

— Много сил потратили Алексей Григорьевич с братьями, матушка! Да только вчера отыскали Григория Григорьевича. Чуть не силой в карету его усадили и к себе в Москву увезли.

— Ну и слава богу. Вот и хорошо. Попроси, чтобы и впредь граф был столь же находчив, ибо поведение безумца будет теперь на его совести и *полной ответственности.*

Москва. Март 1782 года. Дворец графа Алексея Орлова.

Около конюшни стоял Алексей Григорьевич и восторженно глядел, как одного за другим выводили великолепных рысаков. И весело, чересчур весело болтал с братом. Григорий безучастно слушал его.

— Слава богу, из дому тебя вытащил. Да что же ты все молчишь? Неужто по Санкт-Петербургу тоскуешь? Ох, Гришка, ничего ты не понимаешь. Как мы тут весело живем в матушке-Москве. Какие гулянья у нас на масленой. И какое будет первое мая в Сокольниках!

Григорий с отсутствующим видом по-прежнему молчал.

— А балы, Гриша, какие! Иногда в вечер на Москве по сорок балов бывает. Девки из девичьих не вылезают — туалеты все барышням шьют. Один бал в Благородном собрании чего стоит. Экосезы, гавоты, котильоны... А какие барышни! Все помещики окрест дочек в Москву везут. По четыре тыщи на каждом балу! У нас франты даже вальсон танцуют! При сем танце... не поверишь... даму берут за талию! Ну, враги! Сущие враги!

Куда там твоему Петербургу! — хохотал Алексей Григорьевич.

Хлопочет вокруг лошадей Алексей Орлов и по-прежнему преувеличенно бодро обращается к молчащему Григорию:

— А балы наскучат — езжай в Английский клоб. Ах, какие там умники! Что тебе твой граф Панин! Они так политику обсудят... А какая игра! Пятьдесят тысяч за ночь проиграть можно! Бостон, пикет... У нас так в Москве к игре пристрастились, что танцевать на балах некому. А чудаки наши московские! Да-с, любим щегольнуть чудачествами. Я на днях выезжал на паре, так на запятках у меня были трехаршинный гайдук и карлица, левая коренная у меня была с верблюда, а правая — с собаку, — хохотал граф. — А какой у меня повар! Сущий враг! Индеек откармливает трюфелями, орехами и рейнским вином отпаивает... Да ты, чай, не слушаешь?

— Значит, ты тоже женился? — вдруг как-то странно спросил Григорий.

— Ей-ей, Григорьюшко, пока ты по заграницам разъезжал, — постарался пошутить Алексей.

— Покажи жену.

Из дома выходит молодая женщина с ясным простым лицом.

Алексей подводит ее к Григорию.

— Жена моя Евдокия Николаевна. А это брат мой Григорий — восстал сегодня с одра болезни.

Григорий кланяется. Евдокия Николаевна целует Григория в щеку, а он бессмысленно на нее смотрит. Алексей Григорьевич чуть заметно кивнул жене.

И она так же молча ушла.

— Ну что? Нехороша?.. Нехороша, да безропотна, потому как по-старому воспитана, в уважении к супругу. Я долго думал — красивую взять или добрую? Красивых-то я насмотрелся. И взял добрую.

— Ох, как ты веселишься, Алеша, — вдруг отрывисто сказал Григорий. — А на душе у тебя, поди, кошки скребут, — и он вдруг засмеялся. — Деток-то у тебя нет!

— Пока Господь не дал, — растерянно ответил Алексей Григорьевич, — но надеемся.

— И не даст, Алеша. Потому что уж очень хочешь ты детей. Не будет их у тебя. За шутки наши не будет...

— Опять бредишь!

— Пусть из Санкт-Петербургу... из дому моего... ее туалетец мне привезут золотой, — бессвязно сказал Григорий.

— Какой туалетец? — терпеливо спросил брат.

— Ну, который государыня, полюбовница моя прежняя, жене моей покойной к свадьбе подарила...

— Зачем он тебе, Гриша? — все так же терпеливо, как с ребенком, продолжал разговор с братом граф Алексей Григорьевич.

— Скучаю по разговору с покойницей... Я как голову положу на тот туалетец посреди ее флакончиков, тотчас разговор слышу.

— Какой разговор, Гриша?

— Жены-покойницы. Все говорит: «Не будет вам, Орловым-то, счастья. За ваши грехи меня у тебя забрали. За то, что шутить часто изволили».

— Послушай! В себя-то приди! И опомнись!

— Не хочешь... Неужто забыл, как император всероссийский подышать воздухом у тебя просил? А ты и пошутил. А потом совсем с ним пошутил — за горло его... И с нею... с той женщиной... совсем отменно пошутил: в Петербург доставил на смерть. И как она от чахотки, так вот и жена моя от чахотки...

— Замолчи, — в бешенстве прохрипел Орлов и схватил брата за руку.

— Больно, — равнодушно сказал Григорий. И прибавил: — И я вот... вослед за тобой тоже пошутить рискнул.

Алексей уставился на брата и только прошептал:

— Да ты что?

— Будто не знаешь? Врешь, все знаешь! Она тебе все

говорит. Оба вы злодеи... За горло взяла она меня, — он засмеялся, — как ты императора... Вот ту, настоящую, я и привез...

Алексей в ужасе смотрел на брата.

— Послушай, брат, я скоро уйду к жене-покойнице... Чтоб мне там поменее мучиться: пусть она ее из крепости освободит. Тихая она, как птица ручная. В монастыре пусть поселит. Там ей самое место. Обещай! Как я уйду, поедешь к ней и скажешь: дескать, так и так, полюбовник твой сделать это велел, иначе на том свете проклинать тебя будет... — Он замолчал.

— Значит, ты... — тихо выдохнул Алексей.

— Угу... Шутку твою повторил. Всю. Целиком. От корабля до крепости. Да вот жена моя шутку не выдержала. Прекрасна была и чувствительна. Как поняла ту шутку — гаснуть стала... Не хочу я здесь более. Я старался, поверь. Лежал сколько дней в комнате — все старался. Отпусти меня к ней, Алеша.

— Побойся Бога...

— Я всегда меж вами был первый, — продолжал Григорий, — первый чины получал, первый к трону стоял, во всем я был первый... Так что и в смерти мне быть первым. Христом-богом прошу: не сторожи меня. Яду не дашь — голову разобью. О тот туалетец... А то еще хуже, — прошептал он, — убегу в Петербург. И ее зарежу. Ты нашу кровь знаешь...

Алексей замолчал. Григорий посмотрел ему в глаза долгим взглядом и облегченно засмеялся.

— Ну вот... И слава богу... Как дед — пни мою голову!

В парадной зале дворца за круглым столом сидели пять братьев Орловых. Лакеи неслышно подавали блюда. В молчании шла эта трапеза.

Наконец Григорий поднялся и сказал:

— Ну, пора, Ваши сиятельства, господа графы. А я меж вами был князь. Давай, Алеша, из твоих рук.

Алексей молча протянул ему кубок с вином.

— Спасибо, уважил. — Он взял кубок и залпом осушил его.

— До дна, — засмеялся он и поставил кубок на стол.

13 апреля 1783 года.

В парадной зале на столе, покрытом парчовым покрывалом с золотыми галунами, лежало тело Григория Орлова, одетое в парадный мундир генерал-фельдцехмейстера. У изголовья священник читал псалтырь и стояли в карауле двенадцать офицеров.

Братья Орловы выносят гроб из дома. Множество людей собралось во дворе.

Как писал очевидец, «братья вместе с сотоварищами и пособниками его по незабвенному 1762 году при великом стечении народа понесли на плечах своих гроб к последнему пристанищу — Донскому монастырю».

Впоследствии всезнающий секретарь посольства Саксонского двора Георг фон Гельбиг в своей книге «Русские фавориты» подробно описал последние дни и похороны Григория Орлова. И указал, что граф был отравлен.

Из письма Екатерины к барону Гримму:

«Раз двадцать я извещала Саксонский двор, чтоб убрали отсюда ничтожного секретаря. Но Саксонский двор находит, по-видимому, его сообщения прелестными, так как не отзывает его. Но если и после последней попытки, сделанной мною, его не уберут отсюда, я прикажу посадить его в кибитку и вывезти за границу».

1784 год. Москва.

Открылась золотая решетка, и из ворот дома графа Алексея Григорьевича выехала его роскошная карета.

«На следующий год весной решился я ехать к государыне. Она была тогда в зените славы: присоединили Крым. Да и Амур не оставил ее своей стрелой: фаворит у нее был молодой и любимый. И решил я, что пришло мне время исполнить Григорьеву просьбу и что в счастии своем не сумеет она отказать мне».

Зимний дворец.

В кабинете императрицы — Екатерина и граф Алексей Григорьевич.

— Прости, матушка, что побеспокоил тебя посреди трудов твоих великих!

— Ну полно, Алексей Григорьевич! Разве забыл, что меня можно беспокоить в любое время. Я так привыкла, что меня все беспокоят, что давно уже этого не замечаю. Меня заставляют читать, когда я хочу писать, и наоборот. Мне часто приходится смеяться, когда хочется плакать. Мне не хватает времени, чтобы просто подумать хоть одну минуточку. Я должна работать! Работать, работать, не чувствуя усталости ни телом, ни душой, больна ли я, здорова ли! В начале царствования я работала по пятнадцать часов в день. Думала: вот налажу дела, полегче будет. А все то же самое! И притом все сама: устраиваю браки моих фрейлин, издаю журналы... Кстати, о журналах — я сейчас этим как раз занята. Это так важно для общества — иметь хороший журнал. И так трудно это сделать у нас в России. Уж очень мрачны у нас господа литераторы. Вот, к примеру, господин Новиков издавал журнал «Трутень»... Да ты не помнишь, ты тогда на войне был... И вот сей господин из нумера в нумер нудно обличал взятки. Да-с, у нас воруют. Но почему об этом нужно скорбеть из нумера в нумер? Почему публика должна все видеть в черном свете? Ах, господа русские литераторы! Почему вы все время требуете от всего рода человеческого совершенства, ему не свойственного? Пришлось журнал закрыть... Но все-таки от Европы отставать не хочется. И вообще правитель должен знать общественное мнение. И решилась я опять издавать журнал «Собеседник». Ты, конечно, читал?

— Мы в Москве больше рысаками интересуемся, матушка.

— А жаль, — увлеченно говорила императрица. — Большой успех имею у публики. Я сама издаю журнал... анонимно. Но какие тайны у нас в России! Конечно, все всё знают. Я вызвалась печатать в моем журнале критические замечания публики. Вот, думаю, в Европе подивятся свободе нашей! А от ненужных вопросов убережет мое имя... Но я забыла о наших мрачных литераторах. Немедленно господин Фонвизин сделал вид, что не понимает, кто издает журнал на самом деле... И начал спрашивать. Как ты думаешь, что заинтересовало его теперь, когда мы достигли таких успехов в войнах, в образовании, в законодательстве? «Отчего много добрых людей мы видим в отставке? Отчего в прежние времена шуты чинов не имели, а сейчас имеют?» Я на это так ответила: «Потому что в прежние времена в России свободоязычия было поменьше». Ох, чувствую, опять жить нам без журнала!.. — Она усмехнулась и сказала графу: — Прости, все жалуюсь. Сам понимаешь: женщина. Пожаловаться-то хочется! Ну да ладно. Петербургские дела наши тебя не интересуют. — Она вздохнула. — А Гришу вспоминаю часто. Прошлый год был для нас тяжелым: брат твой ушел от нас. Затем граф Никита Иванович Панин, князь Александр Михайлович Голицын. Всех так сразу Господь к себе призвал.

Граф Алексей Григорьевич молчал.

— Как здоровье жены твоей?

— Спасибо, матушка государыня. Детей только нет. Взял молодую, думал, сына рожу. Кто род продлит?

— Ну, сын у тебя есть, Алексей Григорьевич.

— Незаконный отпрыск, Ваше величество. В ноги кланяюсь, что чинами его не забываете. Он у меня с малолетства в полк записан. Но законных наследников нету... Нас было пять братьев — и ни одного законного наследника. Ни у кого. Видать, за грехи, матушка.

— Ну, говори, зачем приехал, — усмехнулась государыня.

— Грех сними с наших душ, Ваше величество. Просьбу Гриши передать хочу. — Он помолчал. И, внимательно взглянув на государыню, спросил: — Ты хоть знаешь, матушка, как Григорий-то умер?

— Пожалей меня, Алексей Григорьевич, — торопливо сказала императрица. — Избавь от рассказа. Достаточно я пролила слез. Неделю на кровати колодой валялась. Неужто еще хотите?

— Гришкину волю сообщаю, — твердо начал граф. — Возьми ее из тюрьмы. Пускай в монастыре живет... Кроткая она, не опасная тебе. Прости холопа за слова безумные. Казни меня, но волю Гриши исполни.

Императрица холодно смотрела на графа.

— Мимо Шлиссельбурга ездить боюсь... Все тебе исполнил Гришка. И я тоже... Сердце пустое стало. Жить незачем... Исполнили мы твои поручения!

Глаза его бешено сверкали, это опять был опасный человек со шрамом.

— Поручения?! — вдруг в ярости вскочила императрица. — Неужто ты думаешь, что я давала бы поручения вам, если б вместо проклятых юбок на мне были ваши штаны?! Проклятие родиться женщиной! Вы были моими руками и глазами! Потому что баба! В этой стране, где баб презирают... где муж всему голова... я была...

— Исполни волю Гриши, матушка, — мрачно повторил Орлов.

Она быстро ходила по кабинету, пила воду стакан за стаканом. И вдруг успокоилась и проговорила с нежной улыбкой:

— Ну что ж. Коли вы стали так пугливы, герой Чесменский, и боитесь ездить мимо Шлиссельбурга, — она светски засмеялась, — теперь вам придется бояться ездить мимо Ивановского монастыря.

— Спасибо, матушка! — Орлов низко поклонился в ноги государыне.

— Ступай с богом, Ваше сиятельство, — ласково сказала императрица.

Орлов вышел из кабинета. Тотчас открылась дверь в стене, и в кабинете появился молодой красавец Александр Дмитриевич Ланской, генерал-адъютант, новый фаворит императрицы.

— Как странно, душа моя, — начала государыня, нежно глядя на молодого человека, — я сейчас подумала: Григорий Орлов и граф Панин всегда ненавидели друг друга, а умерли почти одновременно. Вот, должно быть, удивились эти люди, столь не любившие друг друга, тотчас встретившись на том свете!..

Орлов ехал в карете и весело разглядывал в окно весенние петербургские виды.

«Значит, Ивановский монастырь... Ишь, что задумала! Императрица Елизавета предназначала сей монастырь для призрения вдов и дочерей заслуженных людей. Вот и определила она туда ее собственную дочь. Кстати, игуменью там Елизаветой кличут. Значит, должна она будет обращаться к надзирательнице своей: «Мать Елизавета». Да, умеет повеселиться государыня!..»

И граф расхохотался.

ЭПИЛОГ: ПОСЛЕДНЯЯ ВСТРЕЧА

Прошло еще десятилетие, наступила середина девяностых годов. Век умирал. Уходила эпоха. Уже сошли в могилу и Вяземский, и Грейг, и Радзивилл, и Потемкин, а Екатерина и граф Алексей Григорьевич все жили. В Петербург графа звали редко, да и сам он туда не стремился. Но переписывались они с императрицей с удовольствием, и милостями она графа не оставляла.

«На днях я послала ему табакерку с изображением памятника во славу его и написала: «Я в табакерку насыпала бы табаку, батенька, растущего в моем саду. Но опасаюсь, что дорогою высохнет».

В редкие наезды в столицу граф непременно бывал принят государыней.

Из записок последнего секретаря Екатерины Второй Александра Моисеевича Грибовского:

«Граф Орлов хоть в отставке и живет в Москве, но находится в особой милости у государыни. Он пишет ей письма и всегда получает от нее ответы... В нынешний приезд граф привез к нам в Санкт-Петербург свою совсем молоденькую дочь Анну. Я никогда не видел графа прежде. Но по высокому росту, нарочитому в плечах дородству и по шраму на левой щеке я сразу узнал героя Чесменского».

— Проси... Проси Алексея Григорьевича!

Граф Орлов в аншефском мундире с шитьем входит в уборную государыни. Он ведет за руку девочку в белом кисейном платье, с великолепными бриллиантами.

— Боже мой... Значит, это она?! — восторженно и ослепительно улыбается императрица.

— Да... Дочь моя Анна. Мать померла сразу после родов. Сирота она у меня. Гувернера взял, воспитателей, да разве мать заменишь?..

— Слыхала, слыхала, что души в тебе отец не чает, — ласково говорит Екатерина девочке. — Ну, подойди ко мне, дитя мое!

Девочка, потупясь, испуганно подошла. Императрица нежно подняла ее лицо, целует в щеку и произносит торжественно:

— Твоему отцу мы обязаны частью блеска нашего царствования. Это он присоветовал нам послать флот в архипелаг и пожег турок.

Девочка совсем оробела, молчит.

— Ну, поиграй с собачками, — смеется императрица и милостиво указывает на двух левреток, лежащих в корзине. — Познакомься: это семейство сэра Тома Андерсена-младшего...

Анна подходит к собачкам и молча стоит над ними, не зная, что делать. Собачки лают.

— Ах, мой друг, — говорит императрица графу, — поверь моему предсказанию: эта девушка много хорошего обещает!

Анна Алексеевна Орлова, оставшись после смерти отца двадцати с небольшим лет и оказавшись владелицей величайшего состояния в России, отказала многочисленным женихам. И до смерти жила в постоянных молитвах и постах, будто замаливая чьи-то грехи. Она купила землицу близ новгородского Юрьева монастыря, перебралась туда на постоянное жительство и перенесла в монастырь прах отца и братьев его, Григория и Федора...

Девочка пытается играть с собачками.

— Ну до чего хороша, отбоя от женихов не будет! — говорит Екатерина и с улыбкой обращается к графу: — Вы редко посещаете меня, Ваше сиятельство, но я часто думаю о нас, о нашей жизни. Вот и дожили до революции... Наказал Господь... Вот и увидели, батюшка, как чернь на глазах благодушествующих монархов отрубила голову христианнейшему королю... А ведь началось-то все при нас с тобой. Со слов наших поспешных о свободе, о просвещении... Да и сама я, что самое смешное, всю жизнь посвятившая себя идее самодержавия, как безумная, повторяла все эти злые умствования французских мудрецов и гиппохондриков — Руссо и прочих... И вот теперь, в старости, я узнала: свобода лишь призрак обманчивый, ведущий к хаосу и к бездне. А эти наши разговоры о реформах... О, теперь я поняла... Бойтесь перемен, самодержцы! Ибо лучшее всего лишь враг хорошего.

Алексей Григорьевич с почтительной усмешкой слушал императрицу.

— Да тебе это все неинтересно... рысаки!.. — Она засмеялась. — Прости, мой друг, но я все больше чувствую, что совсем одна. Они все умерли, не с кем поговорить... Они все ушли...

Неслышно открылась потайная дверь в стене, и появился черноволосый красавец, этакий «изящный французик», Платон Александрович Зубов, князь, генерал-адъютант, последний фаворит Екатерины.

— Ах, Платон, душа моя... — начала императрица.

Увидев Орлова, фаворит сделал капризную гримасу и исчез в стене.

— Ох, своенравный ребенок... Да-да, знаю, ты с ним не ладишь, Алексей Григорьевич. А я всегда мечтала, чтобы вы все... все дружили... Этот гениальный ребенок так скрашивает мое одиночество. — Она вздохнула. — Вечная весна! — Она улыбнулась. — Кстати, все хочу спросить тебя, граф: почему ты живешь один? Жена твоя померла уж давно... Ты здоров, слава богу. И вообще богатырь хоть куда! Да и дочери твоей лучше будет. — Императрица нежно взглянула на девочку, игравшую с собачками. — Решайся, граф, я так люблю устраивать чужие браки...

— Не могу, — усмехнулся граф, — после нее — все... Жену взял, думал — получится... И — ничего! Все пустое.

Императрица с изумлением поглядела на него, а граф бессвязно шептал:

— Будто опоила она меня. Забыть ее не могу... Вот ведь как оказалось-то: во всю жизнь только ее и любил...

Екатерина глядела на него с возрастающим удивлением.

— Ты о ком... Алексей Григорьевич?

— Да ты что, матушка?.. — прошептал Орлов.

Екатерина продолжала смотреть на него с величайшим изумлением.

— Ваше величество... Неужто всерьез... не помните?..

— Ах, Алексей Григорьевич, — благодетельно сказала императрица. — Мы учредили три десятка новых губерний, выстроили, почитай, сто пятьдесят новых городов, заключили четыре десятка мирных трактатов... А сколько было войн и побед!.. И притом писали прозу, стихи, пьесы... Ну как тут нам все в голове удержать-то? — И она засмеялась и совсем ласково сказала: — Не сердись, Христа ради, Алексей Григорьевич, но... не помню.

Ветер, ветер метет снег по двору Петропавловской крепости, где когда-то был Алексеевский равелин и была та могила...

И заброшенная часовня во дворе разрушенного Новоспасского монастыря...

И старинный шандал с экраном в том таинственном старом доме: она томно склонила прекрасную головку, и все гадает, и все глядит в серебряный таз на маленькие кораблики с горящими свечами...

Любовные сумасбродства Джакомо Казановы

...Но тикают часы, весна сменяет
Одна другую, розовеет небо,
Меняются названья городов,
И нет уже свидетелей событий,
И не с кем плакать, не с кем вспоминать,
И медленно от нас уходят тени,
Которых мы уже не призываем,
Возврат которых был бы страшен нам...

Анна Ахматова

ЛЮБОВНЫЕ СУМАСБРОДСТВА

Старик писал свою книгу промозглыми ночами в холодном замке в Богемии. Старик вызывал тени. Книгу он назвал — «История моей жизни». И начал он ее в год мистический — 1789-й. В тот год там, далеко за окнами замка, в Париже свершилась революция.

Революция должна была похоронить мир, который описывал старик.

Старик работал по двенадцать-тринадцать часов в сутки, и к страшному 1793 году полсотни лет его жизни уже уместились в десяти томах.

Все эти годы до него доходили слухи о парижских ужасах. Прах кардинала Ришелье выбросили из гробницы на парижскую мостовую, и мальчишки, дети парижской черни, развлекались — пинали ногами голову, которая столько лет правила Францией. Мощи Святой Женевьевы — покровительницы Парижа, свезли на Гревскую площадь, изрубили мечом палача на эшафоте и сбросили в Сену. В соборе Парижской Богоматери устроили склад. Принцессу де Ламбаль, подругу Марии Антуанетты, обезглавили, голову воздели на пику, вырвали сердце и тоже воздели на пику. Голову красавицы с запекшейся кровью и выбитыми зубами, ее кровоточащее сердце носили перед окнами венценосной подруги...

Он не знал госпожу де Ламбаль — она, наверное,

еще не родилась, когда он впервые прибыл в Париж... Нет, его женщины — те, кого он любил, — уже лежали в могилах. Бог дал им счастье не увидеть этих ужасов.

Впрочем, не всем удалось сбежать в могилу от встречи с обезумевшей толпой. Принц де Линь рассказал старику, как привезли на эшафот несчастную графиню Дюбарри, возлюбленную Людовика XV. Старик помнил ее совсем молодой — белокурой красавицей. И вот ее, повелительницу сердца короля Франции, волокли на эшафот, а она все молила: «Минуточку, еще одну только минуточку, господин палач!» И толпа хохотала...

Кстати, старик хорошо знал еще одну красавицу (и тоже блондинку), которая пусть кратковременно, но тоже повелевала сердцем короля Франции. И опять прекрасные воспоминания пришли к старику... «Я возрождаю наслаждение, вспоминая о нем...» И он записал эту историю — он снова жил. Малютка О'Морфи... Бедная О'Морфи! Говорят, она еще жива, неужели и она погибнет в этом парижском аду? Неужели и ее тело, которое он так помнил... Боже мой, а ведь ей уже за шестьдесят! Когда он впервые ее увидел, ей было тринадцать лет. Она была «грязная оборванка, но он тотчас разглядел в ней безупречнейшую красавицу». В скольких оборванках он умел разглядеть красавиц!

«Ничто так никогда не владело мной, — записывал он, — как женское лицо...» Что значит воистину любить женщин? Это — суметь разглядеть красавицу в каждой... ну, почти в каждой молодой женщине. «В пятидесятом году нынешнего столетия, — записал старик, — я свел знакомство с художником Натье». Как удивительно писал портреты этот Натье! Когда он писал уродливую женщину, он не менял ни единой черты ее лица, но она всем казалась красавицей. Он тогда только что закончил портреты некрасивых дочерей Людовика XV — «и нарисовал их прекрасными, как звезды»... В чем секрет его волшебства? Просто Натье, которому было восемьдесят лет, по-прежнему любил женщин!

Но О'Морфи была действительно хороша. Старик помнил, как он мыл эту грязную девчонку, как заиграла ослепительная кожа... Малютка позволила ему все за шестифранковый экю, она была покорней барашка. Все, кроме — *того.* То она оценила в двадцать пять луидоров — так ей велела сестра...

Потом он придумал историю с портретом. Художник изобразил ее обнаженной, она лежала на животе — в позе, которая сводила его с ума. Ну а потом — случайно, совершенно случайно! — портрет показали королю. Ну мог ли Людовик XV — этот гурман, этот коллекционер женской плоти, не потребовать немедленно привезти малютку в Париж? Когда малютка увидела Людовика, она расхохоталась. Изумленный король спросил:

— Почему ты смеешься?

— Я смеюсь потому, что вы как две капли воды похожи на шестифранковый экю!

Эту монету с изображением короля простодушная О'Морфи хорошо знала — она получала ее после каждой ночи. После каждой их безумной ночи, когда, вкусив все наслаждения, *он* умел оставить ее невинной. Не мог же он подсунуть королю испорченный плод!

В 1793 году, когда старик уже закончил десятый том, в Париже казнили Людовика XVI — некрасивого внука Людовика XV (тот был чудо как хорош!). А потом — и красавицу Марию Антуанетту. Старику показалось это предзнаменованием — окончательной чертой. И он прервал свое повествование, и все последующие годы лишь обрабатывал написанное...

Все тот же принц де Линь рассказал ему, как привезли несчастного Людовика XVI на площадь, которая называлось в его времена площадью Людовика XV. Сколько раз старик прогуливался по этой площади... Теперь это была площадь Республики, и вместо статуи короля воздвигли здесь статую Свободы. Она стояла у самой гильотины, и кровь с отрубленных голов брызгала на статую. Сам народ позаботился о примитивном символе — Свобода была постоянно в крови. А потом пришла очередь королевы... Как красива была Мария Антуанетта! В Париже герцог Лозен как-то показал ему два бокала с изгибом совершеннейшей формы — это была отливка безукоризненной груди Марии Антуанетты. И эта первая красавица Европы была совсем седая, когда ее привезли на гильотину. На ее прекрасном лбу был шрам — она разбила голову о низкую притолоку камеры. Она не умела гнуть шею... Ее везли на свидание с гильотиной в грязной телеге, и толпа осыпала королеву проклятиями. А потом палач показал народу отрубленную голову, и в этот миг мышцы лица сократились — голова открыла глаза...

Старик написал гневное письмо Робеспьеру. Он обожал писать. На множестве страниц он обличил злодейства якобинцев и изложил свои заветные мысли: «Деспотизм короля — ничто по сравнению с деспотизмом толпы. Толпа вешает, рубит головы, убивает всякого, кто, не будучи сам толпою, осмелится обнаружить свое мнение...»

Это письмо о деспотизме он попытался вставить в книгу, но, кроме нескольких фраз, все пришлось выкинуть...

Ибо книга была особая.

Он написал в ней страшные слова: «Я пишу эту книгу в надежде, что история моя не увидит свет, я тешу себя мыслью, что в последний момент, образумившись, велю бросить в огонь мои записки. Ежели сего не случится, читатель простит меня, узнав, что писание мемуаров было единственным средством, мною изобретенным, чтобы не сойти с ума от горя и обид, которые чинят мне многочисленные подлецы, собравшиеся в замке графа Вальдштейна в Duxе».

«Многочисленные подлецы» не стоили столь страстного обличения. Это были всего лишь слуги. И развлекались они понятной забавой лакеев — издевались над господином, впавшим в ничтожество. Старику это было особенно больно — он был горд.

«Он горд, ибо он — ничто, и не имеет ничего. Если бы он был финансистом или вельможей, то наверняка держался бы попроще», — написал о нем принц де Линь. Да, гордый старик был всего лишь приживалом, которого привез в замок хозяин Дукса, граф Вальдштейн, племянник принца де Линя. Богач граф назначил старика своим библиотекарем и платил ему. Сделал он это потому, что старик был забавен — буквально начинен множеством невероятных историй, которые произошли с ним (как он утверждал) в его бурной жизни... А возможно, еще и по обязанности таинственного братства: и старик, и принц де Линь, и граф Вальдштейн были масонами.

Слуги поняли положение старика и развлекались как могли: украли его единственного друга — собачонку, которую он так любил. Старик обожал хорошую кухню, (принц де Линь называл его «хищником застолий»), а слуги постоянно доставляли ему еду пересоленной или пережаренной. Портрет старика, выдранный из его же книги, они повесили в клозете...

Но наступали и прекрасные минуты, когда в замке появлялся хозяин — граф Вальдштейн — и его гости. Тогда старик торжественно надевал свой бархатный камзол и папский орден — крест, из которого исчезли все бриллианты (давно уже были заложены). Напудренная коса, хищный нос крючком и здоровенный кадык воинственно торчали — как прежде. И на негнущихся ногах, опираясь на палку с тяжелым набалдашником, он спускался вниз.

Вместе с графом Вальдштейном обычно появлялся в замке и принц де Линь — воплощение всех достоинств уходившего века: фельдмаршал, прославившийся храбростью, и, конечно, философ и писатель. Но главное — блистательный рассказчик, украшение салонов, которого, по словам его друга графа Сегюра, «при всех европейских дворах принимали, ласкали и который мог развеселить самое унылое общество».

Сей де Линь весьма желчно описал в своих мемуарах сцену явления старика гостям: «Он был бы красив, если бы не был так уродлив. Однако он высок и сложен, как Геркулес... Лицо смуглое, в его глазах, полных ума, всегда сквозит обида, ярость и злость... Он редко смеется, но любит смешить...»

Но часто смеялись не над рассказами старика — смеялись над ним самим... «На нем был шитый золотом жилет, черный бархатный камзол — и все засмеялись» (в постреволюционной Европе исчезли и напудренные косы, и парики, и камзолы, теперь носили мундиры и унылое гражданское платье. Мир стал скучным, а старик — смешным). «Он церемонно раскланялся, как обучали шестьдесят лет назад, — и все засмеялись...»

«И хотя самолюбие старика было всегда начеку», обидчивый и гордый, он все прощал — за дальнейшее. После отличного ужина (наконец-то постарались, канальи!) гости начинали просить его «прочесть что-нибудь из той книги»... Что бы ни писал принц де Линь, смешливые гости приезжали в замок прежде всего из-за старика — послушать книгу, о которой было столько слухов.

«В ней, сам того не ведая, он превзошел автора “Жиль Бласа” и “Хромого беса”», — признавался де Линь.

Чтение заканчивалось восторгами, и... гости уезжали. И долго, должно быть, вспоминали старика и забавный вздох Талейрана: «Кто не жил до 1789 года, тот вообще не жил».

И опять старик оставался во власти гнусных слуг, и опять он возвращался в *ту* свою жизнь — до 1789 года.

И снова приходили тени.

Но почему так страшился старик своей книги? Что было в ней злонамеренного?

Старик почитал себя важным человеком. Он описал в книге, как великие монархи удостаивали его беседы. О чем должен писать важный человек? О победах в политике, на поле брани... Старик писал о победах над женщинами. Сюжет его книги — непрекращающееся любовное похождение (и со всеми подробностями!). Некая «эротическая Илиада», как назвал ее Цвейг. Сто двадцать две соблазненные им женщины были ее героинями.

Точнее, сто двадцать две имели имена. Но ко всем этим совращенным Генриэттам, Мими, Терезам, Камиллам, Тонинам, Катеринам и к тем, кого он скромно скрыл под инициалами М. М, К. К. и т.д., следовало прибавить тьмы и тьмы безымянных: «В первые месяцы, что прожил в Дрездене, я перезнакомился со всеми публичными красотками и нашел, что по части форм они превосходят итальянок...»

Формы запомнил, имена — естественно, нет...

Так что в комнате, где он работал, сутками шел карнавал женских теней. Они плыли в исчезнувших колоколах-кринолинах — дамы света, маркизы, графини вперемежку с буржуазками и с потаскухами из самых распоследних борделей. Они исчезали в некоей гигантской кровати, где обнаженные женские тела, накрытые его телом, изнемогали от страсти...

Впрочем, эта фраза показалось бы ему пошлой. Ибо сам он представлял любовь как некий галантный танец (частая метафора в его книге). Он танцевал со своей избранницей, но, еще не закончив танца, еще сжимая ее в объятиях, уже искал глазами *другую,* следующую.

Да, это был танец. И еще — как это и должно быть в природе — некий круговорот. Любовь всегда требовала денег. Сколько рубашек, платков и панталон пришлось ему купить у Жильбер Боре, прекрасной галантерейщицы, прежде чем он смог приступить к восхитительному: «Я запер дверь, и мы предались любви»!

Он был щедр, он любил одаривать драгоценностями

своих избранниц. Но, любя предыдущую, он уже готовился перейти к танцу со следующей, и ему опять нужны были проклятые деньги! Чтобы осыпать знаками благодарности ту, *новую...* Так что иногда во имя следующей любви он вынужден был уступать за деньги любовь предыдущую ее новому избраннику. Например, передав королю малышку О'Морфи, он получил некоторую сумму... Что делать, надо поддерживать круговорот: деньги должны помогать любви, а любовь — помогать деньгам.

И все-таки оба сравнения — и танец, и круговорот — недостаточны. Перебирая в книге перипетии своей жизни, старик все чаще останавливался на сравнении любви с военной кампанией. Он обожал античность, преданно почитал Горация, читал Петрония и Овидия Назона. Любовь — война, беспощадная эротическая битва, — так мыслили древние знатоки. «Жалок дряхлый боец, жалок влюбленный старик...» Не пренебрегал он и опытом современников — недаром во время обыска инквизиция нашла у него на ночном столике лучшие наставления по эротическому бою: «Картезианского привратника» (самый непристойный роман его века) и «книжечку соблазнительных поз Аретино».

Конечно, это была битва! И как положено в сражениях, все решала стремительная атака. Надо было только не упустить случай. Взять хотя бы его победу над Мими Кенсон. Он застал ее одну, спящую на постели... Что сделал он? «Стремительно разделся, улегся, а остальное понятно и без слов».

Любовь — это битва, где он жаждал победить, а она — быть побежденной. Но иногда в сражениях возникали сложнейшие ситуации, и решить их было под силу только великим воинам...

И опять старик видел воды Большого канала, гондолу, тьму и чувствовал запах холодного морского ветра. Как он тогда ежился в белом балахоне Пьеро, боялся простудиться на этом ветру, потому что был в поту — он торопился. На острове в домике для свиданий ждала его М. М. — монашенка из монастыря Мурано. Он соблазнил ее совсем недавно и пылал.

Он нетерпеливо открыл ключом дверь и увидел божественную М. М. Она стояла у камина спиной к двери. О, счастье!

Она повернулась, и... о, проклятье! Перед ним была, увы, не М. М., перед ним стояла К. К.!

К. К. тоже была монашка и тоже из монастыря Мурано. И он тоже ее соблазнил... но давно. Он знал: нельзя войти дважды в одну и ту же реку. К. К. осталась в прошлом, сейчас он пылал страстью к М. М.

Как все военные задачи, ситуация требовала быстрого решения. Во-первых — тактического. Чтобы продолжать кампанию, он должен был незамедлительно понять: каким путем очутилась К. К. вместо М. М. И он понял это сразу — недаром побывал во многих битвах. Что делать — мужчины, у которых много женщин, имеют обыкновение дарить им одинаковые подарки... Да, это все проклятый медальон! Недавно он подарил М. М. золотой медальон. А когда-то давно он преподнес К. К. золотое кольцо. По мужской торопливости и кольцо и медальон побывали у одного и того же ювелира. И конечно, опытная М. М. тут же начала расспрашивать ничего не подозревающую К. К. о ее кольце.

Когда К. К. восторженно рассказала о бесконечных любовных сумасбродствах дарителя, М. М. не требовалось ничего более. Она уже знала: на такие подвиги способен только один человек во всем мире! И она решила ему отомстить — прислала вместо себя К. К.

Нет, он ничего не имел против этой красотки, но сейчас он жаждал только М. М.! Между тем новые тактические задачи сыпались градом: он узнал, что скромница К. К. не просто дружит с М. М., но порой «является для нее женою, либо муженьком».

Но это его не испугало — «такая любовь лишь забава.

лишь заблуждение чувств». Страшное было впереди: оказывается, М. М. любит французского посланника, очаровательного аббата де Берниса (а не просто спит с ним). Проклятье! Но и это он преодолел — сложнейшими ходами в постель к де Бернису была направлена К. К., а сам он остался с М. М. С желанной М. М.!

Победа? О, если бы! Бой продолжался! Он узнает, что любвеобильная М. М. задумала «все сделать общим»: объединить себя, аббата и подругу в одной постели! На это ему открыто намекают. Он может разрушить замысел — достаточно приехать в дом свиданий. Ибо жалкий де Бернис «не свободен от предрассудков», в его присутствии их общая битва не состоится. Но разве Воин Любви может унизить себя ревностью? Разве дозволят ему сделать это его честь и главная заповедь, с которой он всегда шел в бой: «Четыре пятых наслаждения заключались для меня в том, чтобы дать счастье женщине»?

И если женщина хочет другого... Тогда он будет мучиться, но не станет мешать ее наслаждению.

На войне как на войне: только честь превыше всего, все остальное — в жертву победе! Дружба? Какая может быть дружба — на войне есть только победа! Как дружил он с графом де ла Тур д'Овернь! Граф познакомил его со своей любовницей. Излишне говорить, что его сердце немедленно воспламенилось. И он начал военную кампанию, чтобы овладеть любовницей друга. Обстоятельства складываются необычайно удачно: они все оказались в одной карете. Случай опять за него! И тотчас во тьме кареты он бесстрашно начинает излюбленную — стремительную! — атаку: смело завладевает рукой любовницы графа. Излишне описывать все венецианские сумасбродства, которые он проделал с этой ручкой. И все было бы хорошо, если бы рука любовницы графа не оказалась... рукой самого графа де ла Тур д'Овернь! Проклятье! Граф рассердился? Какая чепуха — ревность смешна для Воина Любви. К примеру, когда некий маркиз вздумал ревновать свою жену, его моментально бросила любовница. И потому, задыхаясь от смеха, граф попросту обнял Казанову. Потому что граф сам был Воином и понимал: на войне как на войне!

На войне не бывает родственников. Однажды он отбил любовницу у родного брата-священника — восхитительную Марколину, девицу не очень строгого поведения. Тотчас воспылав к ней, он провел уже знакомую стремительную атаку. Несчастный брат обратился к нему с мольбой: «Я разорился из-за нее! Я жить без нее не могу! По какому праву ты отбираешь у меня женщину, которую я так люблю?» Он ответил по-военному: «По праву любви, осел! И по праву сильного!»

Брат-священник, влюбленный в девку... В книге старика и в романах XVIII века в весьма рискованных эпизодах действовали священники, аббаты, монашки. Это — традиция века великих философов-атеистов.

Но также — и результат некоего подсознательного страха. Участники этого вечного пира, именуемого Галантным веком, этого потока сладострастия, ставшего и нормой жизни, и высшим смыслом («Бедра, грудь, маленькая ножка — вот моя религия», — писал поэт), — все это были люди, воспитанные в религиозном духе. И они пытались примирить свое ежедневное попрание божественных заповедей с тем, что было заложено в их души. Чтение о прелюбодействующих церковниках успокаивало. И они, выходит, тоже...

Было придумано много формул, чтобы оправдаться. «В конце концов, если Господь наградил нас страстями, то смешно им препятствовать», — говорит аббат в сочинении маркиза де Сада.

И еще: в «Опасных связях» — этой любовной энциклопедии XVIII века, когда шевалье де Вальмон решает развратить невинную девицу, он начинает ей рассказывать о выдуманных им самим грязных похождениях ее матери. Он их выдумывает, потому что знает: путь к падению девушки лежит через попрание матери. Свергнув мать с пьедестала, легко добиться радостного разврата от дочери.

Пороча авторитеты, они подсознательно убивали в себе страх перед распутством.

Но за все должно быть заплачено. И революция, которая свершится в конце Галантного века, с ее невиданной кровью, истреблением множества участников галантной оргии, будет тоже платой.

Ибо они забыли: все позволяемо, но не все позволено.

Прекратив писать в 1793 году, все последующие годы старик правил свое сочинение. И в 1797 году, презрев высказанное намерение уничтожить свой труд, он попытался издать свою «Историю» — послал первый том в Дрезден графу Марколини, премьер-министру Саксонии. Но граф величественно не ответил — впрочем, это и был ответ.

Более старик не возвращался к работе. Он стал ждать смерти...

Он умер в начале лета — в первых числах июня 1798 года, и почитатель его принц де Линь, и граф Вальдштейн не приехали проститься со стариком. Все те же подлецы слуги и приехавший из Дрездена муж племянницы Карло Анджолини отвезли его на кладбище.

И в церковной книге записали: «Казениус, венецианец, 84 года». Перепутали и имя, и возраст — кому интересны имя и возраст смешного нищего старика...

Осталась рукопись. Она лежала в библиотеке. Принадлежала она графу Вальдштейну — еще в 1789 году он заплатил своему библиотекарю за все будущие произведения — до его смерти.

Но Карло Анджолини решил иначе: в конце концов,

после старика должно хоть что-то достаться родственникам. И он забрал рукопись, на титульном листе которой стояло: «Жак Казанова де Сейнгальт, венецианец. История моей жизни».

Похищенную рукопись Карло держал у себя, никому не показывая. Видимо, он ее прочел и не был уверен, что такие воспоминания полезны для репутации семьи. Он отказал и графу Марколини, вдруг решившему купить ее за целую тысячу талеров. Но к счастью, в начале двадцатых годов Карло срочно понадобились деньги, и он продал за жалкие двести талеров все десять томов Фридриху Брокгаузу, основателю знаменитого книжного дома.

В 1822 году появились первые тома.

И мирно почивавший двадцать четыре года в гробу старик восстал. Молодой, яростный, щеголяющий бесстыдством, окруженный нагим хороводом, — он явился в мир!

Его настоящее имя — Джакомо Джироламо Казанова. Шевалье де Сейнгальт — это он придумал.

Иногда еще он называл себя графом Фаруси. Фаруси — это истинное имя его деда по матери, правда дед был не графом, а сапожником. Дочь этого сапожника Дзанетта Фаруси стала актрисой и вышла замуж за актера Гаэтано Казанову в 1724 году. И, как водится в хороших семьях, уже через год у них родился первенец — Джакомо.

Его младшие братья изберут себе вполне благонамеренные профессии. Один станет священником, другой, Франческо, — знаменитым живописцем, членом Французской Академии, гордостью матери. И до смерти Джакомо будут называть «братом того самого Франческо Казановы». Ничего, Джакомо с ним разделается в вечности — в «Истории моей жизни» он напишет презабавную сценку: зеваки поносят картину его брата, не зная о его присутствии.

Само свое рождение Казанова описал насмешливо: «Матушка произвела меня на свет в Венеции, апреля второго числа, на Пасху. Накануне донельзя ей захотелось раков. С тех пор я до них большой охотник».

Казанова должен был стать священником. Он даже учился в семинарии, но «ночные шалости» (так он сам их называл) подвели... Он был исключен.

Правда, по его словам, к тому времени он... уже окончил университет в Падуе и даже защитил диссертацию по юриспруденции! Как все образованные люди Галантного века, он знал языки — латынь, древнегреческий, древнееврейский, испанский, французский. Немецкий знал хуже, но вполне сносно.

Ему еще нет девятнадцати, а он уже сообщает о множестве своих профессий — был семинаристом, военным, клерком у адвоката, служил у посла, у кардинала. Путешествовал по Востоку — Корфу, Константинополь... Впрочем, в Турции он чувствовал себя преотвратно, ибо не знал языка и оттого был лишен главного своего оружия — блистательного рассказа...

Ах, эти рассказы Казановы!.. «Я провел две недели, разъезжая по обедам и ужинам, где все желали в подробностях послушать мой рассказ о дуэли с гетманом Браницким. Частенько там бывал и король».

Шпага — хорошее оружие, но главное — язык. В театрах, в салонах, в трактирах его голова горделиво торчит над слушающей толпою (он отметил в книге и свой рост: метр восемьдесят три). Его слушают, как завороженные, — Казанова рассказывает!

Но голова уже начинает блудливо вертеться — ищет достойную партнершу для боя. Нашел! Теперь он уже рассказывает, не отрывая взгляда от *нее*. В его любовных битвах беседа всегда была артиллерийской подготовкой, после которой ослепленного, восхищенного противника можно брать первой же стремительной атакой...

При этом он — кладезь знаний. Давно уже не учась

ничему, он постиг все. Он специалист по финансам — организует лотерею, объясняет королю Фридриху Великому, как взимать налоги. В беседе с тем же прусским королем он рассказывает, как строить каналы, в Митаве высказывает некоторые идеи по рудному делу, в Париже основывает ткацкую мануфактуру... Он — математик, теолог, астролог, великий знаток оккультных наук и Каббалы. Он уже не думает, кем ему стать — он стал всем.

Он — искатель приключений, он принадлежит к могущественному племени, которое назовут *авантюристами*...

Это было время Великой Европейской Скуки. Семилетняя война закончилась, и знатные господа попросту умирали с тоски, не представляя, чем теперь заниматься. Все эти жалкие правители немецких карликовых государств томились в своих убогих дворцах, пока не появлялись *они* — великие развлекатели, Звезды Авантюры. Калиостро, он же полуграмотный сицилиец Бальзамо... Шевалье де Эон, каковой иногда появлялся в виде женщины и тогда соблазнял мужчин, а иногда — в виде мужчины и тогда соблазнял женщин... Таинственный Сен-Жермен, который рассказывал, как он жил во все века, и все в это верили, а маркиза де Помпадур счастливо показывала мазь, которую дал ей Сен-Жермен. Она должна была сохранить лицо маркизы в состоянии «статус кво». И, старея, она упорно видела «статус кво» на своем морщинистом лице... Девиз у развлекателей был общий: «Есть состояние, которое протратить невозможно, — это человеческая глупость».

Но, пользуясь ею, Казанова искренне жалел глупцов.

Один из самых занятных рассказов в его «Истории» — как он одурачил семидесятилетнюю маркизу де Юфре. Он обобрал богатую старуху, помешанную на оккультных глупостях, — обещал ей зачать сына, в которого она должна была переродиться. Но и плутуя, Казанова остается человеком чести на своем поле боя. Он не имитирует любовное сражение — даже со старухой! Он честно бьется с древним телом. В трудные минуты этого печального сражения он вводит в бой резерв — любовницу Марколину, которая своими ласками поддерживает изнемогающего Воина. И Марколина, «использовав все, чем славятся питомцы знаменитейшей из школ любви — венецианской школы», помогает Казанове победить!

Но восторг старой безумицы, когда он сообщает, что его «солнечное семя» проникло в нее и вскоре она родит самое себя, заставляет Казанову на мгновение почувствовать укоры совести. Однако он тут же успокаивается пленительной фразой: «Не я, так кто-то другой ее одурачит. Так что лучше пусть верит в свое бессмертие, иначе из счастливейшей я сделаю ее несчастнейшей...»

Все это время он разъезжает по свету. Вы можете представить его в Венеции, на Корфу, в Турции, Германии, Голландии, Швейцарии, Испании, Италии, Франции... И даже в Москве или Петербурге — там он тоже был. Как правило, его странствия кончаются печально. Из Лондона ему приходится бежать, спасаясь от виселицы. Его высылают из Флоренции, Вены, Варшавы, Парижа. В Барселоне его сажают в тюрьму, и в Венеции тоже...

Великая сила гонит его по разным странам, ввергает в преступления, заставляет шулерничать, подделывать векселя, драться на дуэлях. Страсть к *ней* — тысячеликой Женщине.

Голодная страсть, вечный поиск, гон — ради мелькнувшего личика, чувственного рта, женского смеха, обнажившейся груди, наконец, просто ради контура женского тела! Его самое прекрасное приключение — с красавицей Генриэттой — начинается с полуоткрытой двери. Он видит в проем только контур женского тела, накрытого простыней. И все! И этого достаточно — он уже загорелся! Собравшийся уезжать Казанова велит распрячь лошадей, багаж возвращен обратно — он остается...

Только не забудьте подставить главное слово — новое.

Ради *нового* личика, ради *нового* смеха, ради *нового* контура *нового* тела... Женщина может его остановить, но не может удержать, никакая женщина не стоит свободы, хотя бы потому, что свобода — это новые женщины, счастье нового тела... Вечный гон за новым, в конце которого его, улыбаясь, поджидали две подруги — старость и смерть.

Свою жизнь этот отпрыск комедиантов описывает как театральную пьесу в трех актах. Первый он заканчивает, приближаясь к своим сорока годам. Второй должен был завершиться, приближаясь к шестидесяти. И третий акт пьесы он предполагал окончить в замке в Дуксе. Акт, после которого и должен был окончательно опуститься занавес.

«Коль мою пьесу освищут, — с усмешкой прибавляет он, — я об этом... ни от кого уже не услышу...»

Старая идея «Жизнь — театр» стала расхожей банальностью после знаменитой шекспировской фразы. Но обожатель античности Казанова пьет из другого источника. Это император Август, умирая, спросил с улыбкой: «Хорошо ли я сыграл комедию жизни? Если хорошо, то похлопайте и проводите меня туда добрым напутствием».

Первый акт пьесы написан им целиком — в нем тесно от поверженных женских тел и от самых невероятных приключений. Побег из страшной венецианской тюрьмы Пьомби, куда он на пять лет был заточен судом инквизиции, — чудо изобретательности. Он умудрился бежать ночью через свинцовую крышу... Каждый раз, приехав в Венецию, я шел на площадь Святого Марка.

И, глядя на Дворец дожей (там находилась его тюрьма), все представлял, как, отогнув свинцовые пластины, вылезает он на крышу и под луной сидит на ее коньке... чтобы уже вскоре, едва избавившись от страшного заточения, лезть под юбку к «донельзя хорошенькой девушке», имя которой он узнал мгновение назад. И хотя излюбленная стремительная атака в тот раз была безуспешна, и очаровательный противник дал достойный отпор, уже вскоре он смог написать привычное: «Познал счастье в объятиях мадемуазель Терезы де ла М-р...»

...В тридцать девять лет, перед самым концом первого акта, с ним происходит нечто ужасное. Он встречает в Англии молоденькую шлюху и моментально загорается — обычный пожар Казановы.

И действует он по обыкновению: приступает к решительной атаке. А вот дама поступает необычно: к предмету вожделения Казанову не допускает. В неистовстве страсти он пускает в ход деньги, даже насилие — на войне как на войне! Деньги она принимает, но... Обобрав Казанову, негодница ускользает. Более того, дарит предмет неистового вожделения Казановы жалкому ученику парикмахера, и совершенно даром, и на глазах у Казановы! И все потому, что тот — *молод.*

Звонок прозвенел — акт заканчивается при первой встрече со старостью. Впервые Воин терпит поражение. Казанова описывает это, как крушение Рима. Он жалок, он рыдает, он готов покончить с собой, он не знает, что делать.

История безнравственная? Удивительно нравственная! Более того — поучительная. Весь первый акт Казанова безудержно соблазнял, обманывал мужей, женихов, обирал всех этих простофиль. И главное оружие его распутства — сверкающая молодость, неутомимая в любовных битвах. И вот накануне сорокалетия грешник получает возмездие: его бьют его же оружием. Чужая молодость обманула его, обобрала, повергла в прах!

Так нравоучительно падает занавес после первого акта.

Второй акт стал последним в книге. Свою комедию жизни Казанова бросает на его середине — не дойдя даже до своих пятидесяти лет. Жаль. Акт обещал быть весьма любопытным...

Кто этот пожилой господин, опирающийся на трость с золотым набалдашником, разгуливающий по грязным кабакам и по литературным салонам? Говорят, он недавно вернулся в Венецию. Но и в кабаках, и в салонах при нем побаиваются говорить. Рассказывают, что прежде за ним водились грешки перед инквизицией. И будто теперь, доказывая свою лояльность, испытывая нужду в деньгах, он сам доносит инквизиции о чтении запрещенных книг, о вольных беседах...

Господин тихо живет с белошвейкой, скромной простолюдинкой Франческой Бускини, и если иногда посещает бордели, то редко, и ходит только к дешевым, немолодым проституткам. Господин экономен.

В архиве инквизиции будут найдены доносы ее штатного сотрудника, подписывавшегося «Антонио Пратолини». Это ужасно, но в 1780-1781 годах под этим именем доносил пятидесятипятилетний Казанова...

Может быть, поэтому он не смог дописать второй акт?

И все-таки не прожить ему долго на одном месте: он опять в опале. Не дожидаясь худшего, этот Вечный Жид бросает Венецию, продолжает скитания по Европе: Вена, Париж, Франкфурт, Берлин, Прага... Он мечется в поисках денег, работает жалким секретарем у венецианского посла. Тот умирает — и снова безденежье. Казанова даже решает... уйти в монастырь и стать монахом!

Наконец в 1785 году его подбирает граф Вальдштейн и дает ему место библиотекаря в своем замке Дукс в Богемии.

В замке Казанова услаждает хозяев бесконечными рассказами о юном Казанове.

Их начинают пересказывать в салонах. И другой блистательный рассказчик, принц де Линь, придает им все новые и новые подробности. Слава о жизни Казановы, о его эротических подвигах распространяется в Праге и в Вене. Граф начинает привозить гостей в замок, угощать их рассказами Казановы. Пристойными (о побеге из тюрьмы, о дуэли с гетманом Браницким) и непристойными, которые приводят в такой восторг де Линя и всех столичных сибаритов. Казанову даже вывозят в Прагу — потешить тамошних друзей графа. Как он был счастлив после скуки Дукса!

Именно тогда и произошла эта встреча.

В то время ди Понте — либреттист Моцарта — писал либретто для оперы «Дон Жуан». И директору театра, заказавшему оперу, пришла в голову мысль: устроить встречу с Казановой. Кому, как не Казанове, «специалисту по донжуанизму», объяснить Моцарту и этой продувной бестии ди Понте, что такое Дон Жуан!

И встреча состоялась.

Казанова, который за деньги учил когда-то даже горнорудному делу, естественно, надавал много полезных советов. Но представляю — с какой улыбкой! Уж он-то знал: нет более далеких друг от друга типов, чем Казанова — герой его «Истории» — и Дон Жуан. И об этом напишут все исследователи.

Дон Жуан — образ, созданный в отсветах инквизиции. Главная задача Дон Жуана, цель его обольщения — сдернуть с женщины лживый покров невинности, доказать ей самой, что под ним — одно сладострастие, одна жажда греха. И завоевывая женщину, и разоблачая ее похоть, Дон Жуан повергает ее в отчаяние и раскаяние.

За похождениями Дон Жуана мерещится охота за ведьмами.

Недаром женщины Дон Жуана так его ненавидят.

Недаром стараются предупредить друг друга об этой смертельной опасности, об этой проказе по имени Дон Жуан, которая надвигается на несчастных дам!

А Казанова — это совсем другое. Это приглашение к галантному приключению, к плотской радости: «Четыре пятых наслаждения заключались для меня в том, чтобы дать счастье женщине».

Казанова может с полным правом повторить слова принца Филиппа Орлеанского: «Запрещено все, что мешает наслаждению!»

Казанова — лишь сон, который не может стать обыденной жизнью. Может ли Казанова стать мужем? Может ли дождь принадлежать одному полю? Пчела — одному цветку? Его удел — радовать *всех* женщин, он их общее достояние. И женщины Казановы радостно передают его друг другу, они делятся им друг с другом. Его никто не ревнует, ибо нельзя ревновать облако. Он нереален, как счастье... Впрочем, в одной стране его все-таки приревновала женщина. И так безумно, что чуть не убила. Женщина эта жила в России.

Я все представляю, как, заканчивая беседу, ди Понте поведал ему о возмездии Дон Жуану, о том, как этого развратника утягивает в ад рука Командора. И как усмехнулся Казанова. Нет, Казанова знал — страшен не Командор, есть нечто пострашнее. Это — *старость.*

И в старости, глядя на свой портрет, он напишет горчайшие слова: «Я не существую. Я лишь существовал когда-то...»

ТАЙНА

Но *кто* это все написал?

Какой странный вопрос, не правда ли? Это написал Казанова.

А кто он был, этот Казанова? Кто был этот восхитительный боец, победивший полки красавиц? Старик, который умер в замке Дукс, написав «Историю моей жизни»? Или...

Или всего лишь литературный персонаж — герой «Истории моей жизни», в которого старательно играл жалкий нищий старик по имени Казанова? Обольстительный персонаж, из-за широкой спины которого лишь на мгновенье вынырнул совсем иной образ — пожилого осмотрительного господина, отправлявшего в тюрьмы людей ради спокойной жизни в достатке...

Образ автора?

Читая книгу, написанную Казановой о его жизни, я все чаще ловил себя на странных мыслях. Они появились не потому, что, согласно его словам, он уже в двенадцать лет учился в падуанском университете и в восемнадцать защитил диссертацию. Не потому, что вся история его побега из тюрьмы упоительно фантастична; не потому, что французский посланник де Бернис, которого Казанова уложил в постель вместе с М. М. и К. К., никакого отношения к ним не имел; не потому, что маркизе де Юфре было вовсе не семьдесят лет, а всего лишь пятьдесят с хвостиком, да и умерла она на десять лет позже, чем схоронил ее Казанова в своей книге; не потому, что множество его любовных приключений являются попросту пересказами анекдотов XVIII века (мы их найдем и в «Хромом бесе», и в эротических романах). Но потому, что однажды я *внимательно* перечел его биографию.

И некое обстоятельство в ней меня поразило.

Именно тогда мне еретически стало казаться, что тот фантастический авантюрист, которого он изобразил в своей книге, и тот, кто писал эту книгу, — весьма разные люди... Все дело в том, что среди многочисленных своих профессий, которые указывает Казанова, он лишь вскользь говорит об одной, хотя она проходит через всю его жизнь.

Однако венецианский стукач, который в 1755 году

написал донос на тридцатилетнего Казанову, называет ее вполне определенно: «Говорят, что он был *литератор...*»

И ведь, действительно, не зря Казанова будет обращаться в Дрезден к премьер-министру графу Марколини, прося напечатать его «Историю». Именно в Дрездене началась (и с блеском!) его карьера литератора.

В 1752 году, когда ему было двадцать семь лет, в дрезденском Королевском театре итальянская труппа поставила трагедию, переведенную им с французского. В том же году вместе с соавтором Казанова пишет комедию, поставленную в том же театре. И тогда же его комедию «Молюккеида» вновь ставит все тот же Королевский театр в Дрездене.

Три пьесы за год — в Королевском театре! И две из них явно имели успех, иначе не ставили бы последующие. А вот третья, скорее всего, провалилась. Ибо более Казанова не тревожил Королевский театр своими пьесами.

Но мы знаем об этих — осуществленных творениях. А сколько должно было быть неосуществленных, пропавших во тьме, в безвестности?

Когда, помирившись с инквизицией, он возвращается в Венецию — он возвращается к перу. Пишет «Опровержение “Истории Венецианского государства”», написанной Амело де ла Уссе, где в нужном для властей духе изложена история республики, и бесконечно переводит...

В 1771 году в Риме его принимают в литературные академии Аркадия и Инфеконди.

И в Триесте он занимается литературным трудом — из-под его пера выходят три тома «Истории смуты в Польше» и роман «Бестолочь».

Он снова в Венеции — и переводит «Илиаду», пишет антивольтеровский трактат, издает сборник «Литературная смесь», где печатает свой рассказ о дуэли с Браницким. И опять переводит множество французских романов — идет постоянная работа литератора!

И с Венецией Казанова рассорится из-за литературных занятий: он перевел роман, который имел успех, но венецианский аристократ Карло Гримальди не выплатил ему гонорар. Как мстит Казанова? Как истинный литератор — пишет язвительный памфлет, после чего и попадает в опалу.

В 1786 году он напишет трактат против Калиостро и Сен-Жермена и пять томов скучнейшего фантастического романа «Изокамерон».

Он работает непрерывно — но бесславно.

Принц де Линь говорит о его сочинениях, написанных до «Истории моей жизни»: «Его писания напоминают старинные предисловия — многоречивые и тяжеловесные».

Видимо, как литератор он и был представлен Вольтеру. Отсюда его фраза:

— Вот уж двенадцать лет, как я ваш ученик.

И отсюда вопрос Вольтера:

— Какой род литературы вы избрали?

А ответ свой Казанова явно приписал позже:

— Пока я только читаю, изучаю людей, путешествую... Время терпит.

И вот, оказавшись в замке Дукс приживалом, старый литератор придумал, как услаждать хозяев. Он рассказывает им истории своей жизни — бесконечные истории про любовь.

Истории и вправду с ним случившиеся, а также услышанные от других, бесчисленные анекдоты, которые хранит его невероятная память, реальные и нереальные имена, которые соединяются с его фантазиями, — все сваливает он в один котел, все передает ему — герою своих рассказов, молодому Казанове.

Именно тогда он с горечью понимает: зачем изучать историю Польши, Венеции, размышлять и философствовать в «Изокамероне»? Вот что им нравится, вот за что они готовы платить... И он решает записать свои рассказы.

Уже приближаясь к могиле, старый литератор нашел себя. Работая по двенадцать часов в сутки, он открыл законы будущего успеха. Герой должен быть удачлив, публика любит истории о Победителе. О *молодом* Победителе.

Именно поэтому он вовремя остановился на середине своего повествования. Не потому, что боялся своих шпионских дел — кому они были известны! Он просто понял: Победитель не может быть стариком.

Вот откуда фраза в его письме: «Я решился бросить мемуары... ибо, перевалив за рубеж пятидесяти лет, я смогу рассказывать только о печальном...»

И был еще один закон, тоже им открытый.

Казанова-старик хорошо знал людей: если рассказывать им о себе вещи низкие — только тогда они поверят и в высокие. Чтобы люди верили во все его фантастические любовные победы, он решает открыть им «преисподнюю любви», как назовет ее кто-то из исследователей... И он описывает свои бесконечные венерические болезни, мочу в ночном горшке, пот любовного труда — тайную физиологию любви.

Правда, он немного перестарался.

«Остановило меня в моих набегах лишь недомогание, каковым наградила меня одна красавица венгерка... было оно *седьмым по счету»,* — так Казанова пишет о времени, когда ему было только двадцать пять лет. А впереди была еще целая «эротическая Илиада»!.. Нет, не создать бы ему эту книгу, не осилить, приближаясь к семидесяти годам, труда по двенадцать часов в сутки, требовавшего физической мощи и главное — памяти, если принять на веру такие сообщения...

Все была игра, все была — литература!

Но, рассказывая о Победителе, литератор Казанова не забывал о морали, как не забывали о ней создатели Дон Жуана, отправляя своего героя в преисподнюю.

Порок — пусть самый обольстительный — должен быть наказан! И оттого в конце первого акта книги и появилось то самое наказание героя — коварной шлюхой.

Итак, он был сочинен, молодой Казанова, как был сочинен молодой д'Артаньян.

Д'Артаньян побеждал на полях битв, и Казанова — на полях битв (в бессчетных постелях). Великие истории о Победителях!

Но «тикали часы», и «весна сменяла одна другую».

Закончился XVIII век. И те, кто отрубил голову королю в Париже, уже успели порубить головы и друг другу. И все это время в столице Франции сбрасывали статуи — сначала королей, потом революционеров, потом корсиканца, сменившего этих революционеров... А потом все статуи возвратили на место.

К двадцатым годам XIX века эта скучная карусель сменилась мифом. Мифом о Золотом Времени, об утерянном Галантном XVIII веке... Так что книга Казановы, начавшая печататься в 1822 году, поспела вовремя.

И Казанова шагнул в этот новый век, век рантье, в великолепии своих бессчетных любовных приключений, заставив печально вздыхать все будущие поколения женщин.

Юный Казанова в книге старого Казановы сумел соблазнить сто двадцать две женщины.

Старик Казанова своею книгой сумеет соблазнить их всех!

Несколько встреч с покойным господином Моцартом

ДНЕВНИК БАРОНА ГОТФРИДА ВАН СВИТЕНА

Из письма ко мне пианиста К.

«Я никогда не верил, что Сальери отравил Моцарта. Люди искусства склонны к завышенной самооценке... Если попросить любого из нас чистосердечно ответить на вопрос: «Кто самый-самый?» — почти каждый ответит: «Я!»

Сальери был такой же эгоцентрик, как все мы. Тем более что, в отличие от нас, он имел все основания считать себя первым. Его превосходство было закреплено уже в его титуле: Первый Капельмейстер империи... Его обожали — и публика, и двор. Его признала Европа. Его опера «Тарар» шла при переполненных залах. А поставленный следом моцартовский «Дон Жуан» — провалился. И т.д. Неужели этот самовлюбленный музыкант, да к тому же итальянец... а музыка тогда считалась профессией итальянцев... мог признать первым какого-то неудачника и к тому же немца — Моцарта?.. Да еще настолько позавидовать ему — что отравить? Слухи об отравлении были после смерти Моцарта. Но только безумец мог их связывать с Сальери! Недаром сын Моцарта после смерти отца стал учеником Сальери.

Вы скажете: «Но, говорят, через четверть века после смерти Моцарта сам Сальери признался священнику, что отравил Моцарта. После чего сошел с ума. И попытался перерезать себе горло».

Если даже поверить в эти слухи, то все происходило

совершенно наоборот: Сальери сначала сошел с ума, а потом уже объявил, что отравил Моцарта. Позвольте процитировать то, что писала тогда венская газета: «Нашему многоуважаемому Сальери никак не удается умереть. Его тело подвержено всем старческим слабостям. Разум покинул его. Говорят, даже в бреду больного воображения он винит себя в преждевременной смерти Моцарта. В этот вымысел не верит никто, кроме самого больного старика...» Кстати, в разговорных тетрадях Бетховена записано обо всем этом: «Пустая болтовня»...

Но в биографии Моцарта был очень странный поворот. Некое стремительное, таинственное падение его карьеры. В 1785 году публика его обожает, и вдруг... все от него отворачиваются... Это был век коварных интриг. Вспомним сюжет «Свадьбы Фигаро».

Так что вы поймете, что я почувствовал, когда нашел эту рукопись...»

Все началось в старой московской квартире. Было за полночь, когда старик К. — знаменитый пианист, друг Шостаковича и ученик Прокофьева — сел к роялю.

— Сейчас без четверти час, 5 декабря. Именно в это время 5 декабря 1791 года в Вене умер Моцарт. Я всегда отмечаю эту дату.

Но он не заиграл. Он молча сидел за роялем, потом сказал:

— Одна из таких годовщин стоила мне нескольких лет жизни.

Естественно, посыпались вопросы.

— Пожилые люди еще помнят, — начал К., — те удивительные времена, когда в Ленинграде за гроши можно было купить фантастические ценности, награбленные в дни революции из петербургских дворцов. Именно так я приобрел в обычном букинистическом магазине две большие тетради в великолепных обложках красного сафьяна с пожелтевшей от времени бумагой, исписанной бисерным почерком. Рукопись была на немецком. Ее заглавие могло свести с ума любого почитателя Моцарта: «Подлинные размышления барона Готфрида Бернхарда ван Свитена»... Да, да, того самого барона ван Свитена!

Это была загадочная рукопись! В ней было множество фактических ошибок. И в то же время с совершеннейшей точностью цитировались бесчисленные письма Моцарта... Причем и те, которые опубликованы только нынче, только совсем недавно... Я мог часами говорить об этой рукописи, и я рассказывал тогда о ней многим... Но, видимо, слишком многим...

Вскоре я был арестован по совершенно невероятному обвинению... Причем взяли меня знаменательной ночью 5 декабря! Возможно, это был чей-то висельный юмор. Вместе со мной забрали и рукопись... Сразу после смерти Сталина меня освободили... Но рукопись исчезла!.. Мне сказали, что, скорее всего, ее забрал сам Берия... Он был страстный любитель подобных вещей... Возможно, она и была истинной причиной моего ареста... Я много ходил по инстанциям, писал письма — тщетно. И теперь, когда я совсем отчаялся, я дерзнул... Я пытаюсь по памяти восстанавливать текст... И, клянусь, «тень исчезнувшего начинает являться из-под жалкого пера».

Уже уходя, К. обещал показать мне «результаты дерзкой самонадеянности»... Он знал, что я давно пишу книгу о Моцарте.

К. умер через год, и — пусть это не покажется вымыслом — умер 5 декабря 1989 года. И вскоре его вдова переслала мне запечатанный конверт, на котором рукой К. была написана моя фамилия. В конверте была небольшая рукопись с неуклюжим названием «Моцарт — каким он был». В рукопись была вложена биографическая справка, написанная от руки: «Барон Готфрид ван Свитен (род. в 1734 г. в Голландии). Впоследствии переехал с отцом в Вену. Отец — лейб-медик при дворе Марии Терезии — имел огромное влияние на императрицу.

Готфрид стал дипломатом, он был послом при многих европейских дворах. Но прославился не только на дипломатическом поприще. Он был великим знатоком музыки. И даже пытался сам сочинять. Автор двенадцати плохих симфоний. Был другом и покровителем Моцарта. На его деньги Моцарт и был похоронен в могиле для бедных на кладбище Санкт-Маркс».

Далее шел текст, дурно отпечатанный на машинке:

«Я, барон Готфрид Бернхард ван Свитен, закончил эту рукопись 5 декабря 1801 года, через десять лет после смерти Вольфганга Амадея Моцарта, императорского придворного композитора, счастливо развившего свой природный талант и достигшего величайшего мастерства в музыке.

Привожу здесь отрывки из моего Дневника с моими размышлениями о событиях, коим я был свидетель».

ИЗ ДНЕВНИКА
5 декабря 1791 года

Всю сегодняшнюю ночь я спал. Ночью скончался Моцарт. Его жена Констанца послала за мной служанку, и в три часа пополудни я приехал в его дом на Раухенштейнгассе в малом доме Кайзера, нумер 970. Это была его последняя квартира. Хочу отметить — за свою жизнь в Вене господин Моцарт одиннадцать раз менял жилье.

Моцарт лежал на кровати, я постоял над ним. Его маленькое, столь подвижное тело наконец-то успокоилось. Изящные руки, которыми он вечно что-нибудь вертел — трость, цепочку от часов, — неподвижны. Густые светлые волосы... единственное, что было красивого в его внешности... освободились от парика. Глаза закрыты, эти блеклые, водянистые глаза... которые загорались восхитительным огнем, когда сей маленький человечек садился к роялю. У него странные уши — без мочек. Широкий лоб покато уходит назад, еще более заострившийся после смерти нос продолжает линию лба, отделяясь лишь небольшим углублением... Птица, птица... Слабо развитый подбородок закрыт повязкой. Рядом на столике — только что снятая с умершего гипсовая маска... Ее снял мой друг граф Деим — владелец галереи восковых фигур... Он, видимо, надумал сделать фигуру Моцарта для своей коллекции.

Вскоре из соседней комнаты появилась госпожа Констанца Моцарт. О, этот мир и вправду театр... Господин Моцарт, столь любивший театр, был бы доволен разыгранной нами сценой. Привожу ее целиком:

КОНСТАНЦА. Я не хочу жить! Он умер! Он умер!

Я. Дорогая госпожа Моцарт... Вы должны жить, у вас двое детей.

КОНСТАНЦА. Я лягу в его постель, я хочу заразиться его болезнью.

(Добавляю, что врачи определили у Моцарта острую просовидную горячку. Болезнь, опасную для окружающих.)

КОНСТАНЦА. А!!! (Рыдает.)

Она безумствовала, доказывая свою скорбь и отчаяние, надеюсь, они были искренни. Я, как и следовало, ее успокаивал. Впрочем, уже вскоре несчастная женщина заговорила о главном в ее нынешнем положении.

КОНСТАНЦА. Он так страдал, что оставляет нас без гроша... Если продать все, что в доме, мы не покроем и части ужасных долгов. Мне даже не на что хоронить его.

Я. Это очень серьезный вопрос, госпожа Моцарт. Мы непременно его обсудим, но сначала успокойтесь и расскажите подробно, как он ушел от нас.

КОНСТАНЦА. Он пролежал в постели две недели. В последнее время из-за отечности ему было трудно поворачиваться. И я сшила сорочку, которую он смог надевать спереди. Но он не капризничал, никого не беспокоил. Наоборот, старался быть весел, хотя тяжело страдал. Только за два дня до смерти он попросил унести из комнаты свою любимую канарейку, он уже не мог выносить даже звука ее пения... Вчерашней ночью ему стало так плохо... я подумала — умрет, но он пережил ночь. Утром попросил дать ему в постель партитуру Реквиема... Его навестили музыканты. Он попросил их исполнить Реквием. И сам напевал арию альта. Его нежный тенор... Еще вчера в это время я слышала его голос...

Я. Держитесь, госпожа Моцарт.

КОНСТАНЦА. У него не было сил, он отложил партитуру и начал плакать. Проклятый Реквием! Его убил Реквием... Я все время вижу тот жаркий день... Вечером кто-то позвонил... Когда я вышла в прихожую...

Я. Вы забыли, несчастная женщина. Все это вы мне уже рассказывали, и не так давно. Вернемся к кончине вашего незабвенного супруга.

КОНСТАНЦА. Потом пришла моя сестра Зофи. Я ей сказала: «Слава Богу, ты пришла. Ночью ему было так плохо. Если сегодня будет так же — он умрет». И Моцарт ей тоже обрадовался: «Милая Зофи! Как хорошо, что вы пришли. Сегодня я умру, и вы сможете помочь во всех заботах моей бедной Штанци...» Потом он попросил положить ему в кровать часы. В театре в тот вечер давали «Волшебную флейту». И он глядел на часы и все представлял, что показывают на сцене... Потом он стал говорить со своим учеником господином Зюсмайером о Реквиеме. Он объяснил ему, как надо завершить Реквием после его смерти. Он все боялся, что заказчик потребует с нас обратно деньги... Потом Зофи сказала, будто идет предупредить мать, что ночью останется у нас... На самом деле я велела ей пойти в собор за священником... Попросить его зайти к нам, как бы случайно. Священник пришел и приготовил его к смерти... Потом стало ему совсем плохо. Доктор Клоссе велел отворить ему кровь. И наложил компресс. После этого Моцарт потерял сознание и уже в себя не приходил... Он все раздувал щеки, видимо подражал литаврам. Без памяти, он продолжал сочинять. Он знал, как мы бедны, и все хотел для нас заработать... Потом я отошла к новорожденному.

(Добавлю: в июле у госпожи Моцарт родился сын. Кажется, у нее было семеро детей, из которых в живых осталось двое.)

КОНСТАНЦА. Зофи рассказала: примерно в полночь Моцарт приподнялся на постели. Он смотрел неотрывно. Видимо, перед ним было какое-то удивительное видение. Потом он снова улегся на постель, отвернул голову к стене и задремал. Зофи окликнула его, он не ответил. Он умер.

Я. Когда это случилось?

КОНСТАНЦА. Зофи тотчас взглянула на часы... Было без пяти час пополуночи.

Она рассказывала все это, по-прежнему визгливо рыдая. Но, рыдая, она следила за мной. Она ждала. Эта несчастная женщина и в скорби своей не могла не думать о насущных заботах. Я пожалел ее и начал сам:

— Я знаю, дорогая госпожа Моцарт, вам не на что хоронить возлюбленного супруга. Я непременно помогу...

КОНСТАНЦА. Бог воздаст вам...

Я. Но, поборов в сердце скорбь, постараемся остаться разумными. Вы совсем молодая женщина, вам не часто приходилось иметь дело с такими печальными обстоятельствами. Позвольте объяснить. После эпидемии чумы наш справедливейший монарх издал строгий закон о похоронах. Похороны имеют четыре разряда: люди знатные, богатые, хоронят своих умерших в отдельных могилах, ставят пышные памятники. Это похороны по первому разряду. Люди нищие обходятся без гробов и хоронят тела в общих могилах. Это похороны по четвертому разряду.

КОНСТАНЦА. Вы... Вы предлагаете...

Я. О нет! То и другое — недопустимые крайности. Я предлагаю нечто среднее. Похоронить незабвенного супруга вашего не как нищего и не как богатого. Но как просто бедного человека... что, как мы знаем, соответствует действительности. Это похороны по третьему разряду: то есть в отдельном гробу, но в общей могиле... Это обойдется всего в восемь флоринов и пятьдесят шесть крейцеров... Добавим три флорина за погребальные дроги... Я охотно передам вам эту сумму.

КОНСТАНЦА. Боже мой... когда у него умер скворец... он похоронил его торжественно... в нашем саду. И похороны скворца обошлись нам в ту же сумму!

Я. Не торопитесь отказываться, госпожа Моцарт. Не только природная бережливость заставляет меня предлагать вам это. Такие похороны привлекут к вам всеобщее сочувствие. Мне будет намного проще добиться для вас пенсии у императора. И ваши кредиторы немедля отстанут от вас. Они поймут, что получить от вас нечего.

КОНСТАНЦА. В общей могиле!.. В общей могиле...

Я. Он был хорошим христианином, то есть скромным человеком. Он одобрил бы такие похороны...

КОНСТАНЦА. Да... Да...

Я. Сейчас постарайтесь подкрепить себя сном, завтра вам понадобятся силы. А я займусь его бумагами.

Так завершилась сцена. После чего она передала мне ключ от бюро французской работы, где лежали его письма и многочисленные партитуры.

И вот тогда я спросил ее о главном: о Реквиеме... Она ответила, что он не совсем закончен... И показала на его пюпитр. На пюпитре я обнаружил листы с его указаниями господину Зюсмайеру, как ему закончить Реквием. Сама же партитура... драгоценная партитура... была разбросана на креслах недалеко от его кровати. Я начал лихорадочно собирать листы и поймал ее взгляд: она была изумлена моим волнением. Я взял себя в руки...

Наконец она ушла. Я остался наедине с ним. С его бумагами. И Реквиемом. 626 — стояла цифра на Реквиеме. Шестьсот двадцать шесть сочинений написал этот человек, чьи дорогие камзолы, которыми он украшал свое жалкое тело, сейчас разбросаны по комнате. Завтра их продадут со всеми вещами, чтобы выручить деньги для вдовы и сирот.

Его прах также исчезнет... Эти могилы для бедняков очищаются каждые семь лет — освобождаются для новых постояльцев. От его земного существования останутся лишь несколько непохожих портретов и эта маска... Одна, хранящая его земной облик. И стоит разбить ее — останется то, что должно от него остаться: только звуки! И это я... я предпринял столь многое, чтобы звуки, рожденные этим жалким человеком, стали воистину божественными. И никто, даже он сам, не подозревал об этом.

Вот о чем я думал, роясь в его бумагах в ту страшную ночь.

И тогда я услышал его голос. Клянусь, отчетливо звучал столь знакомый тонкий голос... этот нежный-нежный тенор. Я обернулся. Моцарт, конечно же, неподвижно лежал на кровати... Но голос... Голос звучал... И в неверном свете канделябра его камзол и парик, валявшиеся на клавесине, показались мне музыкантом, в отчаянии упавшим головой на клавиши... Я заставил себя продолжать разбирать бумаги. Это были его письма. Вся его переписка с отцом... Вся его жизнь — в этих письмах. И тут я все понял! Да! Да! Это письма. Я читал его письма — оттого я слышал его голос... Все дело в моем безукоризненном слухе! Все услышанные звуки вечны в моей памяти. И письма рождали голоса... Вот густой бас старого Моцарта... Ну, конечно! А это тенор самого Моцарта... И опять звучит старик Моцарт... Я хорошо его знал. Во время поездок в тихий Зальцбург к моему другу архиепископу я неизменно встречался с Леопольдом Моцартом. Он был отличный музыкант — придворный композитор зальцбургского архиепископа. И мы подолгу беседовали с господином Леопольдом о его сыне. И вот сейчас в воспаленном моем мозгу звучали наши беседы. Кстати, вспомнил! Старый Моцарт говорил мне: когда он читает письма своего мальчика, он тоже всегда слышит его голос... Клянусь, это была волшебная ночь, самая волшебная в моей жизни.

Утро. Вернулся домой, с любопытством отыскал в Дневнике все записи бесед со старым Моцартом. Особенно примечательны показались две беседы. Привожу их с сокращениями.

ИЗ ДНЕВНИКА
1781-1782 годы (Записано в Зальцбурге)

ЛЕОПОЛЬД МОЦАРТ. Ему было четыре года, барон, когда я понял: он сочиняет музыку... Однажды я застал его с пером... «Что ты делаешь?» И четырехлетний ребенок ответил: «Я сочиняю концерт для клавира...» Я расхохотался... Это была пачкотня из клякс, поверх которых были написаны ноты... По детскому неразумению он макал перо в чернильницу до дна. И как только подносил перо к бумаге — падала клякса. И тогда он решительно размазывал ее и уже по ней писал музыку. Но когда я рассмотрел этот узор из клякс, я понял: ноты четырехлетнего мальчика составили сложнейшую музыку. Из глаз моих полились слезы — я возблагодарил Творца. И сказал себе: ты должен посвятить жизнь этому Божьему чуду... Он и вправду был Божье чудо. Все ему легко давалось, и всем он готов был пылко увлекаться. Это главная его черта.

Я. Но пылкость способна увлечь на ложный путь.

ЛЕОПОЛЬД. Именно, барон. Если бы не строгое воспитание. Я рано научил его упорно и систематически трудиться, обуздывать свою пылкость. И я заставлял его быть скромным, несмотря на все его великие ранние успехи. В детстве он плакал, когда его чересчур хвалили. В семь лет он был уже автором нескольких музыкальных сочинений. Тогда я решил представить его миру. Я взял дозволение у нашего доброго архиепископа, и мы втроем: крошечный Вольфганг, моя дочь и я — отправились по Европе. Две недели мы провели в императорском дворце в Шёнбрунне. Добрейшая императрица Мария Терезия, восхищенная игрой моего мальчика, подарила ему костюм маленького эрцгерцога.

(Добавлю от себя: это был старый, поношенный камзол.)

ЛЕОПОЛЬД. Мой маленький Моцарт был в нем так забавен: игрушечный человечек в напудренном парике и в красном камзоле со шпагой. Он играл на скрипке, на клавире, который закрывали платком, и на органе. Играл, пока этого хотела публика. Концерты длились по четыре часа. И он часто болел. Я иногда думаю: может быть, поэтому он так плохо рос? Но это был единственный путь. Я не хотел, чтобы он повторил мою жалкую судьбу... Но уже во время этого путешествия я понял, барон, как он опасно пылок. В семь лет он умудрился страстно влюбиться. И в кого бы вы думали? В Марию Антуанетту, нынешнюю королеву французов.

Я. Браво!

ЛЕОПОЛЬД. Она была прелестной девочкой, чуть постарше Моцарта. И что придумал маленький негодяй? После очередного концерта, награжденный аплодисментами, он вышел из зала и, увидев очаровательную Марию Антуанетту, нарочно грохнулся на паркете. Девочка тотчас бросается к нему, поднимает. И он, будто в благодарность, осыпает ее поцелуями. И тотчас объявляет, что непременно женится на ней — опять же в благодарность за помощь. Но я разгадал его хитрость, заставил покаяться и пребольно выпорол... А потом был триумф в Париже...

В Париже я велел награвировать четыре его сонаты. И это в возрасте восьми лет... Как сейчас вижу: он стоит у королевского стола и королева передает ему лакомые кусочки. Но больше всего ему понравились королевские дочери. Они охотно его целовали. В восемь лет он обожал, когда его целовали женщины. И когда всесильная мадам Помпадур — высокая, видная блондинка — не захотела его поцеловать, он с возмущением воскликнул: «Да кто она такая?! И как она смеет не захотеть меня целовать, если меня целовала сама королева?!» И мне опять пришлось его выпороть — за дерзость... и пылкость. Когда мы вернулись в Зальцбург, покорив Европу, архиепископ запер его в своем дворце и предложил ему написать музыку к первой части оратории «Долг Первой заповеди». Он не верил, что мой мальчик все сочиняет сам... Мальчик начал сочинять... Он произнес слова Первой заповеди: «И возлюби Господа Бога твоего всем сердцем... и всею душою твоею, и всем разумением твоим, и всей крепостью твоею», и понял, что Он с ним... Вольфганг блестяще справился с заданием... Я воспитывал его в беспредельной любви к Творцу, и это много раз спасало и еще спасет его... Когда ему было двенадцать лет, наш новый монарх — император Йозеф — заказал ему оперу... Мальчик был счастлив: опера — это вершина музыкального искусства! И он написал ее... Но премьеры не случилось. Он рыдал! Он не мог понять, что произошло. Так в двенадцать лет он столкнулся впервые с человеческой завистью. Господа музыканты испугались конкурента. Невидимая «музыкальная преисподняя» распространила о его опере зловредные слухи. И великий Глюк, имевший такое влияние на императора, не захотел даже взглянуть на партитуру и объявил издевательством саму идею заказывать оперу мальчику... Мальчику?! Да он в семь лет умел делать то, что другие композиторы — заканчивая жизнь! Я часто ему объяснял: «Полагайся только на Бога! Все люди — сволочи! Чем старше станешь — тем яснее это будет для тебя!»

(Добавлю: он рано научил мальчика видеть всегда и во всем интриги.)

ЛЕОПОЛЬД. Но все эти поездки по Европе были лишь подготовкой к одной великой поездке. Именно!

Италия! Земля обетованная музыки! Если немецкий музыкант хочет занять должность при дворе, он должен получить признание в Италии. И мы поехали. Уже в Мантуе газеты написали: «Этот мальчик затмит всех!» В Милане нам дали удобное пристанище в монастыре. Была зима. У моего мальчика чувствительнейшее тело — и он был счастлив, когда по возвращении с концерта находил нагретой постель. Это мелочи для другого, но они важны для деликатных натур. В Милане послушать мальчика собралась вся знать Ломбардии. Были исполнены три арии, сочиненные Вольфгангом. Одна потрясла даже меня. Эту большую арию он написал на знаменитый текст великого Метастазио «Несчастный мальчишка» (К. 77).

(Замечу: старик прав. Многие обращались к этому знаменитому тексту. Но никто никогда... не достиг такой возвышенности. «Несчастный мальчишка»!

Неужели уже тогда он сам это почувствовал?.. Да, он так никогда и не стал взрослым. Прежде я думал, что в этом виноват его отец, столь долго его опекавший. Теперь думаю иначе. Это — его суть: с рождения до смерти он — несчастный мальчишка!)

ЛЕОПОЛЬД. Чтобы не томить вас, барон, я описываю лишь некоторые его триумфы... Мы поспешили в Рим. Как вы знаете, на Страстной неделе в Сикстинской капелле исполняют великое «Мизерере». Я помню, как мой мальчик пришел в капеллу. Нет, нет, он не заметил восхитительных фресок Микеланджело. Он был весь в сладчайшей музыке. Когда мы вышли, я сказал ему: «Под страхом отлучения от церкви никто не смеет вынести из капеллы партитуру «Мизерере», чтобы никто и нигде не смог исполнить эту вершину папской музыки». Мой мальчик расхохотался. И, придя домой, без единой ошибки с одного прослушивания записал всю партитуру.

(Добавлю: об этой истории много рассказывали в Риме. Я же отмечу: в одной из его квартир в кабинете был великолепный потолок. Я спросил его: «Чья это живопись?» Он удивился, он вообще ее не заметил.)

ЛЕОПОЛЬД. А потом в Риме ему вручили высший папский орден. К сожалению, он редко надевал эти регалии: золотой крест, шпагу и шпоры. Он сказал: «Мне почему-то смешно». Он всегда был очень смешлив.

Я. О да! Я это знаю.

ЛЕОПОЛЬД. Теперь он стал кавалер Моцарт. Рыцарь Моцарт. Только великий Глюк был удостоен подобного. А потом мальчика избрали в Академию в Болонье.

Кто знал такое в пятнадцать лет! И тогда я заметил перемену. Он полюбил, чтобы им восхищались... восхищались женщины!.. И я сказал: «Здесь твоя западня». Помню, молодая госпожа де Асте позвала нас на чудные фрикадельки из печени и великолепную квашеную капусту. Но он не восхитился этими яствами — его глаза неотрывно были устремлены на госпожу де Асте. Мне пришлось опять сурово вмешаться.

А потом наш благодетель, старый архиепископ, умер...

(Добавлю: уже тогда меня увлек этот гениальный мальчик. Поток солнечного света... легкое, трепещущее. Как странно, что он не родился в Италии. Я наслаждался его искусством. Но исповедовал тогда иное. Будучи послом в Берлине, я познакомился с музыкой полузабытого тогда Иоганна Себастьяна Баха. С тех пор строгое искусство Баха и Генделя владело мной. И вот тогда мне стала приходить в голову дерзкая мысль: ввести солнечного мальчика в этот полузабытый мир. Какой удивительный цветок мог произрасти! И какое наслаждение ожидало нас, немногих жрецов истинной музыки! Но для понимания строгой музыки потребна строгая жизнь. Слишком много удач принесла ему судьба. Вот почему я весьма оживился, когда узнал, что новым архиепископом в Зальцбурге стал граф Иероним Колорадо. Я хорошо с ним знаком: непреклонная складка вокруг рта, надменный, неподвижный взгляд... И мне нетрудно было уже тогда вообразить, как они встретятся — избалованный славой юный гений и деспот. Сказка закончилась.)

Я никогда не верил, что Сальери отравил Моцарта...

Из письма пианиста К.

ИЗ ДНЕВНИКА
1781-1782 годы (Записано в Зальцбурге)

Привожу с большими сокращениями окончание моей долгой беседы с отцом господина Моцарта.

ЛЕОПОЛЬД. Сначала мы были благодарны новому архиепископу: он положил мальчику больше жалованья, чем всем остальным. Но потом стал заставлять его — кавалера Моцарта — каждый день в форменной одежде вместе со слугами являться для приказаний. Нет, я понимаю, он хотел обуздать его юношескую спесь, хотел заставить считать себя благодетелем. Но...

(Добавлю от себя: именно тогда я услышал его соль-минорную симфонию... Эта тревога... дерзкие порывы... мимолетное просветление... И яростный взрыв мятежных сил в финале. О! Я понял тогда, что с ним происходит!)

ЛЕОПОЛЬД. Все кончилось прошением об отставке. И дело было не только в архиепископе. Я приучил Вольфганга к вечным путешествиям, и он не мог усидеть в нашем тихом Зальцбурге... Архиепископ не разрешил мне отправиться с мальчиком. Но я не мог отпустить его одного. Он поехал вместе с матерью. На прощание я дал ему письмо с главными советами: «Ты знаешь, как ты пылок... и как твоя горячность приводит тебя в волнение... о женщинах я не говорю, но запомни: здесь нужна величайшая сдержанность и весь твой разум. Ибо сама природа является нашей западней: кто не напрягает здесь рассудка, обречен на несчастье, которое кончается только со смертью».

Когда их карета отъехала, в ужасе от предчувствия я бросился на кровать и пролежал неподвижно до ночи. Вскоре я получил его первое письмо.

«Сердце мое преисполнено восторгом и восхищением. Мне так весело в этой карете, так тепло, и кучер наш поет и мчит во всю прыть.

И, читая, явственно услышал я его нежный голос и расплакался.

Все случилось, барон, как я предполагал... Это произошло уже в Мангейме. Сначала я почувствовал в его письмах некий излишний восторг. У него острый язык!

(Добавляю: и сколько он сделал ему врагов!)

ЛЕОПОЛЬД. Мальчик обожает гаерничать. К примеру, в Мюнхене ночью солдаты на каждом шагу воинственно окликают: «Кто идет?!» И он неизменно отвечает им в ответ: «Накось выкуси!..» А тут вдруг тон писем совсем переменился. Одни восторги и описания бесконечных триумфов... Я написал ему, что одним триумфом сыт не будешь. И что пока никто не предложил ему никакой должности, а я оплачиваю бесконечные счета, которые ко мне приходят. В ответ я получил: «Как мне хочется написать оперу. Я завидую всем, кто пишет оперу. Хочется плакать с досады, когда я слышу какую-либо арию...» Да, да... все дело в том, что он влюбился в певицу! Я знавал эту гнусную семью Веберов. Отец служил жалким суфлером. Хищная, жадная жена и четверо дочерей. На беду маленького Моцарта, вторая дочь — пятнадцатилетняя Алоизия — была высокая, стройная красавица, возмечтавшая стать певицей... Узнав все это, я решил проверить, сколь опасно положение. Я написал ему письмо, будто один из его друзей, знаменитый молодой человек, вступил в выгодный брак. В ответ я немедленно получил просто поэму.

«Так жениться я не хотел бы. Я хочу сделать счастливой свою жену, а не составить с ее помощью свое счастье. Знатные люди не смеют жениться по любви. Зато мы, бедные и простые люди, можем взять в жены ту, кого любим...» И так далее...

Я все понял... После чего он завалил меня описаниями тягот «бедных Веберов»... А я?! Его отец?! Семеро детей! И двести жалких флоринов жалованья на протяжении всей жизни!

(Здесь он достал новый ворох писем... И в продолжение нашей беседы весьма часто читал выдержки из них. Он жаждал сочувствия!)

«Дочь господина Вебера обладает красивым голосом. Ей недостает только умения играть на сцене...»

Вы поняли, барон? Он решил ей помочь! Он помнил, как его принимали в Италии, и теперь захотел показаться ей во всем блеске! Он задумал общую поездку. С нею в Италию! А пока сочинял для нее арии... Нет, недаром говорят: глуп, как влюбленный! Его несчастная мать прислала мне письмо: «Ты знаешь, когда мальчик завязывает новое знакомство, он сразу готов отдать последнее... Пишу тебе в величайшей тайне, пока он ест... Придумай, что сделать».

Бедная жена! И я написал ему: «Дражайший сын! Твое предложение разъезжать с Вебером и его дочерью чуть не лишило меня рассудка. Как ты мог хотя бы на час обольстить себя столь отвратительной и явно внушенной тебе мыслью?! Мечтания, одни пустые мечтания!.. Как ты мог позабыть свою славу? Своих старых родителей?.. Нет, нет, я понимаю твое желание помочь... Это ты унаследовал от своего отца! Но прежде всего ты должен помогать своим собственным родителям, иначе душа твоя попадет к черту в лапы! Прочь из Мангейма! Марш в Париж! И скорее! Слава из Парижа распространяется по всему свету! Поступай, как великие люди! Или Цезарь! Или ничто!»

И он подчинился. Тогда он еще помнил наш девиз: «За Богом сразу идет отец».

Он написал мне: «Умоляю, наилучший из отцов, не думайте обо мне ничего плохого... Есть люди, которые считают, что нельзя любить девушку, не имея при этом дурных намерений... Надеюсь, вы простите мне, если я в азарте любви в чем-то забыл меру».

Вот в этот момент мой мальчик ушел от меня! Он подчинился мне, но не простил. Бедняга, он, конечно, поехал в Париж с одной надеждой: вернуться к возлюбленной, но со славой!

(Замечу: все, что он испытал, — в его арии, написанной для Алоизии (К.294). Эта сладкая мука... и тревожное, тревожное предчувствие!)

ЛЕОПОЛЬД. Но, к сожалению, Париж успел его забыть. Нет, не зря я ненавидел этот город. Никакого заказа на оперу он там не получил. И с трудом перебивался жалкими уроками. Мой французский друг барон Гримм написал мне: «Чтобы здесь пробиться, необходимы пронырливость, предприимчивость и подлость... Думая о его карьере, я пожелал бы ему иметь вдвое меньше таланта и вдвое больше ловкости...»

А потом как-то ночью пришел наш друг аббат Буллингер и положил передо мною письмо. Мой мальчик писал: «Дорогой аббат. В эти душные дни заболела моя мать... Я метался по раскаленному городу в поисках врача и лекарств... Она умерла у меня на руках. Сейчас ночь, и я пишу письмо отцу. Я пишу ему о матери как о живой... Я боюсь, что он догадается. И шучу. И снова возвращаюсь к ее болезни... Я пытаюсь его подготовить к худшему...»

Несчастный мальчик! Через неделю я получил его письмо: «Я пишу вам в два часа ночи. Нашей дорогой матери больше нет на свете. Она умерла, не приходя в сознание, она угасла, как свеча...»

Я звал его в Зальцбург. Архиепископ снова принял его на службу. Но он писал: «Я радуюсь встрече с вами, наилучший из отцов. И наперед обещаю себе приятнейшие, счастливые дни... Но, клянусь честью, я не могу терпеть Зальцбург и его обитателей! Для меня совершенно невыносима их скучнейшая жизнь».

Это означало: он поспешил из Парижа в Мангейм! Я умолял его уберечься от пустых мечтаний. Но он писал: «Совсем уберечься от мечтаний я не могу, да и вряд ли сыщется смертный, который никогда не мечтал. Но веселые мечты! Мечты сладостные и утешительные, мечты, которые, если б сбылись, сделали бы сносной мою жизнь... такую сейчас печальную...»

Но ничего! Вскоре он познал, что означают пустые мечтания! Эта тварь Алоизия пела в Мюнхене, где ею весьма интересовался баварский государь. И мальчик мой, к счастью, был ей теперь не нужен. И она сказала это ему прямо в лицо. О, он смог тогда понять, как всегда прав его отец!.. И у него хватило мужества пересказать мне в письме всю постыдную сцену.

«Я был ошеломлен. Но я не дал ей это заметить, наилучший из отцов. Я сел за клавир и, стараясь перещеголять ее в легкомыслии, вдруг весело, тенорком запел: «Не задумываясь, я бросаю девушку, которой не мил! Ха-ха-ха...»

Да, он бодрился, но... Совершенно потерянным он вернулся в добрый наш Зальцбург. Я постарался сделать все, чтобы ему было хорошо. В его комнату поставили удобный шкаф для многочисленного его платья, наша кухарка готовила его любимых каплунов. И я сквозь пальцы смотрел, как дочь моего младшего брата... кузиночка... попыталась его утешить.

Он писал ей очень смелые письма, которые негодница поощряла. И поначалу я с изумлением читал все его фривольности.

Но дальше смелых шуток он не пошел. Только потом я понял: он старался быть веселым и дерзким, но по-прежнему страдал. Страдал! И перенес свое отчаяние на наш тихий Зальцбург: он его возненавидел... К сожалению, досточтимый архиепископ на каждом шагу подчеркивал, что мой мальчик отнюдь не гениальный Моцарт, но лишь слуга, которого он приютил после неудач.

(Добавлю: это было счастьем для музыки. Разбитое сердце — так произрастает вечное.)

ЛЕОПОЛЬД. И во время его поездки с архиепископом в Вену, вдали от меня, случилось то, что должно было случиться: мальчик опять подал прошение об отставке... Я отлично представлял, что будет, коли он станет жить один в Вене... Он — не подготовленный к мерзостям жизни, привыкший быть за моей спиной. Любая шлюшка может предстать пред ним в образе непорочной девы!.. Он слишком чист для этого подлого мира!.. Я потребовал, чтобы он взял назад свое прошение. Но он ответил мне: «Никогда! Вся Вена уже знает, что я ушел от архиепископа и от его оскорблений... И что же, теперь я должен превратить себя в собачье дерьмо?.. Вам в угоду, батюшка, я готов жертвовать всем: своим счастьем...» Алоизия! Алоизия!.. «Здоровьем, жизнью... но моя честь! Она для меня... и, надеюсь, для вас, превыше всего! Требуйте чего угодно, но не этого! Одна эта мысль заставляет меня дрожать от ярости...»

О, я знал, что наш гордый архиепископ сумеет наказать его. Но я не знал, что это будет столь варварски.

Сначала он не удостоил мальчика ответом... Когда же мой сын явился в третий раз со своим прошением, его принял гофмейстер граф Арко. Он назвал Вольфганга хамом и негодяем, а потом пинком ноги... выбросил его из комнаты. Это было нетрудно. Он такой маленький... И вот его — кавалера ордена Золотой Шпоры, рыцаря, члена двух академий — пинком в задницу... с лестницы...

Мальчик слег. Конечно, он клялся вернуть пинок графу, он писал мне всяческие глупости: «Да, я не граф, но в душе у меня больше, чем у любого графа... и если он оскорбил меня, он — собачье дерьмо!» И т.д. Конец письма меня страшно встревожил... Он писал: «Завтра отправляю письмо графу. Я совершенно спокойно разъясню ему, как подло он исполнил свое дело. Я пообещаю ему встречу на улице... В людном месте он получит от меня пинок в жопу и пару оплеух вдобавок!..» Я умолял его не делать этого из любви ко мне. Это не только лишило бы меня работы, средств к существованию, но принесло бы мальчику новые унижения. Что мог поделать он, маленький, тщедушный, против этих господ, окруженных слугами? К счастью, он так же страстно переживает обиды, как легко их забывает. Уверен, что на третий день пинок под зад испарился из его головы — и он предался опаснейшему счастью обретенной свободы. А я, как осужденный, подставивший голову под топор, начал ждать, когда произойдет неминуемое.

(Добавлю: именно в эти дни я впервые встретился с Моцартом. Он и вправду был пьян от свободы. Свободы и... любви.)

ЛЕОПОЛЬД. И уже вскоре я начал получать от него восторженные письма. Опять слишком восторженные: «Город полон сейчас цветов и музыки. Ночные серенады здесь так же часты, как в Италии. И в поздний час распахиваются окна, и горожане аплодируют ночным певцам. В то время как наш гнусный Зальцбург храпит!» Далее он писал мне, что получил заказ на оперу. Либретто оперы меня насторожило. Точнее, страстное изложение этого либретто: некий дворянин и его слуга освобождают из гарема когда-то похищенную невесту дворянина... И затем шло почти стихотворение о силе любви дворянина к этой невесте. Невесту звали Констанца... И уже вскоре мне пришлось понять, откуда это имя.

(Все было именно так. В это время Моцарт часто приходил ко мне. И однажды сообщил новость: он поселился в доме своих старых друзей Веберов. Тех самых Веберов! Злосчастная Алоизия к тому времени уже вышла замуж. Я знаком с ее мужем... Господин Ланге — отличный певец... Вместе с ним сия красавица пела теперь в Вене. Ее мать и три незамужних сестры тоже приехали в Вену. Стесненное положение заставило их сдавать комнаты. Моцарт рассказал мне, что госпожа Вебер предложила ему просторную и светлую комнату. И отличный стол. Что для него особенно важно, ибо его желудок весьма чувствителен к плохой еде и он страшится отравиться в наших мерзких трактирах. Веберы избавили его от всех житейских забот. Он сказал мне: «Я привык жить в семье. У Веберов я вновь почувствовал себя в отчем доме...» Его дом носил премилое название: «Петр в Оке Божьем». Он записал мне свой адрес. Эта запись его рукой до сих пор хранится в моем столе.)

ЛЕОПОЛЬД. Вы можете представить, что я пережил, когда узнал: проклятая Веберша опять заполучила его в свой дом! Он чувствовал мою печаль и решил успокоить — сообщил, что Алоизия вышла замуж... Но я-то знал: там еще три сестры! Три незамужних сестры, хитрющая мать и мой пылкий сын в одном доме!!! И скоро, скоро я получил весть: «Наилучший из отцов. Спешу тебе рассказать о Констанце. Она моложе Алоизии. Это милая, добрая, чудесная девушка...» О, Боже!

«Она совсем не похожа на свою мать, которая груба и весьма склонна к горячительным напиткам...» Это он, конечно, писал для меня! Он знал, как я не люблю гнусную Вебершу... «Сейчас я заканчиваю оперу и придумал для нее отличное название — «Похищение из сераля».

...Я тотчас понял: этот восторженный безумец уже задумал «Похищение из Ока». Он так и не понял: похищали его самого! Я потребовал, чтобы он сменил квартиру. Я написал, что уже идут сплетни и т.д. Он мне испуганно ответил: «Наилучший из отцов! Я давно уже намеревался снять другую квартиру. Из-за этих людских сплетен, в которых нет ни слова правды. Дескать, коли я квартирую у госпожи Вебер, то непременно женюсь на ее дочери! Какая глупость! Именно теперь я более, чем когда-либо, далек от этой мысли... Бог дал мне талант не для того, чтобы я погубил его из-за жены и прожил бездеятельно свою молодую жизнь. Я только начинаю жизнь, я не хочу испортить ее...»

И вот прошло три месяца! Всего три месяца, и я получил от него: «Мое стремление сейчас состоит в том, чтобы получать небольшое, но постоянное вознаграждение... а потом жениться!» Жениться!!

«Вы приходите в ужас от этой мысли, но прошу, наилучший из отцов, выслушать меня. Природа говорит во мне столь же громко, как и в любом другом... и даже громче, чем в каком-нибудь здоровом олухе!..» Уж это мы знали давно!.. «Но мне невозможно жить, как живет большинство нынешних молодых людей. Во-первых, я слишком религиозен. Во-вторых, слишком люблю ближнего своего и слишком честен по убеждениям, чтобы смог обмануть невинную девушку. И в-третьих, слишком люблю свое здоровье, чтобы иметь дело с потаскухами. Оттого могу поклясться вам, что еще ни с одной женщиной не имел дел такого рода. В этом могу поклясться жизнью... Я не вижу для себя ничего более необходимого, чем жена. Холостой человек живет только наполовину... И вообще мой темперамент больше располагает к спокойной домашней жизни».

И так далее... Это бесконечное письмо!.. Теперь вы знаете, добрейший барон, все, что произошло в нашей несчастной семье... Мальчик столь уважает вас: может быть, вы объясните ему всю пагубность этого брака?

ИЗ ДНЕВНИКА
1781-1782 годы

Видимо, старому Моцарту придется примириться с неизбежным. По возвращении в Вену я узнал, что мадам Вебер проводит интригу очаровательно точно. Она постаралась сделать так, чтобы вся Вена узнала: наш маленький Моцарт влюблен в Констанцу. Вчера этот наивный ребенок в отчаянии прибежал ко мне.

Передаю наш разговор целиком.

МОЦАРТ. Я отниму совсем немного вашего драгоценного времени, барон. Я в отчаянии. Госпожа Вебер объявила мне, что по городу идут ужасные сплетни. И опекун ее дочерей господин Торварт категорически против, чтобы я далее проживал в их доме.

Я. И что же вы решили?

МОЦАРТ. Я сказал, что люблю ее дочь. И как только получу минимальное, но постоянное обеспечение, немедля женюсь на Констанце. Но господин Торварт не верит, он считает, что я могу бросить Констанцу и несчастная девушка останется скомпрометированной.

Я. И что же предложила госпожа Вебер?

МОЦАРТ. Чтобы я немедля объяснился с господином Торвартом. Господин Торварт весьма уважает вас, барон. Я прошу заверить его, что я порядочный человек...

Я. Милый Моцарт. Я уверен, что и без моего вмешательства все обойдется благополучно. По-моему, вам попросту предложат подписать бумагу, где вы обязуетесь жениться...

МОЦАРТ. Да я подпишу тысячу таких бумаг!.. И вы думаете, тогда все обойдется?

ИЗ ДНЕВНИКА
1781-1782 годы

Сегодня он опять был у меня! И опять разговор наш был столь краткий, что доверяю его бумаге целиком.

МОЦАРТ. Вы были правы, дорогой барон! Все обошлось! Я написал официальное заявление, где обязался в трехгодичный срок вступить в брак с мадемуазель Констанцией Вебер.

(Представляю лицо «наилучшего из отцов», когда он получит сие известие.)

МОЦАРТ. Но что сделала чудесная девушка? Когда опекун ушел, она взяла у матери обязательство и сказала мне: «Дорогой Моцарт! Мне не нужно от вас никаких письменных обязательств, я и так верю вашим словам».

И разорвала бумагу! Этот поступок сделал для меня еще дороже мою любимую!

(Браво, госпожа Вебер! Замечу: эта семья всегда жила рядом с театром. Да, старая Веберша сумела поставить спектакль.)

ИЗ ДНЕВНИКА
1781-1782 годы

Я все больше сближаюсь с Моцартом. Сейчас он в большой моде. Все знаменитые дома Вены зовут его с концертами. Вчера я пришел в театр на последнюю репетицию его оперы «Похищение из сераля».

В кармазиновом камзоле, в красной шляпе, украшенной золотым шнуром, этот человек стремительной походкой прошел по залу и легко прыгнул на сцену.

Началась увертюра оперы. Я слышал томный, вкрадчивый шелест... нежный лепет, вздохи... я видел, как вздымается взволнованная грудь... Страсть, которой не дозволяют излиться. И все это сочинила любовь. Успех оперы обещает быть грандиозным, и госпожа Вебер спешит закончить дело с выгодным женихом. Она не собирается ждать три года... Я понял это из сегодняшней беседы с Моцартом. Привожу ее вкратце:

МОЦАРТ. Я хочу просить у вас совета, добрейший барон. В последнее время госпожа Вебер вдруг стала совершенно несносной к Констанце. Дело доходит до рукоприкладства. По моей просьбе баронесса Вальштедтен забрала ее в свой дом. (Замечу в скобках: баронесса развелась с мужем и пользуется в Вене репутацией слишком свободной женщины. Впрочем, я все прощаю Марте фон Вальштедтен за ее истинное понимание музыки.)

МОЦАРТ. Вчера Зофи... это сестра Констанцы... пришла ко мне... плакала и умоляла, чтобы я что-то предпринял: мать хочет забрать Констанцу обратно с полицией.

Я. Как я понимаю, господин Моцарт, это «что-то» означает ваше скорое венчание?

МОЦАРТ. Но иначе я не смогу защитить ее!.. Я пишу отцу письмо за письмом, я прошу благословения, а он молчит... Я пишу: «Ради всего на свете, дайте мне свое соизволение». Молчит! Я пишу: «Я охотно ждал бы еще! Но это непременно необходимо теперь! Ради моей чести! Ради чести моей девушки!» Молчание! Молчание! Молчание! Сердце мое беспокойно, голова в смятении! Как можно при этом сочинить что-то толковое?! Или просто работать?! Ну что мне еще ему написать, дорогой барон?!

ИЗ ДНЕВНИКА
1781-1782 годы

Был у Моцарта впервые после венчания. Все свершилось в соборе Святого Стефана. Баронесса устроила свадебный пир... И только вчера пришло согласие от отца.

Он сидел с письмом в руках, когда я вошел. Вот самое краткое содержание нашего разговора.

МОЦАРТ. Он прислал согласие, барон, но, конечно, он сердится... Бедный, он пишет: «Отныне твой отец не может более рассчитывать на помощь сына, впрочем, и тебе не следует ожидать помощи от своего отца...» Но я уверен, когда он увидит Констанцу... Ее нельзя не полюбить! Ха! Ха! Ха! Дорогой барон, похищение из «Ока» свершилось! Она моя! Ха-ха-ха!

(Замечу: его отец прав. Он, конечно же, не понимает, что похитили его самого... Но понимает ли она интригу матери? Скорее всего, попросту не задумывается. Я приглядывался к ней в эти дни. Моцарта она явно любит, а мать явно боится. И верит, что та делает все ради ее пользы. Она из тех безвольных натур, которые рождены быть зеркалом. Они отражают того, кто рядом. Моцарт беспечен и жизнерадостен, и она беспечна и жизнерадостна... Она недурно поет и неплохо играет на клавире. Моцарт обожает птиц. Что ж, он получил рядом веселую, глупую птицу. Теперь их двое — птиц.)

МОЦАРТ. Клянусь, скоро дражайший из отцов попросту растает. Мы завалили его, барон, совместными письмами с изъявлениями любви.

В этот вечер я стал свидетелем, как писались эти письма: Моцарт сидел с пером в руках, Констанца — у него на коленях. Они сочиняли вслух следующее трогательное письмо.

МОЦАРТ. «Наилучший из всех отцов и свекров. Спешим описать тебе всю церемонию... Когда мы были обвенчаны, я и моя жена начали плакать. И все вокруг тоже заплакали, ибо стали свидетелями растроганности наших сердец».

(При сем оба заливались смехом и беспрестанно целовались.)

МОЦАРТ. «Держу пари, дражайший отец, вы обрадуетесь моему счастью, как только узнаете ее. Ибо в ваших глазах, как и в моих, нет больше счастья, чем разумная, правдивая, добродетельная и услужливая жена! Такова моя Штанци».

(Так он ее называет. Он обожает играть в звуки: «Констан-ца... Штанци...»)

ИЗ ДНЕВНИКА
1782-1784 годы

Теперь целые дни Моцарт просиживает над сочинением музыки, стараясь обеспечить семью. Врач прописал ему прогулку на лошади. Как все дети, он обожает маленьких животных. Лошади он боится, но добросовестно отправляется на ней на прогулку. Я тоже выезжаю по утрам для моциона, и он составляет мне компанию. К сожалению, он все время опаздывает. Вчера у нас произошел следующий разговор (записан мной целиком).

МОЦАРТ. Ради Бога, простите за опоздание, барон. Я тружусь за полночь, оттого трудно встаю, к тому же мне надобно по утрам писать письма жене.

Я. Разве Констанция уехала?

МОЦАРТ. Нет-нет, она спит в доме. Но когда просыпается — она привыкла находить мои письма.

Я. И что же вы ей пишете?

МОЦАРТ. Всегда разное. Сегодня, к примеру: «Доброе утро, милая женушка. Желаю тебе, чтобы ты хорошо выспалась, чтобы не пришлось тебе сразу вставать, чтоб ты не гневалась на прислугу и не упала бы, споткнувшись о порог. Прибереги домашние неприятности до тех пор, пока я не вернусь. Только бы с тобой ничего не случилось».

(О, этот вечный страх молодых влюбленных, что с ней что-то случится!.. Добавлю: при всей этой жаркой любви к Констанце брак развязал его буйный темперамент. Констанца пренебрежительно называет их «горничными»... Нет, нет, он не ищет встреч с «горничными», но, видимо, и не избегает. Впрочем, он всегда раскаивается.)

ИЗ ДНЕВНИКА
1782-1784 годы

Сегодня я застал Констанцу в слезах.

Я ни о чем не спрашивал, она начала сама.

КОНСТАНЦА. Это ужасно... И зачем ему эти «горничные»? Но... он кается так мило... нет, нет, на него невозможно сердиться. Нет, нет, я не могу не отнестись к нему снова хорошо.

В это время в соседней комнате Моцарт играл на бильярде, и я слышал его нежный тенор, напевающий мелодию, и стук шаров. Потом он выбежал из комнаты, схватил заплаканную жену и, хохоча, начал с нею танцевать.

МОЦАРТ. Простите нас, дорогой барон! Но мы та любим танцевать, танцевать, танцевать!

Он напевал мелодию. Я понял: он продолжает сочинять. Этот человек сочиняет всюду — в карете, на лошади, играя на бильярде. Даже исполняя чужое сочинение, он вдруг объявляет, что забыл... чтобы начать сочинять за автора. И сейчас, танцуя, он все время напевал своим тонким тенором новые мелодии. Изысканный менуэт сменялся самой площадной пляской. Так, хохоча, он танцевал с обезумевшей Констанцией. И приговаривал:

— Разве блаженство, которое дает истинная, разумная супружеская любовь, не отличается — как небо от земли — от удовольствий непостоянной и капризной страсти?!

(Добавлю: ну что ж, он может танцевать, у него все хорошо, и денежки у него пока водятся... Впрочем, именно пока!.. Я богатый человек, но я умею ценить деньги. Деньги относятся к вам так же, как вы к ним. Вы их любите? Они вас тоже. Бережете? Они сберегут вас. Он не бережет, швыряет пригоршнями. Одалживает всем, кто обращается. При мне настройщик клавиров попросил у него талер — получил горсть дукатов! Все проходимцы Вены обирают его. И хотя пока его доходы возрастают, я уже не сомневаюсь, чем все это кончится.)

ИЗ ДНЕВНИКА
1784-1785 годы

В Вене находится старый Моцарт. Его сын по-прежнему в большой моде. И хотя старик Леопольд выглядит очень счастливым, беседу он начал печально.

(Разговор привожу целиком.)

ЛЕОПОЛЬД. И все-таки положение его непрочно. Император так и не взял его на службу. Мальчик написал мне грустное послание.

(Он показал мне его. Оно очень любопытно.

Вот что пишет молодой Моцарт:

«Ни одному монарху в мире я не служил бы с большей охотой, чем нашему императору, но я не собираюсь выклянчивать службу! Я верю, что окажу честь любому двору своей музыкой. И ежели Германия, любимое мое отечество, не хочет принять меня, придется с именем Божьим сделать Англию или Францию богаче на одного искусного немца!..

...Вы не можете поверить, дражайший из отцов, сколько трудов затрачивает барон ван Свитен и другие важные господа, пытаясь удержать меня здесь». Что ж, сие правда!)

ЛЕОПОЛЬД. Я счастлив был прочесть ваше имя, дорогой барон.

(Но в глазах старика был вопрос: почему?! Почему император до сих пор не возьмет на службу его сына? Что я мог ему ответить? Император, как все Габсбурги, прекрасно образованный музыкант. У него отличный бас, он прекрасно поет, и оттого вершиной всех искусств он считает итальянскую оперу. «Похищение из сераля» слишком непривычно для него. Да и сам Моцарт непривычен. Недавно в Вену вернулся итальянец Антонио Сальери. Он весел, общителен, импозантен. Но, главное, он итальянец, сочиняющий превосходные традиционные оперы. Они нравятся и Европе, и великому Глюку. И нашему императору. И конечно же, он назначил Сальери Первым капельмейстером.)

ЛЕОПОЛЬД. Это людская зависть, дорогой барон. Вечные интриги «музыкальной преисподней». И наверняка — господин Первый капельмейстер! Да, да, этот Сальери ненавидит мальчика!

(Я не стал возражать. Я был благодарен ему за то, что он избавил меня от объяснений по поводу императора. Добавлю от себя: я много раз говорил с Сальери, но никогда при мне он не отзывался с ненавистью о Моцарте. Хотя успех «Похищения» должен был его насторожить. Но Сальери слишком упоен собой, слишком благодушно процветает, чтобы испытывать к кому-нибудь такое сильное чувство, как ненависть. Скорее это равнодушное недоброжелательство. Как положено опытному царедворцу, узнав, что Моцарт мечтает давать уроки дочери императора, Сальери тотчас устроил на это место бездарного господина Фогта...)

Я. И все-таки чувствую: на этот раз вы довольны жизнью?

ЛЕОПОЛЬД. Я думаю, при нынешних его доходах он скоро сможет положить в банк две тысячи флоринов... И хозяйство Констанца ведет экономно. Главное — следить за расходами. Я давно советовал ему завести особую тетрадь. И вот — смотрите!

(Он с умилением показал мне тетрадь. И я даже прочел по его просьбе несколько записей:

— «26 мая: два ландыша — один крейцер. 27 мая: птица-скворушка — четыре крейцера».

Рядом с расходами на скворца я увидел ноты.)

ЛЕОПОЛЬД. Это прелестная мелодия, которую насвистал скворец. Точнее, мой мальчик напел, а скворец повторил... Остальные расходы он сказал мне, что не помнит!

Он расхохотался.

(Я впервые услышал, как старик смеется. Замечу: на самом же деле Моцарт давно передал вести эту тетрадь Констанце. А экономная хозяйка, конечно же, тотчас позабыла это делать. Зато каталог своих сочинений, который также научил его вести отец, он заполняет с тщательностью, странной для этого человека.

Заканчивая беседу, г-н Леопольд сказал весьма важно:

— Но особенно меня порадовало, барон, что мой мальчик вступил в масонскую ложу.

Добавлю: старик не только порадовался, но и сам вступил. Еще бы — вся наша знать состоит в масонах. Я часто думаю: почему Моцарт так страстно возлюбил масонство? Выгода? Сие непонятно этому ребенку! Все много проще: в реальной жизни знатный человек пинком ноги может поставить его на место. Зато в масонских ложах все равны. Все братья, все оставляют свои титулы в миру. Радость братства! И конечно же, таинственность обрядов.)

Когда мы прощались, я спросил старика:

— Как вам последняя музыка, сочиненная сыном?

ЛЕОПОЛЬД. Знаете, что сказал Йозеф Гайдн: «Говорю, как перед Богом: ваш сын — величайший композитор».

Я. Ну а вы? Вы сами что скажете?

Он долго молчал. Очень долго. Потом глухо сказал фразу... я запомню ее до смерти.

ЛЕОПОЛЬД. Ежели мой сын ни в чем не испытывает нужды, он тотчас становится слишком довольным, беззаботным. Его музыка... порхает. Бог покидает ее.

ИЗ ДНЕВНИКА 1785-1786 годы

12 августа 1785 года. Вчера у меня был Сальери. Сначала он долго рассказывал о своих европейских успехах. Эту часть разговора я опускаю. Привожу конец нашей беседы.

Я. Скажите, а что вы думаете о Моцарте?

САЛЬЕРИ. Помилуйте, зачем мне о нем думать. Есть вещи, о которых думать куда приятнее. Например, певица госпожа З.

Я. Неужели в нашей опере осталась та, которая не стала жертвой вашего темперамента?.. И все-таки — о Моцарте.

САЛЬЕРИ. Легко, изящно, грациозно. Публика это любит. Но вы?! Впрочем, барон, ваш вкус столь безукоризнен, что вас уже могут взволновать только самые примитивные вещи... Моцарт — прекрасный клавирист. Но когда исполнитель желает сам сочинять, одним исполнителем становится меньше и редко одним сочинителем больше... Так что при всем моем уважении к вам, барон, Моцарт — это... несерьезно. Хотя есть вещи, которые мне в нем симпатичны: щедр, умеет сорить деньгами, прекрасно острит.

Я. Вас, например, он зовет «Музыкальный фаллос». Только погрубее.

САЛЬЕРИ. А вас — всегда изысканно: «такой же зануда, как все его накрахмаленные симфонии». И все-таки: Моцарт — это несерьезно.

Я. И все-таки: обучать принцессу музыке вы его не допустили.

САЛЬЕРИ. Ну можно ли допустить к принцессе человека с такими манерами? «Жопа» и «выкуси» у него как у нас с вами «здравствуйте».

Теперь самое смешное: к концу вечера я сыграл Сальери несколько любимейших моих сочинений Моцарта. И выяснилось: он не слышал ни одного из них! Как все наши музыканты, Сальери избегает слушать чужую музыку. Но «накрахмаленные симфонии»?! Моцарт, Моцарт... Это для меня — удар. Я близко сошелся с ним в последнее время. Наши встречи проходят в моем доме, который находится рядом с отелем «Цум римише Кайзер»... Я много рассказывал ему о своей жизни: как, будучи послом в Берлине, сумел договориться с прусским королем. И когда они с русской императрицей поделили несчастную Польшу, мы тоже получили свой кусок пирога... Но разве в этом моя истинная заслуга перед потомством?.. Она — в музыке. Вернувшись в Вену, я занимаю особое место в музыкальной жизни. Если я присутствую на концерте, все знатоки смотрят не на музыкантов, но на меня. Чтобы прочесть на моем лице: какое суждение они должны составить об услышанном. Да, конечно, не последнюю роль в этом играют мои титулы: директор придворной библиотеки, глава императорской комиссии по образованию. И наконец, близок к императору. Но Моцарт... эта беспечная птица... мне казалось: уж он-то ценит во мне иное, понимает, что я совершаю ныне! Будучи послом в Берлине, я узнал великое «Берлинское искусство»... Забытого гения — Иоганна Себастьяна Баха! И весь этот год я знакомлю с ним Вену. Я осуществляю свою мечту: Моцарт — воплощение легкости, грации — введен мною — мною! — в мир великой и строгой немецкой музыки. И я гордился, когда он показал мне переписку с отцом. Не скрою, я даже переписал эти письма. Вот они:

«Любимейший из отцов! Все воскресенье я хожу к ван Свитену. Там ничего не играют, кроме Генделя и Баха. Исполнение в самом тесном кругу. Без слушателей, только знатоки». И вот испуганный ответ Леопольда: «Это увлечение, дорогой сын, может стать для тебя пагубным и увести тебя ох как далеко от вкусов нынешней публики».

Старый, опытный хитрец. И как прекрасно ответил ему Моцарт: «Барон знает не хуже вас и меня, что вкусы, к сожалению, все время меняются... Вот и получается, что настоящую духовную музыку надо отыскивать на чердаках и чуть ли не съеденную червями...»

«Барон знает»... И вот благодарность: «накрахмаленные симфонии»!.. Что ж, я прощаю ему.

ИЗ ДНЕВНИКА
1785-1786 годы

В парадной зале придворной библиотеки я распорядился исполнять великие генделевские оратории. И Моцарт обработал некоторые из них. Гендель предстал в одежде Моцарта. Кто еще мог с таким вкусом облачить старика Генделя, чтобы он понравился и франту, и знатоку! Этот непостижимый человек умеет поглощать чужое, и оно тотчас становится его собственным.

Так случилось и с великим «Берлинским искусством».

На беду Моцарта. И на счастье музыки. Ибо, как предполагал его отец: изменившийся Моцарт все менее нравится публике... Вчера он пришел ко мне. Передаю (вкратце) наш разговор.

МОЦАРТ. Я должен посоветоваться с вами, барон. Я был у издателя, он долго ругал меня и просил писать популярнее. Он прямо сказал: иначе ничего твоего я просто не смогу продать.

Я. И что же вы ответили?

МОЦАРТ. Значит, я больше ничего не заработаю, черт меня побери!

Я обнял его — и в памяти зазвучали слова его отца: «Когда у него все в избытке — Бог покидает его музыку»... Что ж, до нынешнего 1786 года у него были немалые доходы. Но денег ему все равно не хватало, ибо тратил не считая. По моим сведениям, уже тогда случилось с ним страшное: он обратился к ростовщикам. Теперь его доходы начнут сокращаться и сокращаться. При его беспечности это значит: уже вскоре — беды и нищета! Что ж, мы видели великую музыку счастливого Моцарта. Впереди нас ждет величайшая музыка Моцарта трагического. О, как я жду ее!

ИЗ ДНЕВНИКА
1786-1787 годы

Вчера я пришел к нему в дом. Он сидел за клавиром — спиной... Теперь я всегда вижу его спину. Он сказал мне: «Дорогой барон, я работаю, работаю, работаю, и нет денег... Работа пьет мозг и сушит мое тело. И все равно — нет денег!»

Теперь ежедневно он дает концерты... иногда дважды в день. Он объявляет бесконечные Академии. А ночами — сочиняет. Воистину — это музыкальная лихорадка. Воспаленный мозг все время требует продолжения. И потому даже после концертов Моцарт часто импровизирует. Три дня назад после его Академии я стоял за кулисами, поджидая его. Он был на сцене. Я услышал его нежный тенор: он разговаривал со старым скрипачом из оркестра, который, видно, уже уходил со сцены.

— Вы наговорили мне столько хороших слов, маэстро, позвольте и мне хоть немного отблагодарить вас. Если вы не торопитесь, я хотел бы сыграть для вас...

И он начал играть на темной сцене перед пустым залом. Я стоял, боясь пошевелиться. Это была импровизация. Она длилась добрый час. И, клянусь, там, в темноте, он беседовал с Господом. Если бы мне было дозволено испросить у Творца земную радость, я попросил бы вновь вернуться в тот вечер. Наконец, мелодия оборвалась. Я слышал, как в темноте он стремительно вскочил. И сказал старому скрипачу:

— Теперь вы слышали настоящего Моцарта. Все остальное умеют и другие.

Я вышел из темноты со слезами на глазах. Мы обнялись. Мы оба были растроганы.

Вот полностью наш разговор, который в конце стал столь неожиданным.

Я. Однажды я показал вам свою Десятую симфонию. Она мне очень дорога. Я все надеюсь, что вы сыграете ее когда-нибудь.

Он промолчал. Он просто заговорил о своих бедах.

МОЦАРТ. Меня беспокоит здоровье Штанци. У нее были неудачные роды. И не одни. И врач велит отправить ее на курорт. Она хочет в Баден. Но у нас совершенно нет денег.

(После того как он отказался сыграть мою симфонию, он хотел, чтобы я одолжил ему денег. В этом он весь! «Накрахмаленные симфонии»!)

Я. Хорошо. Я дам, но очень немного. Вам известен мой принцип: я помогаю помалу, но многим.

МОЦАРТ. А мне много и не надо, скоро у меня вновь будут деньги. Ко мне обратился Лоренцо ди Понте.

(Проклятие! Я знаю этого хитрющего венецианца: это

итальянский еврей, который крестился, стал аббатом, что-то натворил и бежал из Италии. Он очень способный человек. По протекции Сальери император сделал его придворным поэтом... Он сочинил множество либретто для опер Сальери. И вот добрался до Моцарта.)

МОЦАРТ. Он предложил мне написать оперу на его либретто. Я получу сто дукатов.

(Неужели — выкарабкается? И вновь — веселый и легкомысленный Моцарт?)

МОЦАРТ. И знаете, каков сюжет? «Свадьба Фигаро» Бомарше.

И вот тогда — в единый миг! — я понял всю мою будущую интригу.

Я. Дорогой Моцарт, это великолепная затея.

МОЦАРТ. Но разрешит ли император? «Фигаро» запрещен и в Париже, и в Вене... правда, после невиданного успеха. (Последние слова он произнес лукаво.)

Я. Тем больший будет интерес у нашей публики. Публика — женщина, и ее особенно влечет запретное.

МОЦАРТ. Ди Понте клянется, что избежит в либретто всяких политических намеков.

Я. Но избежите ли вы? Вы — гений-простолюдин, который помнит пинок ноги ничтожного аристократа?

МОЦАРТ. Я могу сердиться в письмах, барон, могу ненавидеть в жизни, но когда начинаю слышать музыку... Впрочем, вы знаете лучше меня: злой Гендель, злой Бах — разве это возможно? Музыка есть молитва, а Бог — Любовь и Прощение... Нет, нет, это будет веселая опера-буфф, и, клянусь, все итальянцы умрут от зависти!

(Это он, конечно, о Сальери.)

МОЦАРТ. Зная ваше доброе отношение, барон, ди Понте просил меня поговорить с вами. Император ценит ваши советы.

Я. Я уверен, дорогой Моцарт, моей помощи не потребуется. Император одобрит эту идею. Наш просвещенный монарх не раз говорил: «Предубеждение, фанатизм и рабство духа должны быть уничтожены». Он поклонник французских просветителей, ему будет приятно разрешить оперу на сюжет, запрещенный в Париже.

Он обрадовался как дитя. Он не знает: императоры часто говорят одно, когда думают совсем другое. Но я знаю.

ИЗ ДНЕВНИКА
1786-1787 годы

Все случилось, как предполагал я.

На последней репетиции — предощущение триумфа. После арии «Мальчик резвый» оркестранты вскочили, стучали смычками и кричали: «Браво». Да, это восхитительная опера-буфф. Но на мой вкус это — прежний Моцарт. А я мечтаю о другом... Который только нарождается и рождению которого грозит помешать этот легкомысленный успех.

И потому вчера, когда император осведомился о моем впечатлении, я ответил вопросом:

— Ваше Величество, уже не говоря о том, как будут недовольны в Париже, надо ли в нашей спокойной благословенной стране насаждать развращающий французский дух? Не лучше ли нам почитать всех этих великих просветителей на расстоянии?

Вот почему, несмотря на успех, опера быстро исчезла со сцены...

Разговор за обедом.

МОЦАРТ. Он — демон!

Я. Кто?

МОЦАРТ. Демон всей моей жизни.

Я. Боже мой, о ком вы это?!

МОЦАРТ. О Сальери!

И это он повторяет теперь разным людям. Истинный сын своего отца. И хотя ни разу впрямую они не столкнулись, о вражде Моцарта и Сальери знает вся Вена. Хотя на этот раз Моцарт прав. Болтун Сальери быстро подхватил и развил мой слух о недоброжелательстве императора. Он разнес его по дворцам, и Моцарта перестали приглашать.

Уже уходя, Моцарт сказал мне: «Боже мой! У меня совсем нет концертов. Осталось всего два ученика. А мне, как никогда, нужны деньги. Я прошу вас, барон, если услышите, что кому-то нужен хороший учитель...»

Как я люблю его таким!.. Началось, началось его истинное одиночество... путь в бессмертие...

На днях исполнялись написанные Моцартом струнные квартеты. На исполнении одного из них я печально вздохнул, и сидевший рядом со мной влиятельный критик, естественно, это заметил. Сегодня утром Моцарт был у меня. Наш разговор был очень занятен.

МОЦАРТ. Боже мой, что они обо мне пишут! Что они пишут: «Жаль, что Моцарт столь жаждет стать новатором... На цыпочках долго не устоишь...»

Я. Вы обращаете внимание на эти писания недоумков?

МОЦАРТ. А вот что пишет обо мне дрянной итальяшка Сарти: «Эти варвары, немцы, лишенные всякого слуха, смеют предполагать, что они пишут музыку!» За этим говнюком, конечно, — Сальери.

(Замечу: издатели уже отказываются от его сочинений, и он все больше становится образцом не самого хорошего тона.)

МОЦАРТ. Вчера, барон, я объявил свою Академию. Я разослал подписные листы. Они вернулись пустыми. Точнее, на них было только одно имя.

Я. Одно? Но, согласитесь, оно стоит многих.

МОЦАРТ. Да, да. Ваше имя, дражайший барон. Боже мой, что бы я делал без вас.

Но его заботили деньги. И на лице его была мука. Я дал ему, но немного. И прибавил: «Я закончил вчера свою Одиннадцатую симфонию...»

Но он молча взял деньги и торопливо откланялся.

Таков характер этого человека!

29 декабря 1786 года.

Я вижусь с Моцартом редко. На Рождество 1786 года он уехал в Прагу, где, говорят, с великим успехом идет его «Фигаро». Чтобы поболее узнать о Моцарте, я отправился сегодня к его либреттисту ди Понте.

Я застал его дома. Он сочинял. На столе — бутылка токайского, открытая табакерка с испанским табаком. На коленях — юная красотка, которая при моем появлении бросилась прочь из комнаты. Он хвастливо показал мне письма Моцарта. Вот их содержание:

«В Праге ни о чем другом не говорят, не играют, не поют, не танцуют, кроме нашего «Фигаро»! «Фигаро» всюду! «Фигаро — здесь, Фигаро — там». «Бесконечные балы... Ты, конечно, представляешь меня волочащимся за всеми красавицами? Представь — лучше плетущимся. У меня нет сил танцевать и любезничать, потому что я смертельно устал из-за своей работы, и к тому же ты знаешь мою застенчивость».

Ди Понте сказал, что успех «Фигаро» блистательный — и директор Пражской оперы Бондини заплатил Моцарту сто дукатов за будущую оперу. Оказалось, либретто к этой опере и писал сейчас этот поэт и прощелыга. Помогая себе вином и красоткой! Будущая опера называется соответственно всей обстановке — «Дон Жуан»... Итак, опять? Опять — опера-буфф? И опять прежний Моцарт?

Сегодня беседовал с господином Ланге, мужем Алоизии, урожденной Вебер. Он рассказал, что Моцарт в Праге дописывает своего «Дон Жуана». По слухам, он живет в чьем-то имении. И в саду пишет оперу. Вокруг идет веселая попойка, играют в кегли... Рассказал о бесконечных певичках из местной оперы, которые охотно помогают Моцарту входить в образ Дон Жуана. Моцарт, Моцарт!.. Забавная деталь: Бондини вызвал в Прагу некоего итальянца Джакомо Казанову, который в молодости отличился большими удачами в охоте на женщин. И этот старый ловелас исправил Моцарту либретто «Дон Жуана». О, Боже!

В Праге — огромный успех «Дон Жуана». А у нас в Вене не торопятся. Все это время в опере исполняли «Тарара» Сальери. (Отмечу — с неизменным успехом.) И вот вчера — долгожданная премьера Моцарта.

Я пошел в театр, чтобы стать свидетелем: «Дон Жуан» провалился. Наши тупоголовые венцы ждали повторения «Фигаро». Они пришли поразвлечься веселыми похождениями наказанного небом ловеласа. Но «Дон Жуан» не слишком веселит. Это лихорадочное напряжение. Устрашающее неистовство музыки. И это явление Командора... Железный ритм... Дыхание предвечного... Я был не прав... Рождается новый Моцарт... Я счастлив.

Моцарт встретил провал, к моему изумлению, насмешливо. Он сказал только одну фразу: «Ну что ж, дадим им время разжевать».

Наконец-то мы увиделись с Моцартом. После пражских успехов император назначил его камер-музыкантом с обязанностью сочинять музыку для придворных маскарадов.

Наша беседа:

МОЦАРТ. Восемьсот флоринов за музыку для маскарадов. Слишком мало за то, что я мог бы сделать, и слишком много за то, что я буду делать.

Я. И все-таки — это радость. Я поздравляю вас с долгожданным зачислением на придворную службу.

МОЦАРТ. Нужно было умереть бедняге Глюку, чтобы мечта покойного отца наконец-то осуществилась.

(Добавлю: «наилучший из отцов» скончался в прошлом году, и теперь он — один на один со своей судьбой.)

МОЦАРТ. Если бы вы знали, в каком я сейчас положении. Такого и врагу не пожелаешь.

Да, несмотря на жалованье, он весь в долгах... Но я не дал ему денег. Все-таки у него — жалованье. Замечу: он ко многим теперь обращается с одними и теми же словами. На днях его почитатель купец Пухберг показал мне его послание: «Боже, в каком я положении! Такого и врагу не пожелаешь. Если вы, наилучший из друзей, не поможете мне, я погибну вместе с бедной больной женой и ребенком». И т.д. Как все художественные натуры, он несколько преувеличивает — и нищету свою, и ее болезни. Кстати, сей «наилучший из друзей» дал ему деньги. На эти деньги Констанца отправилась сейчас на курорт. Кажется, она там поправилась слишком быстро. И, видно, веберовский темперамент сыграл с ней злую шутку.

Он пожаловался мне, что какой-то его знакомый, который вообще-то относится к женщинам с большим уважением, написал из Бадена о Констанце отвратительные дерзости. Но, видимо, и она тоже кое-что узнала. Во всяком случае, в письме, которое он при мне сочинял, он ей писал в начале: «Я не хочу, чтобы ты поступала так подло!..»

А в конце: «Не мучь ни себя, ни меня излишней ревностью! Умоляю! И ты увидишь, какими довольными мы станем! Лишь умное ровное поведение женщины может возложить узы на мужчину. Пойми это!»

О, Моцарт!

ИЗ ДНЕВНИКА
1790 год

Итак, умер дорогой император, и на престол взошел Леопольд II. Наш новый повелитель в отличие от прежних Габсбургов отнюдь не знаток музыки. Хотя недурно играет на лире. Как всегда при новом царствовании, все прежние фавориты тотчас потеряли места.

Уже утром Моцарт появился в моем доме. Он был так взволнован, что забыл о приветствии. Наш разговор (кратко):

МОЦАРТ. Неужели это правда? Неужели Сальери...

Я. Совершеннейшая правда. Новый император сказал: «Этот Сальери — невыносимый эгоист. Он хочет, чтобы в моем театре ставились только его оперы и в них пели только его любовницы». Вчера наш Сальери ушел в отставку. На его место назначен молодой Йозеф Вайгель.

МОЦАРТ. Значит, я могу рассчитывать на место Второго Капельмейстера? Я написал прошение, дорогой барон. У меня большие надежды. Я предчувствую! Неужели я стою у врат своего счастья? Вы не представляете, как мне нужны сейчас деньги. Это жалованье спасет меня. Вы передадите мое прошение, барон? Я здесь упоминаю: Сальери совершенно пренебрегал церковной музыкой. Я же...

Он еще что-то лихорадочно говорил... Я взялся передать его прошение.

И хотя мне жаль Моцарта, но во имя музыки... Короче. Передавая прошение императору, я сопроводил его необходимым комментарием.

ИЗ ДНЕВНИКА
1790 год

Итак, он не получил место Второго Капельмейстера. Но вместо того, чтобы покориться судьбе, этот безумец продал все бывшее в доме серебро и на свой страх и риск отправился во Франкфурт-на-Майне. Там совершалась коронация. И хотя Моцарта не приглашали, он решил попытать счастья у нового императора и заодно заработать деньги во время путешествия. Как он хочет вырваться в прежнюю жизнь! Сегодня я навестил Констанцу. Эта балаболка охотно мне показала все последние письма мужа.

Вот что он писал ей:

«Моя любимая. Мы великолепно отобедали под божественную застольную музыку. Райское гостеприимство и восхитительное мозельское пиво. Какую великолепную жизнь мы поведем, когда я вернусь. Я мечтаю работать. Так работать, чтоб мы никогда более не попали в столь фатальное положение».

(Замечу: он сочиняет сейчас, не гнушаясь самым мелким заработком. Он написал ей, что сочинил музыкальную пьесу для часов какого-то мастера!..

«О, если бы это были большие часы и аппарат звучал как орган! Но инструмент состоит из маленьких дудочек... Ах, моя милая, это хвастовство, что в имперских городах хорошо зарабатывают. Люди здесь еще большие крохоборы, чем в Вене».)

Констанца пожаловалась мне, что сначала он писал ей дважды в день, но через некоторое время... письма прекратились. Она вздохнула и сказала мне:

— Я слишком хорошо знаю своего супруга. Он опять... не смог устоять. Мой бедный... Я тотчас написала ему сердитое письмо...

Длиннейшее послание, полученное в ответ, она с гордостью зачла мне, периодически покрывая его поцелуями.

Вот что писал ей Моцарт:

«Ты сомневаешься в моем желании писать тебе, и ты меня этим очень мучаешь. Ты должна все-таки знать меня лучше. Люби меня вполовину, как я люблю тебя, — и я буду счастлив... Когда я писал предыдущую страницу, у меня упало несколько слезинок на бумагу. Но позабавимся: лови! Не видишь? Вокруг летает удивительно много моих поцелуйчиков! Что за черт! Я вижу еще множество! Х-ха! Три поймал. Они — прелестны».

— Вы видите, как он раскаивается, — сказала она, вздохнув. — ...Нет, на него нельзя сердиться.

И, покрыв в очередной раз поцелуями грязную бумагу, она продолжила чтение его письма:

«Боже мой, как я стремлюсь к тебе. Я совсем не могу оставаться в одиночестве. Надеюсь между 9 и 10 июня снова почувствовать тебя в своих объятиях. Я придумал нам новые имена: я — Пункитити, моя собака — Шаманатски, ты будешь — Шабле Пумфа... Ха-ха-ха!»

Все — напрасно! Он неисправим!

ИЗ ДНЕВНИКА
1791 год, май

Мне стало известно: около Моцарта появился еще один гениальный проходимец — Иоганн Шиканедер. Он директор театра, он актер, режиссер и т.д. и еще величайший распутник. Все, что наживает, тотчас расточает. Но у этого мерзавца гениальное чутье. Он поистине человек театра. Говорят, что он масон и состоит в одной ложе с Моцартом. На днях Моцарт сообщил мне, что этот Шиканедер заказал ему волшебную оперу.

Констанца — в очередной раз в Бадене на очередные деньги купца Пухберга, и Моцарт поселился в театре Шиканедера. Сегодня я решил его навестить.

Театр находится во Фрайхаузе. Это длинная трехэтажная постройка с бесчисленными лестницами и дворами. Театр — в шестом дворе. Там прелестный сад и садовый домик, где я и нашел Моцарта. Весь город уже наполнен слухами о самой бурной жизни, которую устроил Моцарту Шиканедер. Называют певичку из театра — мадам Герль. Но я застал Моцарта за чистым столом, заваленным партитурой. Никаких следов распутства или попойки. Напротив, было видно, что он сочинял всю ночь.

Вернувшись домой, как обычно, я записал весь наш разговор.

МОЦАРТ. Я безумно скучаю по Штанци, барон, и я поехал в Баден. Пока она принимала ванны, я решил сделать ей сюрприз. Я попытался влезть в ее окно, чтобы встретить ее в доме... Лезу и чувствую — меня хватают за пятку. Оказывается, какой-то офицер увидел мои упражнения и решил, что я вор. Он пытался заколоть меня шпагой, он никак не мог поверить, что я лез в окно к собственной жене.

Он залился смехом.

Я попытался вернуть его к музыке.

Я. Итак, вы пишете волшебную оперу. Весьма легкомысленный жанр.

МОЦАРТ. Зато двести дукатов. Это поистине находка в моем бедственном положении...

Он сыграл мне песенку из будущей оперы. И я понял: он опять вернулся в оперу-буфф. Опять! Будто не было «Дон Жуана»! Он увидел, что мне не понравилось. И сказал:

— Ну что ж, моя совесть чиста. Я сразу предупредил Шиканедера: если вас постигнет беда, я не виновен. Я никогда не писал волшебных опер.

После чего он вновь решил меня порадовать рассказом о любви к жене: он захотел непременно прочесть свое последнее письмо к Штанци. Пока он читал его нежным своим тенором, я немного задремал. И проснулся, когда он дочитывал последние строки:

«Будь здорова! И радостна. Ибо только если я уверен, что у тебя нет ни в чем недостатка — мои труды мне приятны. Желаю тебе самого хорошего и, главное, веселого. Не забудь воспользоваться твоим застольным шутом...»

(Замечу: шутом он называет боготворившего его музыканта господина Зюсмайера, которого послал помогать беременной Констанце. Он обожает превращать в шутов любящих его людей.)

«Почаще думай обо мне, люби меня вечно, как я люблю тебя, и будь вечно моей, Штанци, как я буду вечно твоим... Штукамер-паппер... Шнип-шнап-шнепер-спаи, ха-ха-ха и прочие дурачества... Это еще не все. Дай шуту Зюсмайеру пощечину и скажи при этом, что ты хотела убить муху... Ха... ха-ха. Лови. Би-би-би. Три поцелуйчика подлетают к тебе, сладкие, как сахар».

Он сидел по уши в долгах и хохотал. И тогда я окончательно понял: я идиот. Деньги, нищета... на самом деле не затрагивают его глубоко. Решить, что нищета сможет помочь ему родить поистине строгую музыку? Какая глупость. Все эти ужасные слова, которые он пишет мне и купцу Пухбергу... все это только снаружи. Внутри он по-прежнему остается веселым и легким Моцартом. И вот тогда, говоря языком моего отца — лейб-медика, мне и пришло в голову «сильнодействующее средство».

ИЗ ДНЕВНИКА
16 сентября 1791 года

В шесть часов пополудни ко мне явился Моцарт. Он вернулся недавно из Праги, где состоялась премьера его новой оперы. (Нет-нет, это не волшебная опера, которую ему заказал Шиканедер.) Это заказ чешских сословий по случаю коронации нашего императора Леопольда чешским королем. Я слышал, что эта новая опера провалилась в Праге. Императрица назвала ее «немецким свинством». Вот запись нашей беседы.

Я. Рад вас обнять, мой дорогой Моцарт. Вы выглядите усталым.

Он хотел что-то ответить, но сильно закашлялся.

МОЦАРТ. Простите, после возвращения из Праги я все время болею. И принимаю лекарства.

Я. Я так надеялся повидать премьеру волшебной оперы.

МОЦАРТ. Мне пришлось все отложить. В доме совершенно нету денег. А тут Господь послал нам сына. И вдруг счастье: пришел этот заказ из Праги. Господь опять не оставил нас.

Он вновь закашлялся.

МОЦАРТ. Заказ не терпел отлагательств. Я подумал: если вдруг умру — у Констанцы ничего нет! Одни долги. А тут сразу двести дукатов! И я писал оперу в карете, в гостинице... спешил, спешил успеть к торжествам... Всю жизнь, дорогой барон, я спешу... двести дукатов! Но сразу столько расходов! Констанца опять уехала в Баден на воды, а я не могу жить один. И вот теперь я опять спешу... заканчиваю «Волшебную флейту»... так мы пока назвали оперу... может быть, придумаю название получше... Но меня очень беспокоит, барон, совсем иная работа. Мне пришлось ее также отложить из-за пражских торжеств.

Он был бледен — ни кровинки.

МОЦАРТ. Это случилось в июле. Мы готовились ко сну, когда пришел этот человек. Это был худой, очень высокий мужчина... в сером плаще, несмотря на душный вечер. Он принес мне письмо без подписи. В письме было множество лестных слов по моему адресу. В конце было три вопроса: не хочу ли я написать музыку погребальной мессы? За какой срок и за какую цену? Я уже как-то говорил вам: я и сам мечтал потрудиться в церковной музыке. Но это письмо отчего-то меня взволновало. Штанци удивилась моим колебаниям. И я согласился. Но потребовал сто дукатов и не связывать меня сроком. Если быть искренним, я поставил эти условия в надежде, что аноним откажется. Я не могу объяснить, почему этот заказ так меня встревожил. Но вскоре серый господин явился вновь, передал сто дукатов и согласие на все мои условия. С какой-то странной улыбкой он предупредил: не следует трудиться и узнавать имя заказчика, ибо узнать все равно не удастся... Хотя я не был связан никаким сроком, я тотчас начал трудиться. Я работал день и ночь, я отодвинул даже волшебную оперу. И в этот момент последовал заказ из Праги. И я вынужден был оставить Реквием. В Праге я провалился.

Я. Ну что вы, милый Моцарт, просто трудно было слушать серьезную оперу во время таких торжеств.

МОЦАРТ. Нет, нет, я провалился. Это моя первая неудача в Праге. И я не сомневаюсь: это наказание за то, что отодвинул Реквием. Когда мы с Констанцей уезжали в Прагу и уже садились в карету, я увидел руку на ее плече. Это был он!.. Серый незнакомец. Он спросил: «Как дела с Реквиемом?» Я извинился, объяснил обстоятельства. Обещал взяться сразу по возвращении. И вот — опять не удается. Шиканедер требует завершения «Волшебной флейты». Но все равно: он — со мной.

Он был невменяем. Он бормотал: «Я ясно вижу его во снах. Он торопит. Негодует. И знайте, барон: мне все больше кажется, что это не просто Реквием. Это Реквием для меня самого».

Да, впервые я видел его до конца серьезным. Ибо он... он уже был охвачен грядущей смертью. А я... я — ощущением того великого, что он создаст. Создаст — благодаря мне!

Мое разъяснение

Все началось в доме моего давнего знакомца графа фон Вальзег цу Штуппах. Граф — отличный флейтист. Он держит прекрасный оркестр. Но у него слабость: он мечтает прослыть композитором, хотя ленится сочинять. Он предпочитает тайно заказывать музыку хорошим композиторам. Недавно умерла его жена, царство ей небесное. И вот когда я приехал засвидетельствовать соболезнование, граф обмолвился, что желает сочинить Реквием по случаю ее кончины.

Я. Это достойная мысль, граф. Я с нетерпением буду ждать вашего сочинения. В церковной музыке мало кто может с вами соперничать... Ну разве что... Моцарт.

По его глазам я понял: он внял моему совету. В это время в комнату вошел его служащий, господин Лойтгеб... Я знаю этого господина: это он обычно выполняет подобные деликатные поручения. Он длинный как жердь и худой как смерть. В вечно серой одежде. Я легко представил, что случится, когда он явится к впечатлительнейшему Моцарту и закажет Реквием. Да. Я не ошибся!

ИЗ ДНЕВНИКА
14 октября 1791 года

Я продолжаю пожинать плоды. На днях был на премьере «Волшебной флейты». Зал переполнен. Моцарт ввел в мою ложу Сальери и его любовницу — певицу госпожу Кавальери. Сальери, как всегда, начал рассказывать о своих триумфах. Я давно примирился: жрецы искусства с интересом могут говорить только о себе. В кульминации рассказа, к счастью, погас свет и заиграли увертюру. Опера прошла великолепно. Даже Сальери был растроган и впервые забыл говорить о себе. Когда вошел Моцарт, Сальери его обнял. Привожу их знаменательный разговор:

САЛЬЕРИ. Опера достойна исполняться, дорогой Моцарт, перед величайшим из монархов. Это — «опероне».

(То есть — оперище.)

САЛЬЕРИ. Я обнимаю вас, великолепны вы, великолепны певцы, великолепно все!

(От себя добавлю: в течение действия я все думал — неужели это то, что совсем недавно он играл мне? Вот уж поистине волшебная опера, так в ней все волшебно преобразилось! Вместо оперы-буфф родился этот фантастический слиток возвышенной печали и сверкающего смеха. И какой вкус! Гений — это вкус.)

САЛЬЕРИ. Какая прекрасная идея: одеть пустячную сказку в философские масонские одежды. Масонские символы в опере прекрасны.

Один я знал: не в масонских символах дело. За оперой

маячила тень Реквиема. Сладкий привкус смерти. О нет не масоны! Моя выдумка родила сегодняшнее чудо.

ИЗ ДНЕВНИКА
17 ноября 1791 года

Только что от меня ушла Констанца. Вот запись этой очень важной беседы.

КОНСТАНЦА. Я не знаю, что делать! Я схожу с ума. Уже три недели, как я вернулась из Бадена и нашла его совершенно изменившимся. Он не выходит из дома. И сидит, и сидит над этим проклятым Реквиемом.

(Я не мог сдержать лихорадочных вопросов: «Ну как?! Как?!»)

КОНСТАНЦА. Реквием почти закончен, но я принуждена отобрать его у Моцарта.

Наверное, я побледнел.

Я. Вы... сошли с ума?!

Она была удивлена моим волнением.

Потом сказала: «Прочтите это письмо. Я нашла его на столе. Он написал его ди Понте».

Я начал читать... Это — длинное письмо, где были действительно страшные строки:

«Я не могу отогнать от глаз образ неизвестного. Постоянно вижу его перед собой. Он меня умоляет, торопит и с нетерпением требует мою работу. По всему чувствую, что бьет мой час. Я кончил прежде, чем воспользовался моим талантом. Жизнь была так прекрасна, карьера начиналась при таких счастливых предзнаменованиях!.. Я понял, передо мной моя погребальная песнь».

— Он и мне написал столь же ужасное, — сказала она, когда я закончил это письмо. И она прочла мне вслух несчастным голосом: — «Я не могу тебе объяснить, дорогая, мое ощущение. Это некая пустота, она причиняет мне почти боль... Какая-то тоска, которую никак не утишишь. Она никогда не пройдет и будет расти изо дня в день». Мне страшно! — сказала она, всхлипывая. — Вчера мы гуляли по Пратеру, и он вдруг заплакал, как ребенок. И сказал: «Я слишком хорошо понимаю: я долго не протяну. Конечно. мне дали яд. И я не могу отделаться от этой мысли».

Я. И кто же ему дал яд?

КОНСТАНЦА. Он говорит — Сальери. Он привез Сальери на премьеру, и потом они ужинали вместе.

Я. Что за чепуха!

КОНСТАНЦА. Он невменяем, господин ван Свитен. И поэтому я отобрала у него Реквием. И помогло: он немедля успокоился. Прошло уже две недели без Реквиема... Слава Богу, здоровье его улучшилось. Он сумел закончить масонскую кантату и даже ее продирижировал... но вчера он опять потребовал назад Реквием. Я пришла спросить у вас совета, барон: как отвлечь его от этой ужасной мысли?

Я был в ужасе: неужели эта глупая курица не даст завершить? Лишит меня величайшего наслаждения? И музыку — величайшего творения?

Я. Дорогая Констанца, конечно, вы можете не возвращать ему Реквием. Но тогда вам следует подумать: как вернуть взятые сто дукатов?

Я хорошо ее знал.

Она почти закричала: «О, нет! Нет! В доме совершеннейшая пустота. Поверьте, ни флорина! Все продано!.. — И добавила нетвердо: — А может быть, вернуть ему Реквием?.. Он уже окреп. И вчера сам смеялся над своими бреднями об отравлении...»

ИЗ ДНЕВНИКА
1 декабря 1791 года

Десять дней назад она вернула ему Реквием.

Помню, я навестил его на следующий же день. Он отплясывал с Констанцей.

Танцуя, он прокричал мне: «Не удивляйтесь, барон! У нас закончились дрова, и мы сейчас танцуем попросту, чтобы согреться! Ха! Ха! Ха!»

В тот день он вернулся к работе, и все последующие дни он работал, работал, работал над Реквиемом. Над нашим Реквиемом. Правда, через несколько дней такой работы он слег в постель. И больше уже не встает.

ИЗ ДНЕВНИКА
5 декабря 1791 года. Утро

Только что вернулся от покойного. Всю ночь я не покидал его комнаты и трудился рядом с телом. После разбора его писем я решился подступить к партитуре Реквиема. К главному! Как я откладывал, как я боялся разочарования, но медлить более было нельзя, рассвет начался за окнами. И я взял в руки партитуру... Свершилось! Свершилось! Какая красота... Божественная красота... Если в «Дон Жуане» он содрогнулся от грядущей встречи с предвечным, здесь он сам к ней стремится... Тот мир — вершина человеческих стремлений. Страшный Суд и Милосердие Божие — цель жизни. Дух вечности — это и есть Реквием. Я плакал. Какая трагедия, что он не закончен. На пюпитре я прочел его распоряжения Зюсмайеру, как завершить Реквием после его смерти. А под этими распоряжениями я нашел три письма. Это были письма самого Моцарта. Одно было написано после смерти матери, другое — по дате — перед смертью его отца...

Вот они:

«9 июля 1778 года. Моя мать умерла. В моих печальных обстоятельствах я утешаюсь тремя вещами: совершенным смирением, с которым я предаюсь воле Божьей, столь легкой и прекрасной ее смертью и тем, сколь счастлива она стала спустя мгновение. Насколько она счастливее, чем мы. В этот момент я пожелал отправиться в путь вместе с ней. И с сего желания, и с сего страстного моего стремления развилось и третье мое утешение: она не потеряна для нас, мы свидимся еще с нею».

«Дражайший отец! Смерть — истинная и конечная цель нашей жизни. За последние два года я столь близко познакомился с этим подлинно лучшим другом человека, что ее образ не только не несет для меня теперь ничего ужасающего, но, напротив, в нем все успокаивающее и утешительное. И я благодарю Господа за то, что даровал мне эту счастливую возможность познать смерть, как ключ к нашему блаженству. Я теперь никогда не ложусь спать, не подумав, что, может быть, и меня... как я ни молод... на другой день более не будет. И все-таки никто не может сказать, чтобы в обществе я был бы угрюмым или печальным. За блаженство сие я каждый день благодарю Творца».

Я стоял неподвижно над этими письмами. Так вот что он перечитывал, когда писал Реквием!

Так вот что таилось под его веселой маской. Значит, этот суетливый человечек в дурновкусных камзолах все понимал?

И я начал читать его третье письмо.

«Я всегда помню о Боге и сознаю Его всемогущество и страшусь Его гнева. Но я сознаю Его любовь, и сострадание, и милосердие к своим творениям. Он никогда не покинет своих слуг... И если что свершается по Его воле — то, значит, и по моей...»

Я упал на колени и молился, и просил: «Господи! Господи! Прости меня!»

Уже уходя из комнаты на исходе ночи, я... столкнул его маску, и она разбилась...

Теперь остались только звуки.

ИЗ ДНЕВНИКА
6 декабря 1791 года

Сегодня в три часа пополудни мы собрались в Крестовой капелле в соборе Святого Стефана. Здесь состоялось отпевание Моцарта. Кроме меня, были его ученик Зюсмайер, несколько музыкантов. И Сальери. Мне не хотелось идти вместе с этой толпой к кладбищу, и по окончании отпевания я сказал:

— Видимо, сегодня будет снег с дождем.

Этого было достаточно, чтобы все эти господа охотно отправились по домам. Хотя было очень тепло: три градуса и при полном безветрии. На оплаченных мной погребальных дрогах гроб в одиночестве отправился по Гроссе Шуллерштрассе на кладбище.

Сальери провожал меня домой. Вот он, наш разговор.

САЛЬЕРИ. Вдова не пришла.

Я. Она лежит дома почти без чувств.

САЛЬЕРИ. С какой охотой все они разошлись.

Я. Видимо, грустно смотреть, как гения отправят в могилу для бедных.

САЛЬЕРИ. Если бы я знал... Почему вдова не обратилась ко мне?! Я охотно дал бы денег.

Я. Это говорят теперь все. Но втайне радуются, что не обратилась. Кстати, Сальери, почему вы сами не обратились к вдове? Вы ведь знали, что он нищий.

САЛЬЕРИ. А вы?

Я. Я скуп.

САЛЬЕРИ. Как быстро закончилась жизнь, начавшаяся так блестяще.

Я. Ну что вы, Сальери. Все у него только начинается. Теперь и вы... и я... и император, и все мы только и будем слышать: МОЦАРТ! Теперь все мы лишь его современники. Люди обожают убить, потом славить. Но они не захотят признать... никогда не захотят, что они... что мы все — убили его. Нет-нет, обязательно отыщут одного виноватого... И я все думаю: кого они изберут этим преступником, этим бессмертно виновным? И я понял.

САЛЬЕРИ. Кого же?

Я. Вас. Он ведь вас не любил. Так не любил, что даже жене пожаловался, что вы его отравили.

САЛЬЕРИ. Какая глупость!

Я. Отчего же? Ведь вы травили его, Сальери. Вы не давали ему поступить на придворную службу. А где травили, там и отравили. Какая разница. Ведь вы поэтому пришли на отпевание. Замолить грех. Но поздно, милейший.

Мне нравилось пугать этого самовлюбленного и, в сущности, доброго глупца.

ИЗ ДНЕВНИКА
17 февраля 1792 года

Сегодня в Вене в зале Яна по поручению госпожи Констанцы Моцарт я, Готфрид ван Свитен, с большим успехом исполнил Реквием Вольфганга Амадея Моцарта.

ДОБАВЛЕНИЕ ИЗ ДНЕВНИКА
1801 год

Сальери воспринял слишком всерьез все, что я когда-то ему сказал. Сейчас, когда мое предсказание сбылось, когда слава Моцарта растет с каждым днем, у Сальери бывают странные нервные припадки. Я даже слышал, что порой, пугая домашних, он вопит, что убил Моцарта.

Ну что ж, хоть один из нас — признался!

Прогулки с Палачом

САНСОН ВЕЛИКИЙ

Зимой 1996 года я приехал в Париж. И все представлял, как ровно сто лет назад были в Париже — Они...

Шел 1896 год. Это был первый визит русского царя во Францию — после того, злополучного, когда поляк Березовский выстрелил в его деда. Поляк мстил за поруганную Польшу. К счастью, Александр II тогда остался жив (его убьют потом — бомбой).

Теперь никто не стрелял. Толпы восторженных парижан заполнили улицы. В открытой коляске ехали: красавица императрица, Государь — милый молодой человек в военной форме — и очаровательная дочка.

Он записал в дневнике:

«25 сентября произошла закладка моста, названного именем папа́. Отправились втроем в Версаль. По всему пути от Парижа до Версаля стояли толпы народу, у меня почти отсохла рука, прикладываясь. (Он отдавал честь, прикладываясь к козырьку фуражки. — *Э.Р.*) Прибыли туда в четыре с половиной и прокатились по красивейшему парку, осматривая фонтаны... Залы и комнаты интересны в историческом отношении».

Это «историческое отношение»... Оно уже тогда должно было Их поразить.

С площади Согласия (бывшей площади Революции) хорошо видны колонны церкви Маделен. Здесь, на кладбище у храма, когда-то были похоронены жертвы фейерверка. Он случился в знаменательные дни для той, французской королевской четы — во время бракосочетания Людовика XVI и Марии Антуанетты. И окончился страшными жертвами — сгорело много людей. Тогда в Париже говорили: это предзнаменование! Не к добру такое начало совместной жизни!

И у Них тоже произошло страшное и тоже в знаменательные дни. Случилось это незадолго до поездки в Париж, во время коронации... Они приехали на Ходынское поле — сверкало солнце, гремел оркестр. В павильоне — вся знать Европы. Но Они знали — все утро отсюда вывозили трупы: во время раздачи бесплатных подарков в ужасающей давке погибли почти две тысячи несчастных...

И тот же страшный шепот: не к добру это! С кровавой приметы начинается царствование!

«Интересны в историческом отношении»... Только потом царь узнает, как связан был с Ними Париж в этом самом «историческом отношении». Какой пророческой оказалась безликая фраза! Все, что узнали Они тогда в Версале, повторится в Их жизни.

Был мягкий, безвольный Людовик — и Николая будут называть мягким и безвольным.

И две Елизаветы — сестра Аликс, набожная основательница Марфо-Мариинской обители. И другая, столь же набожная, с той же неземной улыбкой — сестра Людовика XVI.

Мария Антуанетта была властной и надменной красавицей. И его жена — властная и надменная красавица. И та же ненависть народа к королеве — Марию Антуанетту называли «австриячкой» и обвиняли в измене и разврате. И его жену будут называть «немкой» и обвинять в прелюбодеянии с мужиком. И ненавидеть! Так же ненавидеть!

И как те в любимом Версале, Они в любимом Царском Селе увидят те же страшные, яростные толпы восставших и станут их пленниками.

На кладбище у церкви Маделен Революция похоронит обезглавленных короля и королеву. Они будут лежать в безымянной могиле, в грязной яме, облитые негашеной известью.

И Их впереди ждала такая же участь — безымянная могила, грязная яма. Их, которые ехали тогда такие счастливые по Парижу!

Оскверненный собор Парижской Богоматери, храмы, превращенные в склады провианта, убитые священники, свергнутые с пьедесталов статуи королей... Поруганные мощи святых (святую Женевьеву, покровительницу Парижа, к мощам которой за помощью столько раз обращался народ в дни великих бедствий, разрубили топором на позорном эшафоте и бросили в Сену)...

Страшное кладбище у парка Монсо (оно было совсем недалеко от православного собора, который посетил Николай)... На этом кладбище они лежали вместе — блестящие аристократы и убившие их революционеры. И убившие этих революционеров другие революционеры...

Все эти воспоминания времен Французской Революции станут Их будущим. Возвращаясь из Версаля, Они не знали: перед ними было зеркало.

Царица до конца поймет это лишь в страшном 1917 году.

И поэтому, узнав о его отречении, она в ужасе и странном безумии будет шептать *по-французски* — «abdiqua» (отрекся). И должно быть, вспоминать, как Они стояли в той зеркальной зале.

Зеркала Версаля...

Последний русский царь был мистиком. Рожденный по церковному календарю в день Иова Многострадального, он был уверен в своем трагическом предназначении.

И конечно, он не мог не заинтересоваться тем мистическим рассказом, о котором тогда, в дни столетия Революции, много говорили и спорили в Париже. Речь идет о пугающем пророчестве, сделанном за два десятка лет до Революции другим мистиком, неким Казотом.

Казот был масоном и сочинителем. Мистические взгляды придавали его изящным творениям несколько тяжеловесный характер пророчеств.

Но однажды случилось невероятное. В тот вечер в салоне маркиза де Водрейля собрался один из тех очаровательных кружков, которые исчезнут вместе с Галантным веком: несколько умных и весьма вольно мыслящих аристократов, несколько очень красивых и пугающе умных дам (в век господства философов красивым женщинам приходилось быть еще и умными, коли они хотели быть модными). Приглашен был и Казот — философ, литератор и блестящий рассказчик. Но утонченной беседы не получилось — Казот весь вечер пребывал в тоскливом молчании, причем долгое время угрюмо отказывался объяснить свое непонятное поведение.

Однако настойчивые дамы победили. И он рассказал, как внезапно перед ним предстало некое видение — тюрьма, позорная телега, потом эшафот со странным сооружением...

Он описал его. Впоследствии оказалось: он описал *гильотину*... за двадцать лет до ее изобретения!

Но не диковинное сооружение напугало Казота. Он увидел нечто более страшное — *очередь* людей, поднимавшихся на эшафот к гильотине, длиннейшую очередь, в ней были все самые блестящие фамилии Франции. И что самое ужасное — в ней были все присутствовавшие в тот вечер. И первым стоял он сам — Казот! Сверкал падающий топор гильотины, но очередь не уменьшалась, ибо все время к эшафоту подъезжала позорная телега, и оттуда высаживались очередные жертвы...

После такого рассказа, естественно, воцарилось тягостное молчание. И тогда одна из дам попыталась пошутить:

— В вашем рассказе меня более всего пугает не эшафот, но позорная телега, любезнейший Казот. Оставьте мне, по крайней мере, право подъехать к вашему загадочному сооружению в собственном экипаже.

— Нет, — вдруг сказал Казот каким-то странным, чужим голосом. — Право ехать на казнь в экипаже получит только король. А мы с вами отправимся туда в позорной телеге.

Поразительно: пророчество Казота приводит в своей книге внук того, кто был в то время хозяином этой самой позорной телеги. Когда 26 сентября 1792 года Казота повезли на гильотину, этот человек был рядом с ним, и у него было время поговорить с Казотом о его пророчестве. И внук услышал от него рассказ о господине Казоте и его последних минутах: как спокойно, но «без наглой самоуверенности» взошел он на эшафот... Что ж, двадцать лет назад Казот все это уже пережил — так что он *приготовился!* И хозяин телеги оценил это по достоинству, как знаток смерти.

Это был он — Месье де Пари, палач города Парижа Шарль Анри Сансон.

Ради него я и приехал в Париж в те зимние дни 1996 года. Я приехал на свидание с ним, следуя уморительной привычке литераторов, — решил подышать, так сказать, «теми же воздусями» и насладиться лицезрением мест, где жил мой герой. И все представлял себе, как ровно сто лет назад на обратном пути из Версаля царская семья проехалась по Парижу — по древнему кварталу Маре с его старинными сонными отелями, где в Тампле в дни Революции томилась несчастная королевская семья. Затем на площади Республики их коляска сделала круг...

От площади Республики и идет та самая улица Шато д'О. Александра Федоровна была нервной женщиной, и она наверняка вздрогнула, когда проезжала мимо этой улицы! Ибо здесь, в глубине сада, возделанного его женой, стоял дом моего героя.

Дом Сансона. Палача Сансона. Сансона Великого.

Каждый вечер я шел к тому месту, где когда-то стоял его дом. Я хорошо изучил все его жизнеописания — и подлинные, и ложные. Лучшая книга о нем принадлежит перу его внука. Но он писал ее, когда короли снова вернулись во Францию. Он жил в дни правления внуков тех, кого обезглавил его дед. И пришлось ему сочинять жизнеописание, в котором Сансон Великий выглядел добрым роялистом, нежно любившим короля, королеву и всех бесчисленных аристократов, которых он почему-то отправил к Господу с головами под мышкой... Но мы-то хорошо понимаем этих вчерашних революционеров, которым пришлось менять свои убеждения.

В Париже я часами стоял у его дома. Я старался увидеть, как выходил он на свою вечернюю прогулку, как редкие прохожие (это была тогда окраина Парижа), завидев его, торопливо переходили на другую сторону улицы...

А он шел. Один. Он тогда был молод, высок, красив.

Он привык разговаривать сам с собой. Ибо тогда он был презираем, и не было у него собеседников.

Сансон — палач города Парижа... Именно в те молодые годы он и начал вести Журнал, куда аккуратно записывал свой кровавый отчет. И я все представлял, как уже потом — старый, разбитый болезнью и страхом — пытался описать он свою жизнь. Жизнь, столь необыкновенную именно «в историческом отношении»...

И однажды, придя в гостиницу, я услышал голос. Слов не было — одно далекое, невнятное бормотание... Я бросился к крохотному гостиничному столу и начал торопливо писать. Голос тотчас пропал, но я не останавливался... Только впоследствии я понял: я переносил на бумагу чужие мысли. Его мысли. Я обнаружил их потом в «Записках палача», написанных его внуком.

Это были те же мысли, но... одновременно и *другие!*

И тогда мне стало казаться — он сам говорил со мной.

РАССКАЗ САНСОНА, ИСПОЛНИТЕЛЯ ВЫСШИХ ПРИГОВОРОВ УГОЛОВНОГО СУДА ГОРОДА ПАРИЖА

Вариации на тему «Записок палача»

«Я привык быть один. Я гуляю вместе с самим собой. Я и Я — мы шествуем вдвоем.

Я иду и думаю — как всегда, об одном и том же.

С тех пор как существует человечество — существует казнь. Сколько наказаний придумал зловредный человеческий род — и поручил Исполнителю. И все — с изощренными, изобретательными муками!

Возьмем самое легкое — бичевание. Вы думаете, просто секут? Нет, поусердствовали, выдумали — и поручили палачу волочить по городу несчастного, привязанного к телеге, а на каждой площади останавливаться и сечь! Сечь!

Но бичевание — это детские шалости по сравнению с клеймом, навсегда отлучающим человека от общества, с дыбой, ошейником и прочими пытками. Но разве палач их придумал? Люди придумали — и поручили палачу! И презирали его за это.

Венец нашей работы — смертная казнь. И опять: людям мало убить — им надо еще мучить, мучить, мучить!

Смерть на кресте — самое древнее из мучений казни. Но распятие было отменено римским императором Константином, ибо стало предметом поклонения христиан. Ничего, сколько новых казней придумали — и куда страшнее!

Колесование! После каждого колесования я, привыкший к ужасам палач, не в себе — мне все мерещится, все снится, как я раскладываю человеческое тело на колесе, ломаю суставы, залезаю в рот, отрезаю язык... Нет ни одной частички тела, которую при колесовании не «ласкает» палач! Но и это еще не самый худший вид смерти. Люди придумали сдирать кожу с живых, варить их в кипятке, сажать на кол... О, изобретательное человечество!

А эти тысячные толпы, приходящие глазеть на мучения... Им интересно! Складывается костер из дров и соломы, на него возводят осужденного, привязывают к столбу... Он будет долго мучиться, сгорая живьем, а толпа — смотреть, как корчится в огне несчастная жертва. Иногда мне кажется, что самые гуманные люди — это палачи. Во всяком случае, мы, палачи, придумали милосердную хитрость: при сожжении на костре мы ставим багор с острым концом для перемешивания соломы точнехонько против сердца осужденного, чтобы он мог лишиться жизни до мучений от огня...

Кого мы только не сжигали на кострах: еврея — потому что он не христианин; христианина — потому что он протестант; католика — потому что он стал атеистом... Люди приказывали — и мы сжигали! И они же нас за это презирают.

Почему же люди так презирают того, кого они же выбрали быть Исполнителем? Точнее — презирают и боятся... Боятся? Еще бы! При встрече со мной каждый невольно представляет себя в объятьях палача.

В заключение назову две самых простеньких казни — на виселице (для простолюдинов) и от меча (для дворян). Даже здесь, на последнем пути, — нет равенства.

Впрочем, Великая Революция отменила все эти многообразные ужасы и всех уравняла в смерти. Был принят закон: с 1790 года казнь для всех граждан стала единой — гильотина.

О том, что вышло из этого «облегчения», вы вскоре узнаете из моего рассказа.

Во Франции должность палачей — наследственная, передается от отца к сыну. Неважно, сколько тебе лет, когда умирает твой отец. С этого мгновенья ты — *палач!*

В нашем доме была комната, где висели мечи (каждый имел свою историю). Как справедливо заметил один из нас, свою профессию и свои мечи палачей — как скипетр королей — передавали мы, Сансоны, из рук в руки, от отца к сыну. А если после тебя не осталось сына, пусть приготовится муж твоей дочери — быть ему палачом!

Именно так стал палачом мой прадед Шарль Сансон — Сансон Первый.

Его предки были дворянами и участвовали в крестовых походах. Шарль Сансон родился в 1635 году. Вот он-то и женился на дочери палача города Руана. То ли это была безумная страсть, то ли попросту выгода: поговаривали, что Шарль впал тогда в большую бедность, а палачи очень неплохо зарабатывали...

Но уже вскоре тесть стал требовать от Шарля помощи на эшафоте.

В судебных актах города записана такая история: «Когда руанский палач потребовал от своего зятя нанести железным шестом удар преступнику, зять упал в обморок, и это сопровождалось хохотом толпы».

Но уже вскоре Шарль Сансон не только привык к казням — он преуспел в них. О его ударах мечом гремела такая слава, что после смерти жены ему тотчас предложили уехать из Руана и стать палачом Парижа. Он переехал туда и поселился в месте, которое народ звал «Дворцом палача». Это было мрачное восьмиугольное строение с башенкой, около которой привязывали приговоренных к позорному столбу. Рядом шумел парижский рынок — там прадед брал припасы и товары. Таков был закон: палач мог взять с рынка столько, сколько мог унести в руках. Но он уносил слишком много, и однажды толпа торговцев подожгла его дом. Тогда мой предок и решил переехать в пустынный квартал, называвшийся Новой Францией, — теперь это часть Пуассоньерского предместья.

Ему было за шестьдесят, когда он женился на молодой женщине — разумеется, тоже родственнице палача. И в 1703 году, в самом начале века, который сделает наше имя воистину знаменитым, Шарль Сансон передал свою кровавую должность моему деду, ибо «душа почтенного старца осветилась нежными утехами любви». Он захотел отдохнуть от крови.

Я не смогу перечислить всех, кого покарал меч моего деда — Сансона Второго, ибо он, к сожалению, весьма неаккуратно вел Журнал казней. Отмечу, пожалуй, только Картуша. Это был великий грабитель, о подвигах которого народ до сих пор слагает легенды. (Дед колесовал его в 1721 году на Гревской площади.)

Тогда было много грабежей, целые банды нищих разбойничали на дорогах Франции... Людовик XIV умер, оставив страну в состоянии печали и крайнего разорения. Правил пятилетний король, вернее, его регент — герцог Орлеанский, провозгласивший очаровательный закон: «Запрещено все, что мешает наслаждению».

И действительно, после мрачного аскетизма последних дней Людовика XIV двором овладело безумие удовольствий. Сам бедный регент попросту сгнил от дурных болезней — этими «дорогими наградами, полученными от самых разнообразных прелестниц», «доблестными ранами, заработанными на поле самого восхитительного из сражений» герцог поистине гордился.

В то время топор палача часто бездействовал, и жертвы были малопримечательны — в основном все те же грабители, доведенные нищетой до преступлений.

Сансон Второй умер в 1726 году, сорока пяти лет от роду. Он оставил двух сыновей — Жана и Николя. И несмотря на возраст, старший из них, семилетний Жан, был тотчас посвящен в звание палача. А на время его малолетства обязанности палача были возложены на некоего месье Гаррисона. Он-то и заставлял несчастного ребенка присутствовать при казнях на Гревской площади, ибо без Исполнителя казнь незаконна и является попросту убийством. И маленькая кукла — мой будущий отец — стояла на кровавом эшафоте и смотрела, как рубили головы...

Я думаю, именно тогда нестерпимый ужас поселился в детском сердце — оттого Жан Сансон так недолго орудовал на эшафоте. Отца разбил паралич, когда мне было только семнадцать лет.

Я уже упоминал о комнатке в нашем доме, где в полумраке на стенах висели мечи — наши родовые мечи палачей — выбирай любой! С детства я любил приходить туда. В колеблющемся пламени свечи сверкали лезвия... На всех этих великолепных широких клинках с удобными рукоятками кованого железа было вырезано одно слово — ПРАВОСУДИЕ.

Я много слышал от матери о своих предках — как они страдали от человеческого презрения, как таились от людей, как редко выходили из дому, стесняясь взглядов прохожих... Ничего этого во мне не было — я с детства ощущал себя палачом и с гордостью готовился к этой роли. Я презирал людское презрение.

Когда я взошел на эшафот в первый раз, отец рубил голову знатному дворянину. Помню, как тот ослаб и как отец ободрял его — когда-то гордого вельможу. Мне понравилось... И когда отец, побежденный болезнью, более не мог действовать мечом — меч оказался в надежных руках. Может быть, впервые в нашем роду за него взялся тот, кто хотел быть палачом.

Однако больной отец прожил еще два десятилетия. Все это время я без него орудовал на эшафоте, но... отец был жив, и потому он по-прежнему считался палачом города Парижа. С трудом шевеля ногами, тяжело дыша, он поднимался на эшафот и стоял в стороне — наблюдал за моей работой... Исполнителем я был утвержден только после смерти отца в августе 1778 года.

Между тем работы становилось больше — король старел, характер у него портился... И все чаще мне приходилось встречаться на эшафоте со знаменитостями. Вся Франция следила за моим топором, когда четвертовали беднягу Дамьена, покусившегося на жизнь самого короля.

Это случилось холодной ночью: король направлялся к карете, дрожа в своем модном рединготе (он был великий модник, наш Луи XV). Он уже было поставил ногу на подножку, когда этот Дамьен — самый что ни на есть простолюдин, чей-то слуга — проскользнул мимо гвардейцев к королю и нанес удар кинжалом. По воле Всевышнего лезвие прошло между ребрами и не задело ни одного драгоценного органа короля.

Дамьена схватили, и я его четвертовал... Как мучился этот несчастный, когда мы с помощниками рвали его тело клещами, когда раздирали его плоть на части мчавшиеся в разные стороны лошади... На эшафоте со мной был дядя Николя — палач дворцового ведомства. Но всей длинной и ужасной казнью руководил я, и выдержал, а вот несчастный дядя сразу отказался и от должности Исполнителя приговоров дворцового ведомства, и от довольно большого дохода — 24 000 ливров в год. Так я стал единственным палачом города Парижа.

Впоследствии, в дни Революции, я вспоминал этого Дамьена, вернее, его странное послание королю. Вот оно:

«Я глубоко скорблю, что имел несчастье к Вам приблизиться и смел причинить Вам боль... Но если Вы, Ваше Величество, не перейдете на сторону Вашего народа, то в самое короткое время, может быть через несколько лет, Вы сами, и дофин, и еще некоторые лица неизбежно должны будете погибнуть».

Королю эти слова, конечно же, показались безумием. Но уже его сыну они покажутся пророчеством.

Именно тогда, после смерти Дамьена, мне попался на глаза Журнал отца, в котором он записывал имена жертв и подробности казней. Оказалось, все мои предки заполняли Журнал — правда, бегло и плохо. Я решил продолжить сей кровавый реестр, но куда аккуратнее и подробнее — будто предчувствовал, со сколькими замечательными людьми мне доведется встретиться... увы, на эшафоте!

Между тем отец мой хирел на глазах. Но у него были мы — семеро сыновей, унаследовавших его ремесло. Теперь Сансоны рубили головы в Реймсе, Орлеане, Суассоне, Монпелье, Дижоне... И когда мы сходились у отцовского стола, слуги почтительно называли нас по местам службы — Месье де Реймс, Месье д'Орлеан, Месье де Дижон...

Эти домашние прозвища вскоре стали официальными. Так я стал называться Месье де Пари.

Никто никогда не смел говорить в доме о крови, об эшафоте.

Наши беседы с братьями за столом были самыми

светскими, самыми возвышенными — о пьесах месье Мольера, о чудачествах месье Вольтера, о музыке месье Рамо... Кстати, все мои братья-палачи (впрочем, палачами мы никогда себя не называли, только официально — Исполнителями) обожали музыку и превосходно играли на самых разнообразных инструментах. Я, Месье де Реймс, Месье д'Орлеан и Месье де Дижон составляли превосходный квартет.

Но если все-таки приходилось говорить о казни, мы называли ее «делом». Допустим: «Мне придется завтра встать пораньше — у меня дело».

И все! И баста!

Кроме братьев, редко кто посещал наш дом. Да что я говорю — «посещал»! Люди старательно мыли руки, если случайно здоровались с нами. Аббат Гомар был одним из немногих, которые тогда решались приходить к нам. Этот францисканец часто стоял на эшафоте вместе с Исполнителем — помогал несчастным осужденным встретить последний час.

Палач направлял их к Всевышнему, священник — напутствовал.

За столом после рюмки хорошего вина отец Гомар бывал весьма словоохотлив. И однажды я узнал, что у него есть племянница — Жанна де Воберние, существо очаровательное, но совершенно погрязшее в пороке. По словам аббата, Жанну сгубила ее замечательная красота: «Как жаворонка заманивают в клетку блеском зеркала, так одна проклятая куртизанка заманила мою пташку прелестями легкой жизни и посеяла в ней семена порока, каковые теперь дали такие пышные всходы!»

Порок меня тогда не особенно отпугивал, а красота привлекала. Я выведал у аббата, где живет сия порочная красавица, и, убедив себя (для облегчения души), что я должен вернуть ее на стезю добродетели, стал караулить у ее дома.

Это очень длинный рассказ — как я сумел очутиться

в ее доме, как предстал перед нею (естественно, назвавшись иным именем), как увидел эти лазоревые глаза, эти коралловые губки и неправдоподобно роскошную копну белокурых волос...

Жанна полулежала на красном диванчике. Я пал к ее ногам...

Что было потом — я унесу с собой в могилу.

Впоследствии моя красавица Жанна, столь щедрая на любовь, пленила стареющего короля. Да, это была она — та, которая сделалась всевластной графиней Дюбарри. Она правила и сердцем короля, и Францией...

Но это потом... А тогда, во время наших встреч, она любила вспоминать, что родилась в Вокулере — в той самой деревушке, где родилась другая Жанна — Жанна д'Арк.

Она уже тогда была уверена в своем предназначении и говорила мне, что у нее будет что-то общее с судьбой той, великой Жанны. Что ж, она не ошиблась — они обе приняли нелегкую смерть.

Еще я помню, как однажды, уговаривая ее о свидании, я сказал жалкую фразу безнадежно влюбленного:

— Не прогоняйте меня, я могу вам еще пригодиться!

И я тоже не ошибся! Я пригодился ей — через двадцать лет на эшафоте.

Все эти годы я ее не видел, но имя Дюбарри было у всех на устах. Перед самой Революцией о ней много говорили в связи с «Делом об ожерелье королевы». (Впрочем, и мне пришлось сыграть печальную роль в этом деле.)

Госпожа де ла Мотт, потомица незаконного сына Генриха II, вышла замуж за бедного королевского телохранителя. Нужду она, в чьих жилах текла кровь древней королевской династии Валуа, сочла для себя незаслуженной участью. И придумала, как обогатиться.

Она узнала, что у парижских ювелиров находится

необычайно дорогое ожерелье, которое покойный король предназначал для Дюбарри, но не успел выкупить. После его смерти казна была столь разорена, что королевской чете пришлось отказаться от ожерелья (хотя Мария Антуанетта была от него в восторге). Де ла Мотт придумала великолепную интригу...

Кардинал де Роган мечтал о красавице королеве. И де ла Мотт устроила ему встречу с ней, и королева попросила его купить для нее ожерелье. (На самом деле роль королевы сыграла некая девица Олива, необычайно на нее похожая.)

Кардинал согласился, и муж де ла Мотт уехал с этим баснословным ожерельем в Англию. Но все разъяснилось, мошенницу де ла Мотт схватили и приговорили к клеймению и розгам. Так наступил мой выход в этом спектакле.

Около шести утра мои помощники разложили ее на эшафоте во дворе тюрьмы Консьержери. Она кричала и проклинала нас. Я дал ей двенадцать ударов розгами — двенадцать ударов по заднице особы королевской крови!

После розог, когда она — с распущенными волосами, в изодранном платье — как пантера металась по камере, я связал ее, взял железо из жаровни и придавил к ее телу. Связанная, она продолжала отбиваться, и лишь кое-как мне удалось наложить клеймо и на другое плечо...

В ушах у меня до сих пор стоит ее крик: «Ты, жалкий палач, смеешь прикасаться к телу королей, ты, грязный ублюдок!»

Она была права — это было мое первое надругательство над королевской плотью.

Была она права и в другом — для людей я был ублюдком, вызывавшим в них страх и отвращение.

И они мне постоянно это доказывали.

Помню, однажды познакомился я с дамой. Благородной дамой.

Я был тогда молод, хорош собою, высок, великолепно сложен. У женщин я имел большой успех (естественно, под чужим именем). Я старался изысканно одеваться, хотя и не мог носить голубой цвет — цвет французского дворянства. Однако я не стал рыться в древних пергаментах и поднимать вопрос: лишает ли должность палача звания дворянина. Я попросту заказал себе самое дорогое платье, но из светло-зеленого сукна. Оно так хорошо на мне сидело, что этот цвет вошел в моду, и щеголи при дворе начали носить вместо голубого мой светло-зеленый.

Именно тогда я обратил на себя внимание маркизы X. Мы встретились на обеде, оживленно беседовали. На вопрос о моей службе я ответил, что состою офицером при Парламенте (что было почти правдой — ведь я исполняю высшие приговоры Парламента). Но кто-то из гостей узнал меня, и, когда я ушел, госпожа X. узнала всю правду. Клянусь, она не была бы в большей ярости после знакомства с величайшим преступником!

Она даже подала жалобу в Парламент — требовала, чтобы меня выставили у позорного столба, чтобы я просил у нее прощения с веревкой на шее!

И тогда я выступил в Парламенте и спросил: как я мог обидеть ее знакомством со мною? Сам Бог влагает меч правосудия в руки короля, но, разумеется, сам король не может карать преступников, и он доверяет меч нам — Исполнителям! Я — хранитель меча правосудия, которое составляет атрибут королевской власти. Я укрощаю безумие преступных граждан, и только тупая чернь смеет покрывать позором мое звание. Приходится только сожалеть, что сие предубеждение разделяют порой и порядочные люди...

Они не посмели меня осудить, но их лица выражали презрение и брезгливость. Они старались не смотреть на меня...

Что же касается маркизы Х. — впоследствии ей пришлось оценить важность моего занятия. В дни Великой Революции она вновь встретилась со мной — на эшафоте. И это я опустил на ее глупую голову нож гильотины.

Тогда же я женился. Мне опостылело заниматься любовью под чужими именами. Сколько раз после страстных объятий я видел столь же страстное отвращение, как только намекал на свою работу! И вот мне посчастливилось.

В то время окрестности Монмартра были заняты огородами бедняков. Там я и познакомился с бедным семейством одного огородника. Его милой и доброй дочери было за тридцать, она уже смирилась с тем, что останется старой девой.

Вскоре я понял, что вместо ужаса и отвращения, к которым так привык, я внушаю ей сострадание. Тогда я попросил ее руки и получил радостное согласие.

На свадьбу съехались все Сансоны. Среди долгого хмельного застолья ни один не обмолвился о нашей работе. И Месье д'Орлеан, и Месье де Реймс, и прочие братья веселились как обычные добрые буржуа.

Кровь осталась за дверью.

Я купил дом на улице Шато д'О под номером 16. Моя жена разбила там великолепный цветник.

Скоро она подарила мне сына. Веселый младенец играл среди цветов, не подозревая, какое я приготовил ему будущее.

Мы зажили тихо и замкнуто. Жена ввела в доме обычай — дважды в день мы собирались на молитву... И еще она следила за слугами, чтобы никто из них не позволял и намека на занятия хозяина...

Так я жил, тщетно борясь за свое достоинство, пока не грянула она — наша Великая Революция. С эшафота далеко видно, и я раньше многих понял, что она придет.

Это случилось в августе 1788 года. Очередная казнь должна была состояться в Версале, где пребывали тогда двор и король. Осужденный, некий Лушар, совершил отцеубийство — случайно, защищаясь от обезумевшего в гневе отца. Его приговорили к колесованию. Толпа была явно недовольна приговором. Эшафот воздвигали под угрожающий ропот.

Когда Лушар взошел на помост, люди вдруг с яростными криками бросились к месту казни. Они освободили осужденного и водрузили колесо, где должен был мучиться несчастный, на разломанные доски эшафота. Запылал огромный костер. И люди, взявшись за руки, плясали и пели, пока горел он — мой эшафот!

Палачи понимают толпу: люди взбунтовались не из-за несчастного Лушара. Они бунтовали против короля, они хотели беспорядка, они наслаждались погромом...

А король и двор были беспечны. В тот день в Версале был бал, и там тоже весело танцевали — в отсветах грозного костра... Революция упадет как снег на их головы!

Его Величество Людовик XVI... Его бедное жалкое Величество! Я три раза встречался с несчастным королем.

Первый раз я увидел его в связи с денежным затруднением: мне не заплатили жалованье — в казначействе не было денег. Я подал жалобу королю и был вызван в Версаль.

Я остановился на пороге залы, сверкающей мрамором, зеркалами и позолотой. Король не пригласил меня войти. Он стоял спиной ко мне и так провел всю аудиенцию.

— Я приказал, — молвил он, не оборачиваясь, — заплатить вам указанную сумму.

Именно тогда, рассматривая его спину — эту презирающую меня спину, — я отметил сильные мускулы шеи, выступавшие из-под кружевного воротника.

На прощание ему все-таки пришлось обернуться. И король — клянусь! — не смог скрыть ужаса. Нет, это не был обычный трепет человека при виде палача. Это был ужас!

Он будто почувствовал, *где* я увижу вновь эти мускулы шеи...

И еще: при выходе из дворца я увидел двух женщин. Одна была — сама величественность и надменность, другая — сама доброта. Это были они: королева и сестра короля — принцесса Елизавета.

Так в один день я увидел всех венценосных особ, которые падут от моей руки...

Как весело началась Революция! С какой праздничной легкостью народ овладел Бастилией! Правда, во всей «зловещей тюрьме тирана» оказалось всего несколько заключенных (один из них был безумен и никак не хотел покидать камеру).

Я буду часто вспоминать почти пустую Бастилию, проходя по переполненным революционным тюрьмам.

Свобода, Равенство и Братство! Или Смерть! О Великая Революция!

Равенство и Братство... Уже 23 декабря 1789 года (этот день — навсегда в моем сердце) на заседании Национального собрания разгорелась дискуссия. Депутаты предложили уничтожить унизительные ограничения, существовавшие для некоторых профессий. В частности, для нас (Исполнителей приговоров) и театральных актеров.

С актерами было все ясно, но палачи стали предметом дискуссии. Два выступления я переписал в Журнал.

Депутат аббат Мари: «Это не предрассудок и не предубеждение. Это справедливость. Каждый человек должен испытывать содрогание при виде господина, хладнокровно лишающего жизни своих ближних. Это основано на понятиях Чести и Справедливости».

И тогда поднялся бледный щуплый человек. Он также (правда, несколько монотонно) заговорил о величии Свободы, Равенства и Братства, о непременном торжестве Всеобщей Справедливости. И потому, заключил он, человек не может быть лишен своих законных прав за исполнение обязанностей, предписанных ему во имя Закона!

Так я в первый раз увидел Робеспьера. И так Революция дала палачам равные права с другими гражданами. Разумные люди даже требовали запретить само постыдное слово «палач» и ввести только наше официальное наименование — «Исполнитель высших приговоров уголовного суда». Но это предложение как-то утонуло в речах...

Депутаты обожали говорить.

Я часто встречался с депутатом Национального собрания доктором Гийотеном. Только впоследствии я оценил, каким великим человеком он был. Ибо он, Гийотен, предчувствовал будущее. Не будь его, мы, Исполнители, попросту задохнулись бы в потоке жертв, которые поставит нам Революция. Куда мне, единственному парижскому палачу, было справиться с той бессчетной чередой осужденных, которую когда-то предсказал несчастный Казот? Здесь и армия палачей не справилась бы!

Гийотен был совершенно свободен от предрассудков в отношении моей профессии. Мы часто собирались у меня дома и музицировали. Он превосходно играл на клавесине, я — совсем недурно на скрипке.

И вот однажды играли мы арию из «Тарара» и размышляли о едином и равном для всех наказании — эта проблема очень занимала Гийотена.

— Виселица? — спросил он.

— Нет, — ответил я, — трупы повешенных сильно обезображиваются. Это портит нравы — ведь преступники подолгу висят на потеху толпе.

И мы опять играли. И размышляли.

— Нет, что ни говорите, доктор, — высказал я свое мнение, — но отсечение головы — самый приличный способ казни. Недаром его удостаивались одни привилегированные сословия.

— Правильно, — сказал он. — Но благодаря равенству перед законом, теперь этим способом могут пользоваться все!

Я прервал его восторги:

— Вы представляете, сколько теперь может быть таких казней? — (О, если бы мы могли тогда представить!) — И какая должна быть верная рука у палача и твердость духа у жертвы? А если осужденных много, то казнь может обратиться в страшные муки вместо облегчения...

Я привел много доводов. Мы опять задумались и продолжили нежную арию. И тут Гийотен высказал то, о чем я давно думал:

— Надо найти механизм, который действовал бы вернее руки человека! Нужна *машина!*

— Браво! — воскликнул я.

И Гийотен стал еще чаще заходить ко мне — обсуждать, какая это должна быть машина. К счастью, был еще один музыкант, который порой присоединялся к нам. Это был немец — некто Шмидт.

В тот вечер мы составили великолепное трио, но наше музицирование весьма часто прерывалось рассуждениями о будущем аппарате.

— Там должна быть доска, и обязательно горизонтальная, чтобы осужденный лежал неподвижно... это очень важно, — говорил я.

— Именно, именно, — восторженно подхватывал Гийотен, играя нежнейшую арию из «Орфея и Эвридики».

Шмидт внимательно слушал наш разговор. Надо сказать, что он был механиком, занимавшимся изготовлением фортепьяно. Когда Гийотен ушел, Шмидт молча подошел к столу и набросал рисунок карандашом.

Это была *гильотина!*

— Но мой не хочет замешивать себя в этой штук... не надо говорить про мой... — сказал Шмидт.

Я взглянул на рисунок и не смог удержаться от крика восхищения. Там было все, о чем может мечтать палач: дернул за веревку — и лезвие ножа скользит между двух перекладин, падает на шею привязанного к доске осужденного... О, как это облегчало наш нелегкий труд — теперь любой гражданин мог стать палачом!

Я расцеловал Шмидта, и, чтобы унять охватившее меня возбуждение, мы продолжили играть нежнейшую арию. Уже на другой день я зашел к Гийотену. Он был вне себя от счастья!

Я присутствовал на заседании Национального собрания, когда Гийотен восторженно сообщил о новом изобретении. Как и хотел того Шмидт, о его участии не было сказано ни слова. И аппарат был назван (и совершенно справедливо) в честь отца идеи — доктора Гийотена!

Помню, описывая достоинства машины, добрейший Гийотен забавно сказал:

— Это гуманнейшее из изобретений века. Осужденный почувствует лишь слабый ветерок над шеей... Поверьте, этой машиной я так отрублю вам голову, что вы даже и не почувствуете.

Как хохотали граждане депутаты! Они не знали, что большинству из них предстоит испытать справедливость слов доктора — на собственной шее.

Вот тогда и произошла моя вторая встреча с королем. Национальное собрание поручило доктору Луи, лейб-медику короля, высказать свое мнение о гильотине. В обсуждении должны были принять участие доктор Гийотен и, конечно, я — Исполнитель.

Стояла теплая весна 1792 года. Мы приехали в Версаль и прошли через сразу опустевший дворец — увидев нас, несколько слуг с жалкими, испуганными лицами тут же попрятались.

Лейб-медик принял нас в кабинете, за столом, покрытым зеленым бархатом. Когда мы обсуждали рисунок Шмидта, открылась дверь и вошел он — король! Он был в темном платье. Его приход меня не удивил — я знал, что король обожает слесарничать и сам выдумывает всякие механизмы. К тому же он продолжал считать себя главой нации, и перемена в системе исполнения наказаний не могла не интересовать его.

Король, нарочито не замечая нас, обратился к доктору Луи:

— Что вы думаете об этом?

— Мне кажется, что это весьма удобно...

— Но уместна ли тут полукруглая форма лезвия? Ведь шеи бывают разные: для одной круг будет чересчур велик, для другой — мал... — Он поправил рисунок (заменил полукруг косой линией) и, стараясь не глядеть на меня, спросил лейб-медика: — Кажется, это *тот* человек? Спросите его мнение о моем предложении.

— Я думаю, замечание превосходно, — сказал я.

Действительно, испытания доказали верность замечания короля.

И в этом король смог убедиться сам — во время нашей третьей, последней встречи...

20 марта Национальное собрание одобрило гильотину. Добрый Гийотен был вне себя от счастья — он избавил осужденных от страданий. Я не стал говорить этому славному человеку, что есть тайна, известная

любому палачу: помимо мучений от самой казни, жертвы испытывают страдания, которые следует назвать посмертными, ибо наши ощущения продолжают существовать некоторое время и *после нашего конца.* И несчастные чувствуют нестерпимую боль после отсечения головы...

Собрав братьев в моем доме, я рассказал им об изобретении, менявшем в корне нашу жизнь. И Месье де Реймс, и Месье д'Орлеан, и Месье де Дижон были согласны со мной — великое изобретение! Это был первый и последний разговор за семейным столом о нашем занятии.

Между тем Революция принялась за дело. 10 августа подстрекаемые городской Коммуной толпы ворвались в королевский дворец. Король и его семья бежали под защиту Национального собрания, но оно уступило яростным революционерам из Коммуны, и король был отрешен от власти.

Его отправили в тюрьму — в Тампль.

Парижем и страной начали фактически править люди из городской Коммуны. Их вождем был некий Марат. Я помню желчное лицо этого гражданина, его желтые буравящие безумные глаза. У него было воспаление вен, и все тело его гноилось — я думаю, от этого зуда он и пребывал в постоянном бешенстве. Он всюду видел заговоры, всюду искал (и находил!) врагов Революции. «Друг народа» — так звала этого полубезумца восторженная толпа.

«Друг гильотины» — так назвал бы его я.

Они распустили Национальное собрание, избрали послушный им Конвент. Напрасно Лафайет пытался повернуть свою армию, подавить мятеж в Париже — солдаты его не слушались. И Лафайет, вчерашний кумир Революции, бежал в Германию.

Австро-прусская армия вступила во Францию. В ответ — ярость и кровь! И террор! Так моя гильотина стала главным действующим лицом — на нее теперь были обращены все надежды нации. Спасение в крови!

19 августа я приехал с осужденным фальшивомонетчиком на Гревскую площадь, но услышал крики: «Пошел на Дворцовую, Шарло!» Толпа по наущению Коммуны пожелала перенести гильотину под окна королевского дворца.

И они с ревом взялись за дело! Как любят они разрушать! Какой энтузиазм! Какое вдохновение!

Я не успел и глазом моргнуть — уже весь эшафот был разобран! Люди перенесли тяжелые доски на неизвестно откуда взявшиеся подводы — и двинулись, счастливые, в путь, ко дворцу, на площадь, которая отныне стала именоваться площадью Революции. И конечно, они распевали революционные песни и плясали.

Теперь все будет происходить под песни. Каждая казнь будет заканчиваться счастливым песнопением народа. И плясками. Причем в толпе у гильотины я буду часто видеть одни и те же лица.

Тогда, в начале, я так любил и эти песни, и эти лица — одухотворенные и грозные, как сама Великая Революция. Да и как мне их было не любить! Ведь это были первые люди за всю мою жизнь, которые смотрели на меня, вечно презираемого палача, не только без отвращения и страха — но с восхищением! Среди них было много молодых женщин — неистовых и прекрасных в своем революционном гневе.

Мои казни стали напоминать гигантские театральные представления, где я, презренный когда-то Сансон, был главным и любимым актером. Именно в те дни появилась традиция — показывать площади, заполненной тысячами людей, отрубленные головы аристократов.

Какой это был революционный порыв! Правда, не все могли его выдержать...

«С любимой рай и на эшафоте», — сказал я себе тогда, во время казни несчастной подруги моей грешной юности. Дюбарри осудили вечером, а уже наутро я ждал ее в канцелярии. Сначала привели отца и двух сыновей из семейства Ванденивер — они были осуждены как «соучастники в ее преступлениях против народа». Вместе с ними я должен был казнить троицу фальшивомонетчиков.

Я закончил их предсмертный туалет — и привели ее. Я не видел ее двадцать лет, и сейчас, когда она шла за перегородку, где готовили к смерти осужденных, я не узнал прекрасные черты, искаженные безумным ужасом. Лицо, помятое после бессонной ночи, распухло от слез.

Я не успел спрятаться. Мгновение она смотрела на меня, видимо, силясь что-то вспомнить, потом отвернулась. Я с облегчением вздохнул — не узнала! И вдруг она бросилась передо мной на колени с криком:

— Я не хочу! Не хочу!

Потом поднялась и спросила лихорадочно:

— Где здесь судьи? Я еще не все сказала!

И я испугался — а вдруг узнала? Уже наступило страшное время, и достаточно ей было рассказать про нашу связь — я тотчас был бы объявлен пособником врагов Республики. И конец!

Пришли судьи. Я с тревогой вслушивался в ее сбивчивую речь... Но она сообщила лишь о каких-то жалких двух бриллиантах, которые ей удалось спрятать. Несчастная тянула время! И судьи сурово сказали ей, что она разоряла французскую казну, заставляя покойного короля тратить на нее народные деньги; упомянули о каком-то заговоре, который она возглавляла (тогда уже всех обвиняли в заговорах — это было самое употребительное слово); и заявили, что ей предоставлена народом *великая милость* — кровью искупить свои преступления.

Этими судьями были граждане Денизо и Руайе. С ними пришли еще два депутата Конвента. Пришли поглазеть на когда-то всемогущую красавицу — как она будет умирать!

Кстати, с Денизо и Руайе я тоже встречусь на эшафоте.

В той же канцелярии я приготовлю их к смерти, теми же ножницами отрежу волосы и повезу на той же телеге, что и мою маленькую Дюбарри...

Я велел помощникам начинать готовить ее. С искаженным, ставшим таким безобразным лицом, она боролась с ними. Трое держали ее, пока четвертый срезал роскошные волосы, готовя ее к объятьям гильотины.

Потом я взял с собой несколько локонов и долго вспоминал запах ее волос, запах моей юности...

Наконец она впала в забытье и позволила связать себе руки. Только горько плакала, все время плакала... Я посадил ее на свою телегу, сел впереди и всю дорогу не оборачивался: боялся — узнает! И всю дорогу — горькие рыдания, каких я не слышал никогда в жизни. А я знаю в этом толк — много было рыданий в этой телеге!

Все улицы были заполнены народом, и наши славные патриоты кричали: «Да здравствует Республика! Смерть королевской шлюхе!» — и приветствовали меня, славного Шарло, который так ловко отправляет на небеса врагов Республики.

Мне было приказано казнить ее последней, чтобы она испытала весь ужас ожидания смерти. Но двадцать лет назад я сказал ей правду — теперь я ей пригодился! При виде гильотины она упала в обморок, и я тотчас велел нести ее на эшафот — первой! Однако она немедленно пришла в себя, стала отбиваться, и все обращалась ко мне, все кричала:

— Минуточку, еще только одну минуточку, господин палач!

Мы встретились глазами, и в этот миг, клянусь, она меня узнала! И тогда я приказал помощникам — быстрее! Она продолжала сражаться с ними, пока они торопливо привязывали ее к доске. И все кричала, все молила меня:

— Минуточку, господин палач, еще одну минуточку!..

Я дернул за веревку — все было кончено!

Был обычай — показывать отрубленную голову народу. Но я не мог поднять эту голову, которую целовал когда-то... И вот юнец в красном колпаке выскочил на эшафот и потребовал показать ее голову!

Народ грозно гудел. Я предложил юнцу помочь мне — сделать *это* самому, если он, конечно, не боится крови. Он прокричал в толпу, что кровь врагов народа доставляет ему только радость! И народ аплодировал ему.

Я попросил его открыть кожаную крышку ящика, куда скатывались головы несчастных. Мне показалось, что он побледнел... Но наклонился, достал голову, подошел к краю эшафота и... рухнул вместе с ее головой! Она катилась по помосту, а он лежал без движения. Доктор потом сказал, что его сразил апоплексический удар.

Я так и не знаю до сих пор, что его убило — ужас или то, что происходило в те мгновенья в душе моей...

Я был хорошим патриотом, но что-то во мне изменилось. Да и не только во мне. Отошли от Революции многие благородные люди, но она уже выбрала себе новых кумиров. Теперь власть колебалась между двумя партиями, готовыми уничтожить друг друга...

Каждый день я наблюдал кровавое бешенство толпы. Люди сходили с ума от ненависти, они будто лакомились кровью, их жажда казней перешла всяческие границы. И я мог легко предсказать: победит та партия, которая лучше сумеет угодить этой всеобщей ненависти против прежних богачей.

С эшафота будущее видится достаточно ясно. Я увидел его еще до казни несчастной Дюбарри. Жирондисты (умеренная партия) должны были проиграть. Впрочем, такого легкомысленного слова, как «проиграть», Революция не принимает. Только одно слово признаёт она — «умереть».

Появилась новая профессия — ненавистник. Это были одни и те же люди. Утром я их видел в Конвенте, где они аплодировали кровожадным речам ораторов, а по вечерам они сами произносили не менее кровожадные речи в клубах. Они же стояли в первых рядах около моей гильотины — с вечно раскрытыми ртами для проклятий и революционных песен. Именно тогда я обратил внимание, как изменились за это время их лица — особенно у женщин. От вечных гримас ненависти, от постоянных криков ярости у них стали лица фурий!

Помню, 10 августа (в годовщину штурма королевского дворца) я открыл окно, чтобы освежить воздух, и увидел молодого человека, сопровождаемого пляшущей и распевающей песни толпой. Он нес на палке... человеческую голову!

Теперь они устраивают самосуды повсюду. Вид толпы, вздернувшей на пики головы аристократов и орущей при этом «Да здравствует Республика!», давно уже никого не удивляет.

Ненавистники правят толпами, ибо Революция — это буря, и в ней действует закон пены, непременно выплывающей наверх!

Вопрос о судьбе короля был лишь предлогом в борьбе за власть между партиями. Жирондисты решили уступить народной кровожадности — и голосовать за смерть короля.

11 декабря несчастный король предстал перед судом Конвента. Впрочем, судьба его была решена еще до суда.

Верно сказал его защитник:

— Я ищу среди вас судей, а вижу лишь одних обвинителей.

И верно сказал обвинитель:

— Это процесс целой нации против одного человека.

Его убийство хотели сделать символом. «Казнь короля должна укрепить народную свободу и спокойствие... Призрак должен исчезнуть». Это были слова Робеспьера. И 18 января жирондист Верньо, которому выпало в тот день председательствовать в Конвенте, огласил приговор.

Скоро, скоро я повезу на гильотину и Верньо... Но пока пришла очередь короля.

Король попросил отсрочить казнь — они ему отказали, позволили лишь проститься с семейством и отправиться к эшафоту в карете со священником.

Казнь была назначена на 20 января. Вечером 19-го я получил приказ: за ночь поставить эшафот и ожидать осужденного к восьми утра.

Были приняты невиданные меры предосторожности — даже мне, вопреки обычаю, не разрешили сопровождать короля на казнь.

Накануне в почтовом ящике я нашел множество писем. В одних говорилось, что короля освободят по дороге из Тампля на площадь Революции, и меня грозились убить, если я окажу сопротивление заговорщикам. В других письмах меня умоляли затянуть казнь, чтобы дать возможность решительным людям пробиться к эшафоту и увезти короля.

В то время уже работало множество шпионов, и письма граждан вскрывались. Так что я почел за лучшее отнести эти послания в Комитет Общественного Спасения.

Но один молодой человек пришел в мой дом и умолял принести ему одежду короля. Он надеялся в толпе поменяться с ним местами. Я назвал его безумцем и выгнал. Пришлось сообщить в Комитет и о нем. Надеюсь, я не навредил этому юноше — я ведь не знал его имени...

Печальное совпадение: 20 января — годовщина моей свадьбы, и в этот же день я должен был обручить короля с гильотиной. Моя бедная жена убрала все приготовленные яства, и всю ночь мы провели в молитве.

Все-таки *король!* Помазанник Божий!

Я хорошо помнил его презрение, его отвращение ко мне — тогда, в Версале. Он даже не глядел на меня! Теперь ему предстояло в последний час быть рядом со мной. Если бы кто-то шепнул ему об этом на ухо во время того нашего свидания!

На рассвете загремели барабаны — каждый округ должен был направить батальон национальной гвардии для охраны воздвигнутого ночью эшафота. Мой сын в составе одного из батальонов отправился на площадь. Товарищи смотрели на него с уважением. Еще бы — сын палача и сам будущий палач, которому предстоит убивать врагов Республики.

Пора было и мне на площадь. Но не так-то легко идти казнить короля.

Меня бил озноб, и я почему-то шептал: «Жертва принесена!»

В семь часов утра мы с братьями (палачами Руана, Орлеана и Дижона, приехавшими помочь мне в этот исторический день) сели в фиакр. Но улицы были до того запружены народом, что только около девяти мы добрались до площади Революции.

Когда-то эта площадь носила имя его отца — Людовика XV. Это было всего несколько лет назад, но теперь казалось — прошла целая вечность. Ибо с тех пор ушел целый мир.

Итак, мы приехали на площадь, заполненную народом — тысячами людей. Я и братья были вооружены — под плащами у каждого, кроме шпаг, было по кинжалу, по пистолету, и карманы набиты пулями.

Эшафот был окружен национальными гвардейцами и жандармами. Батальон марсельцев пришел с пушками и навел их на гильотину. Все были уверены, что короля попытаются освободить, но... никакой попытки не было.

С эшафота я увидел, как со стороны церкви показалась карета, окруженная двойным строем кавалеристов. Карета подъехала. Король сидел сзади, рядом с ним священник.

Людовик вышел из кареты. Народ, теснившийся за кольцом войск, замолчал. Только грохот барабанов!

Он узнал меня и кивнул — так началась наша третья встреча.

Мой брат, руанский палач, подошел к королю и, обнажив голову, попросил «гражданина Капета» снять камзол и позволить связать себе руки. И тут началось — король возмутился и отказался. Брат сказал, что придется применить силу, и двое других моих братьев приблизились к королю.

— Вы осмелитесь поднять на меня руку? — спросил Людовик.

— Вы не в Версале, гражданин Капет. Вы у ступеней эшафота.

Положение спас священник. Он сказал:

— Уступите, Ваше Величество, и вы пойдете по стопам Христа. Он вознаградит вас.

И тогда король молча протянул руки. Я осторожно связал их, не причинив ему боли. Но на этот раз мы поменялись местами — теперь я старался не глядеть ему в глаза...

Священник дал ему приложиться к Образу Спасителя.

И король поднялся ко мне — на эшафот.

— Пусть смолкнут барабаны! — Он повелительно поднял связанные руки.

К моему изумлению, барабанщики выполнили его приказ! Людовик обратился к толпе:

— Французы, вы видите — ваш король собрался умереть за вас. Пусть же моя кровь прольется для вашего счастья. Я умираю невинным...

Ему не дали договорить. Раздались команды, и вновь загремели барабаны. Король пытался еще что-то сказать, но не смог. В одно мгновение мы привязали его к доске. И лезвие гильотины полетело на его голову...

— Отойди в лоно Господа Бога, сын Святого Людовика, — только и прошептал священник.

Всю ночь я не спал — ходил по комнате.

С тех пор картина казни стоит передо мной даже во сне. Все двадцать лет я вижу ее... вижу, как удалялась телега с обезглавленным телом...

Тело короля было брошено в яму с негашеной известью на кладбище у церкви Маделен. Я нашел священника и тайно отслужил заупокойную мессу.

После казни короля — началось! Люди сделались будто безумными. Теперь постоянное пролитие крови стало странной потребностью. Началась новая эра — эра крови, и разверзлась бездонная яма, в которой все они исчезнут. Все, погубившие его...

Со времени казни Людовика гильотина уже не снималась с площади Революции. И две красные балки — кровавые балки! — с висящим топором грозили городу.

Покойный король помогал умирать своим подданным.

Я помню дворянина из Пуату, которому я рубил голову. Когда телега остановилась у эшафота, он спросил меня:

— Та ли это гильотина?

Я понял, о чем он спрашивает.

— Та самая. Переменили только лезвие.

И тогда он счастливо улыбнулся, радостно взошел на эшафот, встал на колени и поцеловал то место, где пролилась кровь короля.

Этот дворянин был эмигрантом, рискнувшим вернуться во Францию проведать свою любовницу. Он был и первой жертвой, которую я обезглавил по решению недавно созданного Революционного Трибунала.

Голод, наступление армий неприятеля и ужас перед грядущей расправой заставили друзей Республики сплотиться. Ораторы в Конвенте обещали народу: уничтожение врагов Равенства избавит от всех бед. Террор необходимо усилить!

Так был создан Революционный Трибунал.

Неистовый Шометт, Генеральный прокурор Парижской Коммуны, под пение и яростные вопли, сотрясавшие древние стены Ратуши, кричал в толпу:

— Мы принесем в жертву всех злодеев! И только тогда покой и благоденствие воцарятся в торжествующей Республике!

Я явился на первое заседание Трибунала. Зал был декорирован в суровом духе столь любимого нашей Революцией республиканского Рима. Судьи сидели в креслах, обитых кроваво-красным бархатом, на фоне бюста Брута, вдоль стен, разрисованных античными символами — пучками ликторских прутьев и красными фригийскими колпаками.

Конечно, я присутствовал при избрании Конвентом этих новых революционных судей, которые теперь «не были стеснены никакими формами при производстве дел» и могли «употреблять все возможные средства при изобличении преступников». Отныне «приговор мог оглашаться в отсутствии обвиняемого и обжалованию не подлежал», а «все преступления против общественной безопасности передавались в Трибунал».

В Трибунале заправлял общественный обвинитель Фукье-Тенвиль. Он был сух, бесстрастен и признавал только одно наказание — смерть.

Я понял: мне предстоит невиданная работа. И оказался прав. Огрызавшаяся террором Республика отправит на тот свет больше людей, чем все мои предки-палачи, вместе взятые.

Я хорошо приготовился. Старая гильотина была снята, поставлена новая, куда я внес некоторые усовершенствования, чтобы можно было производить больше казней.

Удобное (в двух шагах от площади Революции) кладбище у церкви Маделен, куда свозились жертвы гильотины (и где лежал обезглавленный король), было переполнено. Уже думали о новом кладбище...

И именно в это время один из отцов террора — Марат — был убит ударом кинжала.

В последнее время Марат поднялся необыкновенно. На очередном революционном празднике я видел, как толпа внесла его в Конвент в венке триумфатора. Это был настоящий «друг гильотины». Когда он меня встречал, всегда здоровался с подчеркнутым почтением.

Толпа его обожала, ибо не было его кровожаднее. Он истово ненавидел умеренность, восхвалял массовые казни и провозглашал: «Смерть каждого аристократа приближает наше радостное будущее!» Его имя повторялось народом при всех убийствах и насилиях, затмив имена Дантона и Робеспьера...

В те дни Марат был болен. Омерзительные струпья на его теле воспалились, и он несколько дней отсутствовал в Конвенте. Стараясь унять нестерпимый зуд, он сидел в теплой ванне.

Я был у него — ванна была покрыта грязным сукном, поперек лежала доска, на которой он писал. В ванне он и принимал посетителей.

Шарлотта Корде, девушка из провинции, сообщила ему, что хочет раскрыть заговор врагов Республики. И он ее принял.

Подойдя к ванне, она вонзила нож в грудь Марату.

«17 июня Первого года единой и нераздельной Республики» я получил приговор о казни Шарлотты Корде и, кликнув помощника, отправился в комнату осужденной. Я увидел молодую красавицу. Она сидела за столом и что-то писала. Ее восхитительные светло-каштановые волосы были распущены, она с усмешкой тряхнула ими:

— Я приготовила их для вас, господа!

Мы молча ждали, пока она закончит писать.

Это было ее предсмертное письмо. Она была потомицей Марии Корнель, сестры автора бессмертного «Сида». И, клянусь, великий Корнель был бы горд предсмертным творением своей родственницы. (Я передал письмо секретарю Трибунала, но перед этим, разумеется, прочел его.)

Шарлотта писала, с каким энтузиазмом разделяла она «великие принципы Революции», как «ненавидела ее крайности». Писала о том, что имя Марата, «который по трупам поверженных жирондистов шел к власти, позорило род человеческий», о том, что он «непременно разжег бы гражданскую войну своими крайностями», а теперь «в любимой ею Республике будет царствовать мир». Она «с радостью отправлялась на небо, надеясь встретить там Брута и других мучеников, пожертвовавших жизнью во имя Свободы»...

Я велел помощнику отрезать ее роскошные волосы, затем подал ей красную рубашку, в которую перед казнью обряжали отцеубийц. Она ее надела.

Нужно было связать ей руки, и я увидел на них кровавые ссадины — следы ударов. Когда ее схватили у ванны Марата, ее били... Она со смехом предложила надеть перчатки.

Обошлись без перчаток. Я умею связывать женские руки и, клянусь, не причинил ей боли.

Наконец мы уселись в позорную телегу. Я приготовил для нее кресло. Она отказалась.

— Вы непредусмотрительны, в телеге трясет.

— Это ведь не очень надолго... — Она улыбнулась и осталась стоять, держась за край телеги. Я поставил перед ней стул, чтобы она могла опираться на него коленом.

Шел дождь, но улицы были заполнены толпой. Оскорбления и грозные выкрики сопровождали ее всю дорогу. Но, осыпаемая проклятьями, она гордо стояла в телеге.

— Народ любил Марата, — сказал я.

— Народ часто любит чудовищ. Но я надеюсь, что эта нынешняя любовь будет недолгой.

Мы были уже на улице Сент-Оноре, совсем недалеко от площади Революции. Здесь в одном из домов жил Робеспьер. Каково же было мое удивление, когда я увидел в раскрытом окне его квартиры трех депутатов Конвента, трех сподвижников — Камилла Демулена, Дантона и самого Робеспьера. Они глазели на приговоренную.

Скоро, скоро повезет и их моя добрая тележка...

А пока они о чем-то говорили и смеялись. И смотрели сверху на Шарлотту. Я и сам смотрел на нее во все глаза — так поразительна была ее красота. Но еще поразительней был ее гордый и невозмутимый вид. Она хранила его все время, пока мы ехали среди рева, проклятий и оскорблений.

Когда мы оказались на площади Революции, я попытался заслонить от нее гильотину. Она засмеялась:

— Нет-нет, я давно хотела ее увидеть. В нашем маленьком городке много о ней говорили, но я никогда ее не видела...

Она бросилась на доску с каким-то исступлением — как в постель к возлюбленному. Я дернул за веревку, и гильотина сделала свое дело.

Потом один из моих помощников поднял ее прекрасную голову и показал ее народу. И... ударил голову по щеке. И щека покраснела.

И толпа — вечно кровожадная толпа — зароптала.

16 сентября — день самый примечательный. До этого дня я казнил только врагов Республики. И вот 16 сентября на эшафот взошел известный революционер, журналист Горза. Он был первым членом Конвента, которого я познакомил с гильотиной. Его преступление состояло в том, что он принадлежал к партии Жиронды. Он был истинным республиканцем, голосовал за смерть короля... Но теперь они уже начали пожирать друг друга. Кстати, этот Горза когда-то голосовал против уравнения палачей в правах с другими гражданами. Он почему-то невзлюбил меня и однажды даже пытался обвинить в симпатиях к королевской власти.

Увидев меня у эшафота, он крикнул:

— Радуйся, Сансон, насладись своим триумфом! Мы хотели ниспровергнуть монархию, а основали новое царство — твое!

Каждый раз, являясь в Консьержери, я проходил мимо заржавленной двери камеры, в которой сидела одна из прекраснейших женщин Европы — королева французов.

После казни короля о его семье, казалось, забыли. Однако Революцию можно упрекнуть в рассеянности, но в беспамятстве — никогда!

Все сильнее становились самые жестокие. Жестокость и непреклонность стали залогом победы в борьбе за власть, а кровь — постоянной ценой поражения.

В этом соревновании в свирепости революционных партий королева была обречена. В июле у нее отняли сына. 2 августа ей огласили декрет о предании ее суду.

Жандарм, присутствовавший при этом, рассказывал мне: она выслушала декрет, связала в узелок вещи, поручила дочерей принцессе Елизавете и отправилась за чиновником. Она еще не научилась наклонять голову и, входя в камеру Консьержери, расшибла в кровь лоб о низкую притолоку.

Я видел ее в этой камере — она была перегорожена надвое. В одной ее части постоянно находились жандармы, в другой, за ширмами, жила теперь королева французов. Я не любил королеву, но я не мог не пожалеть прекрасную женщину.

11 октября я узнал, что Комитет Общественного Спасения начал допросы «вдовы Капет Марии Антуанетты, именовавшей себя Лотарингско-Австрийской», обвиняемой в заговоре против Франции.

Конечно, я присутствовал на суде. Королеве было тридцать семь лет, но тюрьма и страдания превратили красавицу в старуху. Поседевшие волосы, глубокие морщины на лбу, складки вокруг губ... Но и в черном платье вдовы (бывшая повелительница Франции, дочь императора и жена короля штопала его всю ночь) она была по-прежнему горда и надменна. Она осталась королевой. Ее обвиняли во всем: начиная с того, что она немилосердно транжирила деньги, принадлежащие народу Франции, и устроила голод в стране, и кончая чудовищным — будто она склоняла к прелюбодеянию собственного сына.

Общественный обвинитель Фукье-Тенвиль монотонно и бесстрастно потребовал приговорить ее к смертной казни. И ее приговорили — под овацию зала.

Заседания шли с девяти утра до десяти вечера. Королеву мучили голод и жажда. Но я помню, как жандарм, подавший ей стакан воды, должен был испуганно оправдываться! Таково было настроение толпы. Под ее радостные крики королева покинула зал, приговоренная к встрече со мной.

А я, потомок презренных палачей, пошел готовиться принять вторую королевскую голову. Гордую голову красавицы королевы.

Впоследствии секретарь Трибунала рассказывал мне, как, придя после приговора в камеру, она бросилась, обессиленная, на кровать и час спала мертвым сном, а проснувшись, попросила письменные принадлежности и написала письмо принцессе Елизавете. Оно было передано Фукье-Тенвилю, и, кажется, он переслал его в Комитет Общественного Спасения. Одно знаю точно: бедная Елизавета никогда его не прочла...

Фукье как раз читал это письмо вслух судье Дюма, когда я пришел за приказом. Оно меня поразило, и я, выйдя, записал для потомства несколько строчек, которые мне удалось запомнить:

«Меня только что приговорили к тому, чтобы я соединилась с Вашим братом. Я надеюсь умереть с таким же присутствием духа, как и он... Ужасно, что Вы пожертвовали всем, чтобы остаться с нами, а я оставляю Вас в таком страшном положении... Я прошу моего сына никогда не забывать последних слов своего отца, которые я столько раз ему повторяла. Вот эти слова: «Пусть сын мой никогда не будет стараться отомстить за мою смерть». Напоминайте их ему чаще, дорогая... Боже мой, как тяжело расставаться с Вами навсегда! Прощайте, прощайте, прощайте!»

В приказе, который я получил, было сказано, что казнь состоится завтра утром. Я спросил Фукье-Тенвиля:

— Когда выдадут закрытый экипаж?

Он подумал, не ответил и вышел из комнаты. Я понял — отправился совещаться с Робеспьером. Он умел служить начальству...

Вернувшись, Фукье объявил:

— Преступница королева ничем не должна отличаться от преступницы обычной, и ее следует везти в обычной позорной телеге.

Вот так!

Все повторилось, как при казни ее несчастного мужа. Целую ночь моя бедная богобоязненная жена молилась. И я не спал и молился. Второй раз проливать царственную кровь!

И во время молитвы в голове моей вдруг кощунственно зазвучали слова казненного Горзы: «Мы основали новое царство — твое»...

Я — их новый король? Смешно, граждане!

В пять утра уже гремели барабаны, призывающие к оружию национальных гвардейцев. Я отправился на площадь Революции — проверил страшный аппарат.

В десять утра я и мой сын (он теперь часто помогал мне на эшафоте) пришли в Консьержери. Тюрьма была окружена вооруженной охраной. Секретарь Революционного Трибунала Напье, который должен был присутствовать при казни, давясь от смеха, рассказал мне, как королева всю ночь подшивала и гладила белое платье — «готовилась к свиданию с матушкой гильотиной».

Королеве, этой законодательнице мод, Робеспьер позволил иметь в тюрьме только два платья — черное и белое. Черное износилось совершенно, но она сохранила белое. Видно, уже думала, что оно понадобится ей для ее последнего выхода...

Камера, где Робеспьер проведет свою последнюю ночь перед гильотиной, будет совсем рядом с камерой королевы.

Я нашел королеву в комнатке, куда перед казнью приводили смертников. Она была в белом платье, и плечи ее были прикрыты белой косынкой. На голове, помню, был чепчик с черными лентами.

В полумраке комнаты она вновь была прекрасна.

Увидев меня и моего сына, она все поняла, встала и сказала:

— Все в порядке, господа, мы можем ехать.

— Нужны некоторые предварительные меры... — сказал я.

Она молча повернула голову, и я увидел: волосы у нее уже были обрезаны. О предусмотрительная королева!

Все так же молча она протянула мне руки. Я ловко и совсем не больно связал их. Вот так человек из презренного рода Сансонов прикоснулся к руке королевы...

Выйдя во двор, она увидела мою телегу и побледнела. Она ожидала увидеть карету. Что ж, в первый и последний раз королеве придется ехать в телеге. В этом революционном экипаже!

Любопытно: в сентябре я казнил того самого Казота, о пророчестве которого так много говорили лет двадцать назад. По пути у нас состоялся разговор, точнее, мы обменялись несколькими фразами, когда уже въезжали на площадь (все остальное время, пока мы ехали, он не отрывал головы от молитвенника). Но, увидев на площади гильотину, он усмехнулся и сказал:

— Сбылось! Значит, ты и вправду повезешь ее в позорной телеге. Печально!

И пошел на эшафот...

...Я подал ей табурет, чтобы она могла взойти в телегу.

Раскрылись ворота, и телега вывезла королеву Франции к народу Франции — тысячам вопящих проклятия людей.

Ругательства и угрозы сопровождали нас в этом долгом пути. Долгом потому, что лошади едва двигались в людском море.

Всю дорогу она простояла в телеге, спокойно и величаво снося выкрики толпы: «Смерть австрийскому отродью! Смерть коронованной б...!»

Жандармы давали возможность людям из толпы прорываться к телеге, и тогда лошади становились на дыбы, а ненавистники тыкали кулаками в лицо своей вчерашней повелительнице.

Перекрикивая неистовые вопли народа, я сделал резкое замечание охране. Но несмотря на мой тогдашний авторитет, они меня не послушали. Видно, у них было другое распоряжение.

Что ж, королева испила свою чашу до дна — с достоинством, не бледнея.

Мы ехали по улице Сент-Оноре... И я заметил: по мере приближения к площади, она стала напряженно всматриваться в верхние окна домов. Я забеспокоился — не задумала ли она чего? И стал следить за ее взглядом.

Вскоре в одном из окон я увидел аббата — он жестом отпустил ей грехи. Тогда она облегченно вздохнула и даже чуть улыбнулась. Видимо, через кого-то она сумела условиться со священником, и он проводил ее в последний путь.

Более она не поднимала головы. А зря! В окне дома Робеспьера я увидел уже знакомую картину: они опять стояли втроем — Дантон, Камилл Демулен и Робеспьер. И опять оживленно переговаривались...

На площади Революции телега остановилась прямо против главной аллеи Тюильри — и она вздохнула, видно, что-то вспомнила.

Я и мой сын поддержали ее, когда она сходила с телеги.

Легкой походкой, быстро и величаво, взошла королева на эшафот...

Потом сын рассказал мне: когда он привязывал ее к страшной доске, то услышал ее последние слова: «Прощайте, дети, я иду к Отцу...»

Доску с привязанной королевой положили на место, я дернул за веревку — и загремела гильотина!

Кто-то из помощников торжествующе поднял голову королевы и под восторженные вопли народа пошел с ней вдоль эшафота. Люди готовили платки, чтобы омочить их в царственной крови. Так было и при казни короля — тогда произошла такая давка!

И вдруг (я думаю, от посмертного сокращения мышц) глаза королевы открылись. Голова взглянула на толпу!

И толпа замерла в ужасе. Впервые с тех пор, как поставили гильотину, толпа безмолвствовала...

Тело вдовы Капет, залитое негашеной известью, отправили также на кладбище Маделен.

Вещи ее мы отдали в богадельню.

Кстати, секретарь Трибунала Напье сделал мне замечание — будто я не сам привел в движение топор, а поручил это сделать помощнику. Это было не так, но я не стал оправдываться, а лишь сурово сказал:

— Я распоряжаюсь на эшафоте. И все, что там происходит, — мое дело!

И он замолчал.

Пусть отвыкают приказывать! Палач (спасибо нашей Революции!) теперь уважаемая и самостоятельная фигура. Что бы они делали без палача!

Когда Напье уходил, я позволил себе пошутить:

— Если, не дай Бог, нам придется встретиться на эшафоте, гражданин Напье, поверьте, я непременно учту ваше замечание.

Он побледнел.

А ведь пришлось — и я дернул за веревку над его головой...

После казни королевы последовало множество казней роялистов. Но в то же время революционные партии не забывали и друг про друга.

Два десятка жирондистов, знаменитых революционеров, чьи имена сияли в истории нашей Республики, были арестованы и приговорены к смерти. Тогда Камилл Демулен, Дантон и Робеспьер объединились с «бешеными» революционерами из Парижской Коммуны — Шометтом, Эбером и прочими наследниками Марата. Они считали, что жирондисты слишком умеренны и мешают Революции двигаться вперед.

Жирондисты должны были стать жертвами во имя высших целей Республики. Я не совсем понимал теоретические выкладки, но уже знал твердо: все эти красивые слова скрывают лишь одно — борьбу за власть.

Процесс жирондистов, понятно, шел медленно — все они были знаменитыми ораторами, а обвинения против них были самые вздорные.

Фукье-Тенвиль (человек услужливый, но весьма средних способностей) буквально изнемог в борьбе с ними...

Проблему решили просто — Трибунал обратился в Конвент с предложением: в связи с тем, что «общественное мнение Франции уже осудило этих изменников делу Революции... а между тем Трибунал ничего не может сделать с ними и тратит время на формальности, предписанные законом... Конвент должен освободить Трибунал от соблюдения этих пустых судебных формальностей, присущих старому строю».

И уже вскоре легендарные деятели Революции — Бриссо, Верньо и еще два десятка знаменитых республиканцев — за два десятка минут были отправлены на гильотину их вчерашними сотоварищами.

Я пришел в Консьержери и застал всю компанию осужденных в комнате смертников. Стоя группами, они оживленно беседовали — как беседуют друзья перед разлукой, перед дальней дорогой...

Они без сопротивления (но с ироническими шутками) дали нам совершить их предсмертный туалет — я остриг их, мой помощник связал им руки.

А они шутили...

Ирония действительно была: на пяти телегах я вез их сквозь густую толпу, проклинавшую их, горланившую революционные песни и кричавшую: «Да здравствует Республика!» И они — в телегах — пели те же революционные песни и кричали: «Да здравствует Республика!»

Один из моих помощников, Жако, надел костюм паяца и выделывал разные непристойные выходки против осужденных — на потеху толпе. Человек он был гнусный, и выходки его были недостойные, но судьба действительно смеялась над несчастными. И дьявол, видать, веселился, как этот паяц.

Когда мы проезжали по улице Сент-Оноре, в окне знакомого дома я увидел знакомую троицу: Дантона, Робеспьера и Демулена. На этот раз они молчали, странно-одинаково скрестив руки на груди.

Многотысячная толпа на площади Революции пела «Марсельезу», пока эти революционеры, также с пением «Марсельезы», по очереди поднимались на эшафот и складывали свои головы в кожаный ящик.

Я распоряжался ходом казни — хлопот было много. Один из помощников держал веревку блока и по моему знаку опускал лезвие гильотины. Доска была залита кровью (все-таки два десятка человек!), и ложиться на нее было отвратительно.

Я приказал помощникам взять по ведру воды и отмывать ее после каждой жертвы... Мне понадобилось сорок минут, чтобы Республика лишилась своих основателей. Трупы укладывались в ящики попарно.

Помню, Верньо был предпоследним. И этот Верньо, еще недавно председательствовавший в Национальном собрании, насмешливо сказал секретарю Трибунала Напье, вызывавшему осужденных на эшафот:

— Революция, как Сатурн, пожирает своих детей! Берегитесь, боги жаждут!

На другой день после казни жирондистов Фукье-Тенвиль грубо спросил меня, почему я избегаю сам дергать за веревку, приводящую в движение лезвие гильотины. (Напье, конечно, донес!)

Я ответил (так же резко), что времена, когда рубили мечом, прошли и теперь самое важное для палача — распоряжаться порядком на эшафоте. При таком обилии жертв это нелегко, поэтому я прошу оставить за мною право все самому решать на моем эшафоте!

Террор становится нашим бытом. Теперь что ни день — новая знаменитая жертва.

Вчера я казнил герцога Луи Филиппа Жозефа Орлеанского. Принц крови, всем сердцем принявший Революцию, именовался «Гражданин Эгалите»*. (Это прозвище, данное ему благодарным народом, и стало его именем. И дворец его называли теперь «Пале-Эгалите».)

Еще недавно он подал голос за смерть короля, еще недавно он сражался вместе с Робеспьером против жирондистов! Но сейчас он уже компрометировал бывших союзников, и они поспешили от него избавиться, обвинив его... в сотрудничестве с его главными врагами — жирондистами!

Герцог даже воскликнул после речи Фукье-Тенвиля:

— Все это, право, похоже на шутку!

Но шутка закончилась смертным приговором. Герцог все понял и попросил не затягивать казнь. Его просьбу

*Egalité — равенство *(фр.)*.

исполнили — уже днем я пришел с моими ножницами стричь еще одну царственную голову.

Герцог с аппетитом уплетал устрицы и цыпленка — он сохранил присутствие духа.

Вместе с ним осудили еще нескольких особ из бывших аристократов (принадлежность к дворянству теперь почти автоматически равняется смертному приговору). Один из них был граф Ларок. Когда я направился к нему с ножницами, он расхохотался и снял парик с абсолютно лысой головы...

Около четырех часов дня наш поезд из нескольких телег выехал из ворот Консьержери. Герцог, естественно, был в моей телеге. Начальник конвоя по приказу Робеспьера велел остановить телегу у дворца герцога. Там уже поспешили повесить вывеску: «Народная собственность»... Герцог с презрением отвернулся.

Он взошел на эшафот последним — и толпа, еще три года назад носившая его бюст, увенчанный лавровым венком, свистела и неистово проклинала его (впрочем, как и сотоварищи по телеге во время пути на гильотину — все они были верными роялистами).

Мой помощник снял с него фрак. Герцог насмешливо посмотрел на свистящую толпу и спокойно лег на залитую кровью доску.

Когда я показал людям его голову, они стали неистово рукоплескать и петь! (Пройдет несколько десятков лет, и их сыновья возложат корону на голову сына Гражданина Эгалите. — *Э.Р.*)

Не забываем и дам. Вчера вместе с несколькими роялистами (теперь обычно казним целыми партиями) гильотинировали знаменитую госпожу Ролан — хозяйку салона, где собирались жирондисты. Выслушав смертный приговор, она сказала с улыбкой:

— Благодарю судей за то, что они сочли меня достойной разделить участь замученных ими великих людей...

Статуя Свободы, воздвигнутая на площади Революции, стояла как раз напротив моего эшафота. Поднимаясь по лестнице, госпожа Ролан склонила голову перед статуей и воскликнула:

— Свобода, они забрызгали тебя кровью!

Это звучало бы слишком патетично, если бы не было правдой: я действительно видел на статуе брызги крови...

Смерть госпожа Ролан приняла бесстрашно. Под счастливые аплодисменты толпы я поднял ее голову за остатки роскошных волос.

На следующий день я отправился на площадь Революции с двумя телегами. Но на этот раз (редчайший случай!) со мной не было знаменитостей, которым следовало оказывать честь — предоставлять отдельную телегу. Так что всех девятерых осужденных я отлично разместил в этих двух телегах. Среди них были мать с сыном. И мать всю дорогу доказывала мне, что Республика должна удовлетвориться одной ее головой.

— Ведь они его непременно помилуют, не правда ли? — все спрашивала она меня и обнимала сына.

Ему было двадцать три года...

Казнен известный депутат Конвента жирондист Ноэль. Ступив на эшафот, он поинтересовался:

— Хорошо ли вытерли нож гильотины после казни Дюбарри? Негоже мешать кровь продажной королевской девки с кровью честного республиканца!

Я заверил его, что нож чистый.

Сегодня казнены пятеро публичных женщин, и множество других «веселых особ» ждут своего часа в Консьержери. Таково новое предписание Генерального прокурора Парижской Коммуны Шометта. Теперь считается, что, портя нравы, они помогают врагам Республики. Решено очистить наши нравы при помощи гильотины.

Недавно в Конвенте я встретил одного депутата-журналиста (кажется, его звали Дюфруа). Увидев меня, он обратился к друзьям, шедшим рядом с ним:

— Вот самый полезный деятель Республики! Как он бреет аристократов своим славным ножом! Тебе приходится много трудиться, друг Сансон! Но ничего: если у тебя много работы — дела Республики идут на лад!

Всего через два месяца после этой встречи мне пришлось потрудиться и над его головой.

Все чаще казним генералов. В Конвенте не хотят понять, что и революционные солдаты могут терпеть поражения, поэтому наши неудачи решили объяснять изменой военачальников.

Сегодня я казнил одного из самых храбрых наших генералов — Бирона. Когда я пришел в Консьержери, я застал его кушающим устрицы.

— Позволишь ли доесть эту последнюю дюжину? — спросил он меня.

— Не торопитесь, генерал.

Я подождал, пока он доел, и тогда сказал:

— К вашим услугам, генерал.

И вынул ножницы.

— О нет, братец, к сожалению, сегодня — я к твоим услугам! — ответил он. И расхохотался.

Забавно: в прежние времена одно мое появление в тюрьме вызывало ужас. Теперь оно все чаще вызывает улыбку, даже шутки! Смерть стала слишком *обычной*... Никогда на моей памяти равнодушие к жизни не доходило до такого: осужденные едят, пьют, сочиняют куплеты — и все это накануне смерти!

Сразу после Бирона я казнил некоего Луи Робена, который приклеил к стене церкви следующую прокламацию: «Предшествующее десятилетие ознаменовалось смертью Людовика, прозванного «тираном» нашими революционерами. Наступающее десятилетие породит сотни будущих тиранов. Долой революционные клубы! Истинный народ никогда не откажется от веры в Бога!»

В телеге, где ехали восемь осужденных, он мне сказал:

— Бог, позволивший тебе казнить короля, возложил на тебя обязанность казнить и всех похитителей его власти. И только потом Он покарает и тебя самого...

Я это запомнил.

Казни каждый день. Много казней.

Сегодня я обезглавил графа де Лэгль, а вместе с ним Агнессу Розалию Ларошфуко и еще двенадцать знатнейших «бывших», обвиненных в заговоре...

На следующем заседании Трибунала было вынесено восемнадцать приговоров. Я вез осужденных под проливным дождем, набив их в четыре телеги. Больше телег не дали. Толпа, которую величают народом, осталась довольна количеством жертв — не зря она мокла под проливным дождем!

Были арестованы «бешеные» — неистовые революционеры из городской Коммуны. За то, что они непримиримые и оттого хотели увести Революцию с ее истинного пути, который известен одному Робеспьеру.

Понадобилось множество телег, когда большая компания «бешеных» отправилась на гильотину.

Фукье-Тенвиль, не моргнув глазом, обвинил своих бывших сподвижников и друзей — прокурора Шометта, его заместителя Эбера и прочих революционеров — в измене и заговоре.

Во время заседания Трибунала один из самых яростных, помешанный на крови Анахарсис Клоотц сказал:

— Будет очень странно, если меня, которого сожгли бы в Риме, повесили бы в Лондоне и колесовали бы в Вене — гильотинируют в республиканском Париже!

Но все случилось именно так. При сем его вчерашний почитатель Фукье-Тенвиль обвинил Клоотца, этого ненавистника короля, в тайных стремлениях... к восстановлению королевской власти!

Вместе с Клоотцем сел в мою телегу и другой «бешеный» — Эбер, помощник и друг прокурора Шометта. Еще недавно на процессе королевы он произнес наглое лжесвидетельство — это он придумал обвинить бедную королеву в разврате с ее собственным сыном.

По дороге на гильотину толпа, еще вчера им рукоплескавшая, щедро осыпала их проклятьями.

Эбер на гильотине (как и положено трусливым злодеям) совсем ослабел, был малодушен и все молил: «Подождите, граждане!»

И тогда Клоотц с криком: «Да здравствует Всемирная Республика! Да здравствует братство народов!» — бросился на кровавую доску. Он показался мне искренним безумцем, которого следовало отдать врачам, а не гильотине.

Эбера (он был без чувств от страха) мы привязали к доске, и старушка гильотина сделала свое дело.

И толпа, радостно наблюдавшая казнь неистовых республиканцев, неистово кричала:

— Да здравствует Республика!

Но самое невероятное произошло 11 жерминаля. Утром Дантон, Камилл Демулен и их товарищи были арестованы на своих квартирах — и народ безмолвствовал!

Говорят, Дантон, отважившийся бороться с Робеспьером, был уверен: его не посмеют тронуть!

Робеспьер посмел.

Он верит в себя. Марат стал святым после смерти — Робеспьер сумел сделать себя святым при жизни. Жена моего помощника Деморе повесила его портрет вместо иконы в изголовье своей постели. И таких немало. Полоумная старуха, некая Екатерина Тео, назвала себя «Богородицей», а Робеспьера — своим сыном!

Впрочем, еще совсем недавно республиканцы так же молились на Дантона...

Дантон сдался жандармам без сопротивления, Демулен же звал из окон народ на помощь. Но никто не пришел. Люди уже привыкли проклинать тех, кого вчера славили. И отвыкли удивляться.

Они не удивляются, что все вчерашние кумиры Республики — Бриссо, Мирабо, Лафайет, Верньо — объявлены предателями интересов народа. Все эти люди, оказывается, сделали Революцию только для того, чтобы ее погубить! Но и те, кто изобличил их в предательстве, — Шометт, Дантон и прочие — тоже оказались предателями! Предают справа и слева! Предают умеренные и непримиримые!

Теперь остался один Робеспьер. Один — из всей троицы, которую я привык видеть у окна на улице Сент-Оноре.

Я читал сегодня письмо, которое несчастный Демулен отправил жене (и которое, естественно, ей не передали):

«Я залился слезами, я стал громко рыдать в глубине темницы... Пусть так жестоко поступали бы со мной враги... но мои товарищи... но Робеспьер... и, наконец, сама Республика, после всего, что я для нее сделал!.. Руки мои обнимают тебя, и голова моя, отделенная от туловища, покоится на твоей груди... я умираю».

Я присутствовал на заседании Революционного Трибунала. Фукье-Тенвиль в длинной и монотонной (как обычно) речи потребовал их смерти. И Трибунал, конечно, их приговорил — и Демулена, и Дантона, и их сторонников.

Дантон сказал, усмехаясь:

— Я основал этот Революционный Трибунал и прошу за это прощения у Бога и людей.

Когда я пришел в Консьержери, жандарм хлопнул меня по плечу и сказал:

— Сегодня у тебя крупная пожива — много осужденных!

Начальник караула пояснил мне:

— Очень вероятно, что по пути на гильотину осужденным удастся возмутить народ. Тогда тебе следует пустить лошадей рысью. Жандармам уже дан приказ — стрелять в случае беспорядков. На площади все должно быть исполнено тобой как можно быстрее. Надо спасти Республику от этих злодеев!

Начали поодиночке приводить «злодеев» (вчерашних кумиров Республики), читать им приговор. После чего я готовил их к смерти.

Когда привели Дантона, он не захотел слушать тюремщиков. Он прорычал:

— Знать не хочу вашего приговора! Нас рассудят потомки — и они поместят нас в Пантеон!

И равнодушно обратился ко мне:

— Делай свое дело, Сансон!

Я сам подстриг его перед смертью. Никогда не забыть мне его волосы — жесткие и курчавые, как щетина диковинного зверя...

При мне он сказал своим друзьям:

— Это начало конца... Будут казнить народных представителей — кучами. Франция задохнется в потоках крови...

Будто раньше не казнили! И кучами! И с его благословения!

Помолчав, он добавил:

— Мы сделали свое дело — можно идти спать.

Когда привели Демулена, он сначала плакал и говорил о жене, потом бросился на моих помощников и стал их бить (в эти предсмертные минуты человек обычно становится необыкновенно силен). Четверо держали его, пока я резал волосы. А он все сражался с ними!

И тогда Дантон повелительно сказал ему:

— Оставь этих людей. Они — лишь служители и исполняют свой долг. Исполни свой долг и ты.

Наконец все было готово. Рассаживались по телегам.

Конвой был столь же многочисленный, как и у королевы.

Я сел на облучок своей телеги. За мной в первом ряду стояли Дантон и Демулен — так что я слышал их разговоры.

Когда двинулись в путь, Дантон сказал Камиллу:

— Это дурачье сейчас будет кричать: «Да здравствует Республика!» А сегодня у этой Республики уже не будет головы!

Когда мы выехали на бульвар, Демулен стал кричать народу:

— Разве вы не узнаете меня?! — Он старался высунуться из повозки. — Перед моим голосом пала Бастилия! С вами говорю я — первый проповедник Свободы! Ее статуя сейчас обагрится кровью! Ко мне, мой народ! Не допусти, чтобы умертвили твоих защитников!

Ему отвечали хохотом и ругательствами. Он пришел в ожесточение, и я боялся, что он выбросится из телеги.

Дантон сказал ему:

— Замолчи! Неужели ты надеешься растрогать эту покорную сволочь?!

Проезжая мимо кофейной, мы увидели живописца Давида — он рисовал всю нашу процессию.

— И ты здесь, лакей! — прорычал Дантон. — Пойди и покажи свой рисунок своему господину! Пусть он увидит, как умирают воины Свободы!

Мы проезжали мимо дома Робеспьера. Окно, где они так часто стояли вместе, было закрыто. И даже ставни были закрыты.

И тогда раздался громовой голос Дантона:

— Робеспьер, ты напрасно прячешься там, за ставнями! Знай: скоро и ты пойдешь за мной! Скоро, очень скоро придет твой черед! И тень Дантона тогда возрадуется!

Все это он сопровождал отборной руганью.

На эшафоте они держались молодцами. Демулен попросил меня передать его локон матери его жены. Потом он взглянул на небо, произнес несколько раз имя жены — и нож опустился!

Его еще не успели очистить от крови предыдущей жертвы, когда Дантон поднялся на эшафот. Я попросил его отвернуться, пока помощники смывают кровь, но он сказал с презрением:

— Велика важность — кровь на твоей машинке... Не забудь показать мою голову народу! Такие головы увидишь не каждый день!

На обратном пути я думал: «Как забавно! Скольких людей перевезла моя тележка! В ней уместилась, пожалуй, вся, без исключения, история Революции. Остался лишь — он. Один!»

Робеспьер.

Кресло для обвиняемого давно вынесено из Трибунала. Вместо него установлен огромный помост, где обвиняемых размещают партиями по нескольку десятков человек. Как правило, им ставят в вину участие в заговорах. Фукье-Тенвиль научился «объединять» в этих делах людей, зачастую видящих друг друга в первый раз на заседании Трибунала.

Полуграмотные присяжные, освобожденные решением Конвента от всяких норм судопроизводства, теперь в одно мгновение определяли виновность людей. Им было приказано руководствоваться только патриотическим чувством.

Бесконечная череда обвиняемых... Обвинитель, присяжные, судьи, измученные постоянным недосыпанием, работают не покладая рук, подстегиваемые яростью ненавистников, толпящихся на галереях, в этой ужасной летней духоте, сводящей с ума! Они взбадривают себя алкоголем и патриотическими речами, стараясь превозмочь кровавую дремоту!

Я помню раннее утро... Заседание Трибунала... По обвинению в заговоре вместе с целой группой несчастных осудили бедную Люсиль Демулен. И уже в пять часов пополудни я окончил ее страдания на эшафоте...

В тюрьме ее считали помешанной, ибо ее преследовала одна мысль: побыстрей соединиться *там* с Камиллом. После них осталась крохотная дочь.

Приговоры идут потоком — 29 жерминаля мы казнили семнадцать человек.

1 флореаля Трибунал осудил во имя Революции тех, кто раньше судил во имя Революции. И я повез на гильотину тех самых судей, чьи декреты исполнял столь долгое время. Двадцать пять членов парижского и провинциальных судов пошли на плаху с президентами во главе!

Утром 19 флореаля мы казнили двадцать восемь человек. Один из них, некто Лавуазье, ученый, попросил отсрочку от казни, чтобы довершить, как он сказал, «открытие, важное для нации». Секретарь Трибунала ответил ему: «Народ не нуждается в твоей науке, и ему нет никакого дела до твоих открытий».

Он был прав — толпа восторженно кричала, когда я показал ей голову ученого.

21 флореаля я присутствовал на заседании, где была осуждена Елизавета — набожная сестра последнего короля. Она выслушала приговор с ласковой улыбкой на устах, обратив глаза к небу, а Фукье-Тенвиль честил ее в самых бранных выражениях! Трибунал под председа-

тельством судьи Дюма, конечно, приговорил ее к смерти, как опасную заговорщицу.

В сообщники ей были приписаны еще двадцать три аристократа. Всех их я рассадил по телегам — уже на следующее утро...

Впрочем, скоро и председатель Трибунала Дюма сядет в мою телегу.

Елизавету велели гильотинировать последней. Когда пришла ее очередь подняться на эшафот, она слегка содрогнулась, но пошла сама...

Она приблизилась к доске. Я хотел снять платок, покрывавший ее плечи, но она воскликнула с непередаваемой, чудной стыдливостью:

— О, ради Бога!..

Тюрьмы переполнены. Но уже придумали, как их очистить для новых заключенных. В Консьержери и в прочие тюрьмы внедрены агенты. Они предлагают несчастным, обреченным на смерть, организовывать заговоры — будто бы для освобождения. После чего «заговорщиков» немедленно отправляют на гильотину.

18 прериаля — двадцать один осужденный за заговоры! И так — каждый день!

С моими помощниками что-то происходит. Нет ни одного, кто оставался бы спокойным после казней. Лишь выпив изрядную порцию водки, они приходят в себя.

20 прериаля. Мой помощник Луве повесился.

Сегодня отвез на гильотину тридцать два человека по обвинению в заговоре. По дороге я уже не слушал их разговоров, все думал, все вспоминал великие лозунги Революции — «Свобода! Равенство! Братство! Или Смерть!».

Свобода, которой, увы, давно нет; Равенство, которое видится теперь лишь во сне; Братство, которое все чаще звучит насмешкой...

Из всех лозунгов Республики не подвергается сомнению только один — Смерть!

Погибшие мечты! Хотя одна мечта все-таки стала реальностью!

С раннего детства я был убежден в правах, которые дает мне мое звание, в своем значении для общества. Я верил, что мне доверена трудная и грозная обязанность, и смотрел на пренебрежение и отвращение к своей работе как на гнусный предрассудок.

Я мечтал об иных временах! И вот они пришли. Теперь мы воистину окружены почетом, и самые знаменитые депутаты считают за честь дружить с палачом! Дело уже идет к тому, чтобы не только запретить называть нас «палачами», но поискать нам славное прозвище, достойное той роли, которую мы играем в жизни Республики! Предлагают даже назвать нас «Мстителями Народа» и одеть в подобающие костюмы. Живописец Давид на днях показал мне рисунок нашего одеяния, напоминающего облачения римских ликторов.

Можно сказать, я вкусил славы! Проезжая по улицам на своем страшном экипаже, я слышу только одобрительные клики народа! И страшные в своей ярости фанатичные революционерки, эти фурии гильотины, устраивают мне овации и считают за честь отдаваться моим помощникам!

25 прериаля. Из-за жалоб жителей улицы Сент-Оноре, которые не могут более сносить ежедневного проезда множества наших телег, решено перенести гильотину на площадь бывшей Бастилии. Однако народ (здесь живут трудолюбивые и бедные люди) вдруг встретил нас свистом и бранью. Впервые на площади собралось ничтожно мало людей — смотреть казнь! Многочисленные агенты, которые теперь повсюду, были очень сконфужены.

И уже ночью мне велели переставить эшафот на прежнее место.

Неужели толпа наконец устала?! А как устал я! Как смертельно устал я!

27 прериаля. Редчайший день отдыха. Мы гуляли с племянницами за городом и столкнулись с ним. Его сопровождала огромная собака по кличке Браунт.

Дети никак не могли сорвать дикие розы — мешали шипы. И он поспешил к ним на помощь. Он был одет в голубой фрак, желтые брюки и белый жилет. Волосы его были напудрены, а шляпу он держал на конце маленькой трости.

Он сорвал розы, отдал их детям и ласково беседовал с ними, пока не заметил меня...

Я никогда не видел, чтобы так менялось человеческое лицо! Он будто наступил на змею! Его лоб покрылся испариной, улыбка исчезла. Он проговорил отрывистым голосом:

— Вы...

И замолчал. В глазах у него был ужас!

Он поспешно удалился, не глядя на меня. А я все думал, где я уже видел такие же глаза?

Я вспомнил — король! Наше первое свидание!

Да, это было не отвращение к топору, который верно служил тебе, Робеспьер! Это был *твой* страх. Твой ужас!

Фукье-Тенвиль стал подвержен галлюцинациям. Он рассказал одному из членов Трибунала, что Сена в лучах солнца кажется ему кровавой.

Сейчас он готовит очередной «заговор» среди заключенных. На гильотину должно отправиться сто пятьдесят четыре человека.

29 прериаля. У меня был страшный день: гильотина пожрала сто пятьдесят четыре человека! Силы мои истощи-

лись, я едва не упал в обморок... Мне показали карикатуру, которую враги Республики распространяли в городе: на эшафоте среди поля, усеянного бесчисленными обезглавленными трупами, я гильотинирую... самого себя!

Если это поможет остановить кровавое безумие, я готов хоть сейчас отправиться к Господу со своей головой в руках.

Меня мучают видения. Вечером, садясь за стол, я убеждал жену, что на нашей скатерти — кровавые пятна!

Очередной организованный шпиками «заговор» доставил на мой эшафот двадцать четыре жертвы. Среди них достойны упоминания: семидесятилетний барон Трен, герцог Креки, маркиз Монталамбер и еще один молодой человек, про которого мне сказали, что он поэт. Его звали, кажется, Шенье...

9 мессидора я прекратил записи в своем Журнале. После очередной массовой казни (это было 8 мессидора) я слег в постель. Болезнь заставила меня передать должность сыну...

Сколько дней прошло... Я снова вернулся к перу. Я ищу уединения, но оно меня пугает. Я словно жду кого-то... при всяком шуме меня охватывает необъяснимый страх. Я болен страхом...

Должность исполняет мой сын. Несчастный мой мальчик! Ежедневное число жертв теперь никогда не опускается ниже тридцати, а в страшные дни достигает шестидесяти!

Все славные фамилии прежней монархии торопливо занимают свои места на гильотине, но простого народа — солдат, земледельцев, бедняков — несравненно больше!

9-10 термидора. Сын рассказал, что председательствующий в Трибунале судья Дюма готовился отправить в мою телегу очередную партию осужденных, но вошли посланцы Конвента и объявили о его аресте. И уже на следующий день Дюма сам сидел в моей телеге...

Робеспьер, несчастный, уничтоженный, старался перекричать вопли восставшего против него Конвента, но издавал только нечленораздельные звуки.

И кто-то бросил ему:

— Это кровь Дантона душит тебя!

Он успел прокричать сквозь рев бесновавшихся депутатов:

— Разбойники, вы торжествуете!

Разбойники... Он был прав: всех честных республиканцев он давно уже отправил под мой топор.

А потом мой сын повез его в моей телеге мимо его дома на Сент-Оноре, и он смог увидеть все, что видели его жертвы, — набережные, заполненные народом, который привычно кричал: «Да здравствует Республика!» И проклинал его!

И свои окна он тоже увидел — но снизу, из телеги!

Круг замкнулся. Теперь я смогу отдохнуть. Теперь действительно вся история Революции уместилась в моей грязной позорной телеге.

Но страх... невыносимый, непередаваемый страх не покидает меня! Господи, спаси!»

С О Д Е Р Ж А Н И Е

Эдвард Станиславович РАДЗИНСКИЙ
ГИБЕЛЬ ГАЛАНТНОГО ВЕКА

Редактор *А.Л. Костанян*
Художественный редактор *Т.Н. Костерина*
Технолог *М.С. Белоусова*
Оператор компьютерной верстки *А.В. Волков*
Зав. корректорской *А.Ю. Минаева*
Зам. зав. корректорской *Н.Ш. Таласбаева*
Корректоры *В.А. Жечков, С.Ф. Лисовский*

Издательская лицензия № 101053 от 4 апреля 1997 года.
Подписано в печать 16.02.98. Формат 84 × 108/32.
Гарнитура Таймс. Печать высокая.
Объем 13,5 печ. л. Тираж 20 000 экз.
Изд. № 553. Заказ № 823.

Издательство «ВАГРИУС»
103064, Москва, ул. Казакова, 18
Интернет/Home page — http:\\www.vagrius.com
Электронная почта (E-Mail) — vagrius@mail.sitek.ru

Отпечатано с готовых диапозитивов
в Государственном ордена Октябрьской Революции,
ордена Трудового Красного Знамени
Московском предприятии
«Первая Образцовая типография»
Государственного комитета Российской Федерации
по печати.
113054, Москва, Валовая, 28.

Мелкооптовая и розничная торговля:
Книжная лавка «У Сытина»: (095) 230-89-00, 230-88-63
тел./факс: 237-36-11
Для заказов книг по почте:
111116, Москва, а/я 10, «Клуб читателей»

В Санкт-Петербурге и Северо-Западном регионе России:
ТОО «Невская книга»: (812) 567-47-55, 567-53-30